HISTOIRE D'UNE GRECQUE MODERNE

Du même auteur,
dans la même collection

MANON LESCAUT.

ABBÉ PRÉVOST

HISTOIRE D'UNE GRECQUE MODERNE

Édition établie
par
ALAN J. SINGERMAN

Publié avec l'aide du Centre National des Lettres.

GF
FLAMMARION

ISBN 2-08-070612-8

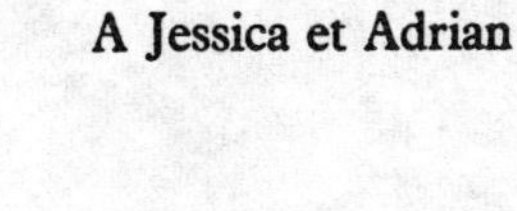

A Jessica et Adrian

INTRODUCTION

Un « singulier bénédictin »

La vie personnelle « scandaleuse » de l'abbé Prévost a longtemps alléché son public, ce qui n'est pas forcément propice, loin s'en faut, à une appréciation de son œuvre littéraire. Mais il y avait vraiment, il faut être honnête, de quoi attiser l'imagination. On se figure les biographes modernes de l'abbé Prévost, de H. Harrisse à C.-E. Engel, en passant par H. Roddier[1], allant d'étonnement en étonnement au cours de leurs recherches sur la vie du romancier bénédictin, ravis de découvrir l'existence palpitante de cet ex-moine apostat, érudit de l'Eglise, bon vivant, apôtre de la sensibilité romanesque, porte-parole des passions comme de la morale, quelque peu escroc dans sa vie privée, homme d'esprit et être de chair, ô combien ! De bonnes études chez les jésuites, huit ans chez les bénédictins, puis, en 1728, une célébrité subite due à la publication des premiers tomes des *Mémoires d'un homme de qualité*. Prévost rue dans les brancards monastiques, veut changer d'ordre, s'impatiente, puis prend la clé des champs ; menacé d'arrestation par ses supérieurs, il « jette son froc aux orties » et se réfugie en Hollande, puis passe en Angleterre. Renvoyé bientôt de son poste de précepteur dans la famille d'un gentleman anglais, qu'il aurait mal disposé à son égard en contant fleurette à sa fille, Prévost regagne la Hollande en 1730 et s'installe à La Haye, où il écrira *Manon Lescaut* et poursuivra la rédaction de sa monumentale *Histoire de M. Cleveland*, commencée en Angleterre, tout en sombrant dans la ruine financière par les dépenses folles qu'occasionne l'entretien de sa maîtresse, Lenki Eckhart. Laissant derrière lui des dettes insurmontables, ainsi que quelques meubles dont la justice hollandaise organisera gracieusement la vente, il repasse la mer en 1733, emmenant avec lui Lenki, pour se réinstaller en Angleterre où il fonde son journal, *Le Pour et Contre*. Toujours aux abois, il est écroué pour une minable histoire de fausse lettre de change et n'échappe que de justesse à la potence anglo-saxonne avant de réussir, au début de 1734, à négocier son retour en France. Le pape Clément XII lui ayant accordé la rémission de ses fautes, il rentre en grâce auprès des bénédictins au prix d'un second noviciat à La Croix-Saint-Leufroy près d'Evreux, liquide sa querelle avec les jésuites et fait paraître le premier tome du *Doyen de Killerine*.

Dès le début de l'année 1736, l'abbé Prévost est de retour à Paris. Protégé (mais si légèrement!) par le jeune prince de Conti, chez qui il loge en qualité d'aumônier, Prévost ne tardera pas à devenir la « coqueluche » des salons parisiens où l'on se l'arrachera, tant pour sa notoriété de « bénédictin défroqué » et quelque peu dévergondé que pour sa finesse d'esprit et une vaste culture édifiée au fil de longues années de divers travaux d'érudition, de recherches historiques à finalité romanesque et de journalisme populaire. Il jouit de tout le prestige que lui a valu le succès immense des *Mémoires d'un homme de qualité*, de *Manon Lescaut* et des premiers volumes de *Cleveland*. Son journal d'actualités anglaises, *Le Pour et Contre*, réadapté désormais au contexte français, va toujours bon train. Tout peut laisser croire que les affaires de Prévost sont, enfin, en train de s'arranger.

La « crise de 1740 » et la genèse de la « Grecque moderne »

Or il n'en est rien. Malgré la parution des derniers tomes de *Cleveland* (1738-39) et les volumes II et III du *Doyen* (1739), Prévost, qui est sans bénéfice ecclésiastique et qui sera obligé d'abandonner la rédaction du *Pour et Contre* pendant huit mois, se trouve à la fin de 1739 au bord de la faillite. Grâce à Harrisse (pp. 299-302), les faits sont bien connus : faute de pouvoir régler cinquante louis de dettes, Prévost est menacé par ses créanciers, tailleurs et tapissiers en particulier, d'un décret de prise de corps. Le 15 janvier 1740, il écrit une lettre désespérée à Voltaire où il propose d'écrire une *Défense de M. de Voltaire et de ses ouvrages* contre les cinquante louis qui lui font si cruellement défaut ; le philosophe décline poliment la proposition. Les dettes continuent de s'accumuler, atteignant à la fin de l'année « quatre ou cinq mille francs ». Prévost, au pied du mur, se compromet dans une mauvaise affaire de journalisme scandaleux[2] et est obligé de s'exiler une nouvelle fois en janvier 1741, d'abord à Bruxelles, puis à Francfort, avant de pouvoir reparaître à Paris en septembre 1742.

Au beau milieu de la crise de 1740, dans la deuxième quinzaine du mois de septembre, paraît le deuxième chef-d'œuvre de l'abbé Prévost, l'*Histoire d'une Grecque moderne*. Mais celle-ci sera noyée, pour ainsi dire, dans un véritable torrent de création littéraire qui comprend aussi la publication du dernier tome du *Doyen de Killerine* et des volumes XIX et XX du *Pour et Contre*, ainsi que la composition de l'*Histoire de Guillaume le Conquérant*, des *Mémoires pour servir à l'histoire de Malte* et des *Campagnes philosophiques*. C'est beaucoup, et l'on ne peut s'empêcher de constater la coïncidence entre cette activité littéraire effrénée et le dilemme financier de Prévost — ce qui amènera A. Billy, un peu cavalièrement il est vrai, à qualifier toute la production de cette époque de « littérature alimentaire[3] » ! On ne s'est pas privé, bien au contraire, de réfléchir aux causes des dépenses ruineuses de Prévost, qui aurait dilapidé des fortunes pour en arriver là. Selon une suggestion avancée par Roddier (pp. 43-44), fondée sur les dires de Ravanne, l'ancien secrétaire de l'abbé à La Haye, Prévost aurait renoué à Paris avec Lenki ; c'est pour elle, devenue Mme de Chester, que Prévost se serait ruiné une deuxième fois, avant que celle-ci, se trouvant veuve, disparaisse enfin de sa vie en épousant un certain M. Dumas en 1741. Si les maux personnels de Prévost à cette époque nous intéressent, c'est parce qu'il est tentant d'établir un rapport, comme le font J. Sgard et R. Mauzi, entre les déboires sentimentaux que l'abbé aurait connus avec Lenki-Mme de Chester et ceux du narrateur de la *Grecque moderne*. Prévost et son héros seraient tous deux « épuisés et vieillis » par la « fin misérable d'une longue liaison » et « dans le portrait du vieillard solitaire, impotent, déchu, on lit comme une étrange et ironique conclusion de Prévost sur lui-même[4] ». La *Grecque moderne* serait la transposition des « souffrances de la passion » que Prévost aurait vécues personnellement[5]. Ce ne sont là, bien évidemment, qu'hypothèses, aussi séduisantes soient-elles.

« *Ni clé des noms, ni éclaircissement sur les faits...* »

Si les conjectures autobiographiques sont sujettes à caution dans la réflexion sur la genèse de l'*Histoire d'une Grecque moderne*, il n'en va pas de même pour les modèles historiques. Car, sans nul doute, il s'agit bien d'un « roman à clés ». Pour que le lecteur le comprenne (pour éveiller sa curiosité), Prévost se permet de signaler que sa préface « ne servira qu'à déclarer au lecteur qu'on ne lui promet, pour l'ouvrage qu'on lui présente, ni clé des noms, ni éclaircissement sur les faits, ni le moindre avis qui puisse lui faire comprendre ou deviner ce qu'il n'entendra point par ses propres lumières ». Quelle meilleure manière, bien des commentateurs du roman l'ont déjà remarqué, de suggérer qu'il y a, effectivement, une « clé des noms » ? D'ailleurs, les contemporains de l'auteur ne s'y sont guère trompés, comme l'indiquent clairement les quelques témoignages de l'époque. Dans une lettre du 29 septembre 1740, à peine une semaine après la parution du roman, le nouvelliste Gastellier en donne un compte rendu dans lequel il nomme les acteurs principaux du drame qui a servi d'inspiration à Prévost : « La belle Haïcé dont on m'avait dit que l'Abbé Prévost faisait l'histoire était aussi une jeune Grecque que M. de Fériol avait aussi amenée de Constantinople à Paris...[6] » Ensuite, dans une lettre du 17 octobre 1740, nous lisons : « L'abbé Prévost d'Exiles continue de s'exercer dans le genre de roman qu'il a choisi, il vient de donner l'*Histoire d'une Grecque moderne*, c'est à ce qu'on dit pour le fond, l'aventure de M. de Ferriol lorsqu'il étoit notre ambassadeur à la Porte[7]. » Et encore, quelques mois plus tard, Mme de Staal-Delaunay écrira à un ami : « J'ai commencé la Grecque à cause de ce que vous m'en dites : on croit en effet que mademoiselle Aïssé en a donné l'idée, mais cela est bien brodé, car elle n'avoit que trois ou quatre ans quand on l'amena en France[8]. » Il s'agit de Charles-Louis-Augustin, marquis d'Argental, comte de Ferriol, ambassadeur de France à Constantinople de 1699 à 1710, et d'une jeune Circassienne, Charlotte-Elisabeth Aïssé (de son vrai nom, Haïdée) que Ferriol avait achetée sur un marché d'esclaves à Constantinople, puis amenée en France, à l'âge de quatre ans, en 1698[9]. Le diplomate confiera sa « filleule » à sa belle-sœur, Mme de Ferriol, sœur aînée de Mme de Tencin (de célèbre mémoire) qui l'élèvera avec ses fils, les comtes d'Argental et de Pont-de-Veyle. Lorsqu'en 1711 Ferriol, soupçonné de folie, sera rappelé en France, le bruit court que malgré ses soixante-quatre ans il n'aurait pas hésité à faire valoir ses « droits » sur sa protégée, devenue à dix-huit ans une véritable beauté (voir les illustrations), courtisée par des personnalités éminentes, dont le régent lui-même. Ce « bruit » est confirmé, d'ailleurs, sans ambages (n'en déplaise à l'indulgent Sainte-Beuve), par une lettre de Ferriol à Aïssé publiée dans le *Bulletin de la Société des Bibliophiles français* en 1828, où on lit, notamment : « Lorsque je vous retiray des mains des infidelles et que je vous acheptay [...], je prétendis profiter de la décision du destin sur le sort des hommes pour disposer de vous à ma volonté, et pour en faire un jour ma fille ou ma maistresse. Le mesme destin veut que vous soiés l'une et l'autre, ne m'estant pas possible de séparer l'amour de l'amitié, et des désirs ardens d'une tendresse de père [10]... » Le caractère proprement scandaleux des relations entre Ferriol et Aïssé — le « secret de Polichinelle » des salons parisiens entre 1735 et 1740 (Bouvier, p. 123) — n'est certes pas étranger à la motivation de Prévost lorsqu'il entreprendra d'écrire la *Grecque moderne*. Il lui fallait impérativement un succès rapide, fût-ce un succès de scandale, afin de s'affranchir de ses embarras d'argent. Le personnage d'Aïssé, et non seulement par ses rapports avec Ferriol, s'y prêtait particulièrement. Aux alentours de 1720 elle était devenue l'amante d'un jeune Chevalier de Malte, Blaise-Marie d'Aydie, qui aurait abandonné par amour d'elle une vie de « roué de la Régence » pour devenir « l'amant le plus fidèle et le plus tendre [11] ». En 1721, il naîtra de leur liaison, dans la plus grande clandestinité, une fille qui sera connue sous le nom de Célinie Le Blond. Après la mort de Ferriol, en 1722, Aïssé refusera une offre de mariage de la part du chevalier, puis, devenue tuberculeuse vers 1730, connaîtra des remords et s'abandonnera au repentir et aux pratiques religieuses jusqu'à sa mort en 1733 [12]. Leur couple sera entouré d'une véritable légende de tendresse réciproque, de dévouement et de fidélité qui ira croissant dans la postérité grâce à la publication, un demi-siècle après la mort d'Aïssé, des lettres de celle-ci où perce un accent de sincérité peu commun, tant dans l'expression de son amour pour le chevalier que dans le repentir qui marque ses dernières années[13]. Dans sa correspondance, « elle nous fait assister jour par jour », comme le remarque E. Asse, « à la lutte entre la chrétienne qui se repent de ses faiblesses et ne veut plus y retomber et l'amante qui ne peut anéantir son amour, mais n'en garde que ce qu'il a d'immatériel et de divin » (p. 169). Lutte donc, du point de vue thématique, entre l'amour et la morale, dont le romancier ne manquera pas de tirer parti dans la *Grecque moderne*.

Prévost, qui aurait fréquenté le cercle des parents ou amis des Ferriol dès son retour à Paris en 1736, ne pouvait ignorer les rumeurs qui circulaient sur le sort d'Aïssé. D'un autre côté, les faits concernant les ambassades de Ferriol à la Sublime Porte avaient été relatés non seulement par le comte lui-même dans l'*Explication des cent estampes* (1715)[14], mais aussi dans plusieurs récits de voyages célèbres à l'époque, dont celui de Tournefort (1717) et, surtout, de La Motraye (1727), ainsi que dans l'*Histoire de l'empire ottoman* de Démétrius Cantemir que Prévost avait bien connue dans sa version anglaise de 1734, avant de travailler lui-même à sa traduction en français au moment précis de la publication de la *Grecque moderne*[15]. Il n'est pas difficile de repérer dans les histoires de Ferriol, d'Aïssé et du chevalier d'Aydie les éléments que le romancier aurait transposés. Prévost a été surtout sensible, par exemple, aux multiples incidents, rapportés par Cantemir et La Motraye, qui troublèrent les rapports entre Ferriol et ses hôtes turcs, ainsi qu'à l'épisode où éclate la « folie » du diplomate (voir les Appendices 1-2). Le drame de la « Fête du roi » dans son roman sera ainsi la transposition quasi littérale d'une fête donnée par Ferriol en 1704 pour la naissance du petit-fils du roi, le duc de Bretagne, qui faillit provoquer un incident diplomatique des plus graves. Le comportement aberrant du narrateur de Prévost qui, à l'instar de son modèle historique, menace de faire sauter sa maison avec tous les convives (p. 243), évoque de manière transparente la crise de folie de Ferriol qui contribuera largement à son rappel — quoique ce fût, en réalité, un tout autre incident qui précipita sa disgrâce. Selon La Motraye, Ferriol aurait été frappé d'une « indisposition » à la suite d'une altercation avec un gentilhomme français lors d'une promenade à cheval ; fortement contrarié, Ferriol serait devenu tellement furieux qu'il se serait mis à délirer et qu'on aurait été obligé de l'enfermer. Averti de la « folie » de son ambassadeur, qui souffrait, à la vérité, d'une sorte de maladie nerveuse, le roi lui enlèvera sa charge et le rappellera en France. La suggestion de « folie », que nous retrouvons dans le roman de Prévost, relève nettement du personnage de Ferriol ; comme lui, d'ailleurs, le narrateur sera démis de ses fonctions diplomatiques.

L'incident que nous venons d'évoquer donnera lieu, au demeurant, à une autre circonstance d'un grand intérêt pour la genèse de la *Grecque moderne*. Toujours selon La Motraye : « Mais ce qui mortifia davantage Mr. de Ferriol, fut qu'on éloigna d'auprès de lui une fille arménienne, qu'il appeloit *figlia d'anima*, ou sa *fille d'ame* (c'est ainsi qu'on nomme les personnes adoptées de ce sexe), et que la médisance appeloit sa *fille de corps*. Cette fille le suivoit, et le tenoit par la main jusques dans les rues... » (t. 1, p. 410 [16]). La « figlia d'anima », c'est Lucie-Charlotte de Fontana, que Ferriol va emmener avec lui en France quand il rentrera en 1711, et avec qui il va continuer de vivre une dizaine d'années encore avant de dégager ses responsabilités en la mariant. Le personnage de l'héroïne de Prévost, Théophé, évoquera ainsi, à la fois, Aïssé et Fontana — tout en se distinguant des deux modèles par son individualité. En créant Théophé, Prévost s'inspire visiblement des rapports entre Ferriol et Fontana en Turquie aussi bien que de ceux qui unissent l'ex-ambassadeur à Aïssé à Paris, les deux femmes « jouissant » du même statut équivoque de « fille » et de « maîtresse ». On y reconnaît aisément le référent historique du projet du narrateur-héros dont tous les efforts tendent à transformer sa qualité de « père » en celle d' « amant ». Le personnage d'Aïssé fournit, d'autre part, comme nous l'avons indiqué, le thème de la conversion morale, du dévouement à la vertu, voire du désir d'expiation que Théophé opposera au désir amoureux du diplomate. Friand de scandale, le public parisien aurait donc vite fait de retrouver la « clé des noms » que Prévost leur refusait si délicatement... tout en leur tendant la perche. Le seul bruit provoqué par le titre du roman, avant sa publication, suffira à mobiliser les proches de celle qu'on appelait « la jeune Grecque » (tandis que Ferriol, lui, était communément affublé du titre de « pacha » ou d' « aga »). Ce n'est qu'après l'intervention du comte d'Argental et du chevalier d'Aydie lui-même, soucieux de la réputation d'Aïssé, que Prévost changera, dans son roman, le nom du dernier soupirant de Théophé : « le comte de... » devait s'appeler, à l'origine, « le chevalier D. ». Or, quand on sait que le nom du chevalier d'Aydie s'écrivait souvent « Daydie » à l'époque, on comprend l'émotion des défenseurs de la belle Circassienne[17]...

A côté de Ferriol, dont le caractère ne correspond pas toujours à celui du narrateur de Prévost, on doit constater l'existence d'une deuxième source d'inspiration importante : le comte C.-A. de Bonneval. Personnage romanesque s'il en fut, le comte de Bonneval, ancien général de Louis XIV passé au service de l'empereur, se réfugia à Constantinople vers 1729 pour échapper à ses ennemis. Il prit la religion musulmane et s'intégra parfaitement à la société ottomane. Parlant turc couramment comme le diplomate de Prévost et, comme lui, faisant l'objet de « caresses » et de « distinctions » exceptionnelles de la part de ses hôtes (à l'encontre de Ferriol), il fut élevé au rang de pacha à trois queues (gouverneur de province). Sa défection, tant religieuse que politique, scandalisa une partie de l'opinion publique, si bien qu'il fut au centre d'une polémique très vive entre 1737 et 1740, polémique à laquelle Prévost lui-même participa activement, prenant la défense du rénégat dans un récit publié en 1739[18]. Le séjour de Bonneval en Turquie est raconté en 1737 dans des mémoires apocryphes fabriqués par ses détracteurs, les *Nouveaux Mémoires du comte de Bonneval* (La Haye, Van Duren) que Prévost avait lus et qui ont connu un succès retentissant à l'époque. Prévost n'aurait-il pas voulu profiter de cet engouement du public en lui proposant de nouveaux mémoires orientaux apocryphes, ceux justement du comte de Ferriol ? Certains passages des *Nouveaux Mémoires*, par ailleurs, pourraient bien avoir joué un rôle précis dans la genèse de la *Grecque moderne*. Dans les extraits que nous donnons dans l'Appendice 3, on remarquera, outre le cadre et l'ambiance, d'importantes similarités de situation et de thèmes : l'esclave malheureuse (telle Théophé) qui raconte son histoire au Français et qui fait appel à son sens de l'honneur et à sa générosité pour se libérer de sa condition, insupportable, de concubine ; l'attaque des corsaires turcs lors de laquelle la jeune Européenne (telle Maria Rezati) est faite prisonnière et se retrouve au sérail ; la vieille esclave qui essaie (telle Bema) de persuader la jeune fille de consentir aux désirs du maître ; les mille écus dépensés pour libérer la mère (même somme pour libérer Théophé) ; la mise en question des *mobiles* de la belle Persane, une « fille de condition » (comme Théophé) et qui, par surcroît, fait preuve de qualités d'esprit... Des coïncidences, peut-être, mais qui laissent quand même rêveur.

Les questions de genèse, si elles peuvent éclairer l'inspiration et la motivation du romancier, ne sauraient, évidemment, expliquer la valeur d'une œuvre littéraire, qui relève uniquement de ses qualités intrinsèques. Par contre, une préoccupation excessive quant aux sources peut, effectivement, occulter l'œuvre elle-même. La réputation de l'*Histoire d'une Grecque moderne*, que l'on s'accorde aujourd'hui à traiter de chef-d'œuvre romanesque, a longtemps souffert, et cela depuis sa parution, de son statut de « roman à clés », de « roman à scandale » ; on s'intéressait davantage à la clé, à la vie privée des modèles, qu'à l'œuvre artistique. Prévost a tout fait, d'ailleurs, pour qu'il en soit ainsi. S'il y a un « miracle » de la *Grecque moderne*, comme on aime le dire, c'est que Prévost ait pu, étant donné les contingences matérielles de la rédaction et les rumeurs scabreuses qui lui servirent d'inspiration, produire une œuvre littéraire de tout premier plan.

Une « énigme perpétuelle »

Tomber amoureux d'une ancienne concubine, ce n'est déjà pas banal. Lorsqu'il s'agit de l'ambassadeur de France à Constantinople, libertin avisé, qui a acheté la liberté de la jeune personne, et que celle-ci se permet de refuser jusqu'aux avances les plus « honnêtes » de son bienfaiteur, le condamnant ainsi à une frustration insoutenable, le poussant au paroxysme de la jalousie, le cas devient tout à fait singulier. Or c'est le diplomate lui-même qui, après le décès de sa protégée, nous raconte cette histoire, et qui, tourmenté par des doutes, demande au lecteur de rendre un jugement sur celle-ci. Cette jeune femme, rompue à son métier d'odalisque, et qui prétend, à la sortie du harem, consacrer sa vie au culte de la vertu la plus sévère, est-elle de bonne foi ? Est-il concevable qu'une fille de sérail, élevée expressément pour servir aux plaisirs de la chair, accède instantanément à la conscience morale, se convertisse soudainement — à la seule idée de vertu — à une vie de chasteté et de perfectionnement moral ? Le narrateur n'a-t-il pas été dupe des « belles maximes » de la jeune Grecque, qui tentera de s'enfuir avec Synèse (ce « frère » dont elle acceptera plus tard des caresses plus qu'équivoques), qui se laissera courtiser par « le premier venu » dès son abordage en Occident, qui se prêtera à des divertissements galants à Paris et qu'on accusera de recevoir la nuit des amants dans sa chambre ? Que de chefs d'accusation ! Et pourtant, la défense de Théophé est toujours irréprochable. Si elle a voulu fuir, c'était uniquement pour se soustraire au regard du diplomate, qui lui rappelait « la honte de ses avantures » (p. 113) ; si elle a accepté les caresses de Synèse, c'est qu'il avait su la persuader — elle n'avait aucune raison de douter de sa bonne foi — que « c'était un usage établi entre les frères et les sœurs de se donner mille témoignages d'une tendresse innocente » (p. 159) ; si elle n'a pas combattu son penchant pour le comte de M.Q. à Livourne, c'est parce que, nous explique-t-elle, « ne lui croyant aucune connoissance de mes misérables avantures, je me suis flattée de pouvoir rentrer avec lui dans les droits ordinaires d'une femme qui a pris l'honneur et la vertu pour son partage » (p. 258). Et ainsi de suite[19]. Que, ou qui, croire ? Les doutes du narrateur, ses soupçons, ses accusations, ou les explications apparemment sincères et cohérentes de Théophé ? Le narrateur lui-même, visiblement dépassé par les événements, en appelle donc au jugement du « lecteur ». Ce narrataire intratextuel, condamné au silence, passe la main au lecteur implicite, c'est-à-dire à nous.

Devant ce dilemme exégétique, la prudence voudrait qu'on ne tranche pas du tout. Ainsi il s'est établi une tradition critique persistante selon laquelle l'énigme elle-même, et l'ambiguïté, serait en quelque sorte le message — l'« énigme » du caractère de Théophé, comme l'« ambiguïté » de sa motivation et de son comportement. Théophé ne serait qu'un autre exemple de cet « éternel féminin » incarné jadis par Manon. Nous ne saurions donc jamais si l'héroïne est vraiment sincère, si elle est vertueuse et chaste, si sa conversion est authentique ; elle *pourrait* être une « menteuse raffinée », une « hypocrite », une créature « amorale », une « fille ambiguë et changeante » qui abuse de la générosité et de la crédulité du diplomate pour se ménager une bonne situation matérielle tout en conservant tous les avantages de la liberté personnelle[20]. Prévost aurait, selon certains, privé le lecteur de tout éclairage sur ces questions, préférant, comme le soutient Mauzi, « qu'elle demeurât jusqu'au bout une énigme » (p. xxxiii). Dans ce cas, c'est le doute lui-même qui investit le champ sémantique du roman, « un doute sur la nature de l'amour et de la vertu », dira Sgard, qui assimile carrément la *Grecque moderne* aux deux autres romans de la « trilogie de 1740 », les *Mémoires pour servir à l'Histoire de Malte* et les *Campagnes philosophiques*, dont le cynisme est bien connu (*op. cit.*, pp. 418-419, 429). A moins qu'on n'estime avec J. Rousset, en insistant sur le problème herméneutique, que l'intérêt principal du roman est, tout bonnement, « l'incertitude du réel et la pluralité des interprétations qu'il tolère[21] ». Il est vrai que le roman démontre l'impossibilité où se trouve le narrateur-héros, prisonnier de son égocentrisme naturel autant que de son caractère jaloux, d'établir lui-même une vérité quelconque dans l'histoire de ses rapports avec l'héroïne. Mais faut-il en conclure, pour autant, que le lecteur réel — qui ne doit pas s'identifier au « lecteur » fictif (et passif) auquel s'adresse le narrateur — se trouve dans la même impossibilité ? Il nous semble légitime de se demander, comme le fait d'ailleurs F. Pruner (p. 140), s'il s'agit ici de l'impénétrabilité du cœur féminin ou, tout simplement, de l'aveuglement du narrateur.

Un récit insidieux

La notion d'« énigme » qui s'est attachée si tenacement à la *Grecque moderne*, et qui s'accompagne parfois d'un scepticisme peu dissimulé quant à la sincérité de l'héroïne[22], n'est certes pas gratuite. C'est le narrateur lui-même qui s'efforce, et combien heureusement, de nous imposer cette image de Théophé, alléguant à maintes reprises son incompréhension, sa perplexité, voire sa consternation devant le comportement de la jeune femme, avouant enfin : « Tout ce qui la regardoit depuis que je l'avois vue pour la prémière fois, avoit été pour moi une énigme perpétuelle » (p. 142). Mais nous sommes confrontés à un texte qui met en doute, de manière explicite, sa propre crédibilité. Les faits et gestes de Théophé, comme les mobiles du héros, nous sont présentés par un narrateur « peu digne de foi », un narrateur dont non seulement la vision est radicalement circonscrite et déformée par la subjectivité exacerbée du sujet passionné, ce qui rend son témoignage pour le moins problématique, mais qui nous met en garde lui-même dès le début de ses mémoires : « Qui me croira sincère dans le récit de mes plaisirs ou de mes peines ? Qui ne se défiera point de mes descriptions et de mes éloges ? Une passion violente ne fera-t-elle point changer de nature à tout ce qui va passer par mes yeux ou par mes mains[23] » ? Il y a, effectivement, de quoi se méfier. Ses mémoires revêtent, au demeurant, la forme d'un « procès » où se mêlent subtilement plaidoyer et réquisitoire — la défense du diplomate lui-même et l'accusation de Théophé. On serait tenté de voir dans le narrateur un « procureur » qui s'allie au héros - « juge d'instruction » pour se livrer, tout en protestant de l'honnêteté de ses propres mobiles, de sa sincérité, de son esprit d'équité, à une entreprise insidieuse d'inculpation à l'encontre de l'héroïne. Le diplomate semble s'appliquer, tout au long de son récit, à semer le doute dans l'esprit du lecteur en lui insufflant tantôt ses propres incertitudes et soupçons, tantôt son dépit, son mépris même à l'égard de Théophé. Le texte entier — le lecteur vérifiera lui-même — peut paraître comme un tissu d'insinuations qui aurait pour but de discréditer la jeune Grecque, de créer une impression d'équivoque qui nous empêcherait de croire sans réserve à la bonne foi de l'ancienne concubine. Mais il reste un point d'interrogation majeur : le narrateur fait-il exprès ? S'efforce-t-il sciemment de discréditer sa protégée, ou croit-il sincèrement faire preuve d'objectivité et d'équité ? Fait-il vraiment appel au jugement du lecteur, ou le prend-il seulement à témoin ? En matière d'ambiguïté narrative, toute la question, nous semble-t-il, est là.

Les explications de Théophé, quoi qu'il en soit, ainsi que ses refus réitérés, ne manquent pas de vraisemblance. Mauzi, qui nous propose une « solution » à l' « énigme », est le premier à le reconnaître : « Obsédée d'expiation et de pureté, Théophé rêve d'oublier un passé dont elle a honte. Il lui est donc impossible d'aimer le narrateur, dont les procédés les plus généreux lui remettent ce passé en mémoire, et dont les exigences quelquefois l'y replongent » (pp. xxxv-xxxvi). C'est ce que la jeune femme s'efforce, en vain, de faire comprendre à son bienfaiteur : « Votre amitié et votre généreuse protection [...] ont réparé dès le prémier moment tous les malheurs de ma fortune ; mais les regrets, l'application, les efforts de toute ma vie ne répareront jamais les desordres de ma conduite. Je suis indifférente pour tout ce qui ne sauroit servir à me rendre plus sage, parce que je ne connois plus d'autre bien que la sagesse... » (p. 229). Tout en convenant que « cela est parfaitement cohérent », Mauzi se montre pourtant sceptique : « Mais alors il n'y a plus d'énigme, et n'est-ce pas tout le sens de l'œuvre qui se trouve remis en question ? On peut en juger ainsi. Mais il faut remarquer que ni l'auteur, ni le narrateur ne se satisfont de l'explication »

(p. xxxvi). Le culte de l'énigme est coriace, et Mauzi, comme bien d'autres, reste persuadé que l'héroïne « disparaît avec tout son mystère » parce que le lecteur, prétend-il, est réduit au seul témoignage du narrateur. Pour voir plus clair, « il faudrait qu'à la manière d'un vrai juge, il puisse mener sa propre enquête et compléter le dossier » (p. xxxiii), ce qui paraît exclu pour Mauzi, comme pour Rousset, qui abonde dans son sens : « Le lecteur de Prévost [...] devrait pouvoir rétablir la vérité si le dossier qu'on lui fournit contenait les témoignages complémentaires qui lui font défaut ; ces témoignages manquent... » (p. 154). Et pourtant, comme on peut le démontrer, il n'est pas évident que ces « témoignages complémentaires » fassent défaut, ni, par là même, que Prévost ait voulu que Théophé « demeurât jusqu'au bout une énigme ».

Témoignages complémentaires : les « doubles »

Afin de donner au lecteur une perspective qui transcende celle du narrateur, Prévost crée dans son roman toute une série de personnages secondaires qui semblent avoir pour fonction, à part leur rôle anecdotique, de nous éclairer sur le comportement du héros et de l'héroïne. Il s'agit, en premier lieu, de personnages qui servent de doubles au diplomate en faisant ressortir ses sentiments profonds, ses mobiles cachés ou enfouis dans l'inconscient, voire ses conflits psychiques. Cette technique de « décomposition psychologique[24] », que l'abbé avait déjà mise en pratique quelques années auparavant dans son *Cleveland*, où le comportement du duc de Monmouth et de don Thadéo sert à élucider les sentiments ambigus du héros envers sa fille Cécile, devient, dans la *Grecque moderne*, un procédé systématique. Ainsi le sélictar, le principal ami turc du diplomate, reflétera par ses propos et sa conduite toute l'évolution de l'amour du héros, de la naissance immédiate d'un désir qu'il refuse de reconnaître comme tel jusqu'à la perte définitive de l'espoir de possession, mettant à nu, sur le mode ironique, tout l'aveuglement et toute la mauvaise foi du diplomate par rapport à ses propres motivations. D'un autre côté, les relations équivoques que Synèse entretient avec Théophé, combinant les qualités de frère et d'amant, et qu'il voudrait « pousser plus loin » (p. 161) en niant leurs liens de parenté, figurent manifestement le caractère non moins « incestueux » du projet du héros qui tente de se débarrasser de son titre de « père » de Théophé (en tant que responsable de sa naissance à la vie morale) pour en faire sa maîtresse. Et ainsi de suite, jusqu'à la gouvernante parisienne de Théophé, image définitive de la jalousie pathologique du narrateur, de ses « ridicules imaginations » (p. 279), ses soupçons et accusations gratuits, ses persécutions, son désir évident de vengeance[25].

Quant à l' « énigme » de Théophé — sa conversion à la vertu est-elle authentique ? sa conduite est-elle irréprochable ? son dévouement à son bienfaiteur est-il sincère ? — le texte nous fournit peut-être encore un « témoignage complémentaire » qui nous permettrait d'asseoir une certaine « probabilité » dans cette affaire, sans toutefois, cela est impossible, prétendre établir une vérité sans réplique. Théophé, elle aussi, a un double dans le roman qui pourrait nous aider à transpercer ce « voile » que d'aucuns trouvent impénétrable : Maria Rezati. Sgard n'a pas manqué de relever le caractère symbolique de l'histoire de la jeune Sicilienne, si « semblable » à celle de Théophé, et qu'il perçoit comme « l'une de ces destinées parallèles qui éclairent les entours du caractère principal » (p. 462). Pour lui, Maria est un « double inquiétant » dont la conduite déréglée constituerait un mauvais pronostic pour le comportement de Théophé : comment croire à la réhabilitation morale d'une ancienne concubine si Maria, malgré une éducation des plus vertueuses, « retombe dans les désordres de sa jeunesse, et tente peut-être d'y entraîner Théophé » *(loc. cit.)* ? Cela semble logique, mais si Maria Rezati était, au lieu d'un double, un double *inverse* de Théophé, une sorte de « repoussoir » qui mettrait en valeur l'authenticité de sa conversion ? Si on remonte aux origines des deux personnages, à leur éducation respective, on constate, effectivement, que les parcours personnels des deux filles sont diamétralement opposés. Séquestrée à la campagne par son père, sous la surveillance étroite de « deux femmes vieilles et vertueuses », Maria est élevée jusqu'à l'âge de dix-sept ans « dans la pratique continuelle de toutes les vertus » (p. 189), ignorant totalemıent ses propres charmes ainsi que leur effet sur les hommes. Ce qui ne l'empêche pas, en se regardant pour la première fois dans un miroir, de se rendre compte immédiatement du pouvoir de ses charmes, de s'enfuir avec le premier chevalier venu et de dégringoler dans des désordres sans fin. Théophé, en revanche, après une longue éducation visant à en faire une créature purement charnelle, subit, également à l'âge de dix-sept ans, une transformation instantanée « au nom et à la prémière idée de la vertu » (p. 192), lors de sa rencontre avec le diplomate au sérail. Dans les deux cas, ce sont les « traces naturelles » qui l'emportent sur les « traces acquises », pour emprunter le vocabulaire de Malebranche, dont les thèmes ont si fortement marqué la pensée de Prévost[26] ; Théophé et Maria reviennent, chacune de son côté, à leurs penchants naturels que l'éducation n'aurait fait que réprimer. Comment ne pas être sensible à cette symétrie inverse, à cette antithèse frappante qui est comme une confirmation de la sincérité de la conversion de Théophé, à laquelle la transformation de Maria, indiscutable, servirait de garant ? On compare volontiers Théophé et Manon, toutes deux objets d'un « amour indigne », sans s'apercevoir que le parallèle le plus frappant s'établit entre Théophé et *le chevalier des Grieux*, tous deux subissant un « coup de foudre », l'un d'ordre sentimental, l'autre d'ordre moral. Comme des Grieux, modèle de vertu, qui se trouve « enflammé tout d'un coup jusqu'au transport » au premier regard qu'il ose sur Manon[27], Théophé, être purement charnel, sera aussitôt séduite par les idées de vertu, d'honneur, et de conduite, « comme s'ils [lui] eussent toujours été familiers » (p. 87). Cette expérience du coup de foudre sera décrite, d'ailleurs, de la même manière dans les deux cas, le chevalier se croyant « transporté dans un nouvel ordre de choses » (*op. cit.*, p. 45) et Théophé se trouvant « comme transportée dans un nouveau jour » (p. 89). Mais comment croire à un « coup de foudre moral » ? Le diplomate n'y parviendra pas, non plus que beaucoup de lecteurs du roman, malgré le fait que « coup de foudre » et conversion, comme le remarque D. de Rougement, s'identifient en Occident depuis le Moyen Age : « ... le premier regard des amants, qui va changer toute leur vie, correspond à la première touche de l'amour divin, à la conversion du chrétien[28] ». On remarque, à ce propos, le nom que Prévost fait prendre à son héroïne à la sortie du harem : de Zara elle devient « Théophé ». Faut-il croire à un simple hasard quand on constate que ce nom paraît bien être dérivé du substantif grec *Théophèmi* (θεόφημη) qui signifie « celle qui aime les dieux », « celle qui est chère aux dieux », ou encore, « celle qui annonce la volonté de Dieu[29] » ? Cette évocation de l'action divine n'aurait-elle pas tendance à renforcer, justement, la notion de « conversion » ? Il nous semble que les « interventions rectificatrices », pour qui veut bien entendre, ne manquent pas dans la *Grecque moderne*. Si l'on n'ose parler de preuves « indubitables » de la sincérité de l'héroïne, on peut convenir que le roman nous fournit des éclairages qui dépassent incontestablement la perspective bornée du diplomate ; les figures du texte s'adressent directement au lecteur, à travers mais au-delà du savoir du narrateur, créant les conditions de cette couche d'ironie qui sous-tend le récit entier et qui suscite une complicité entre auteur et lecteur — au dépens du narrateur-héros.

Le « sens » de l'œuvre

Dans l'hypothèse où le personnage de Théophé ne serait une énigme que pour le narrateur lui-même — une « fausse énigme », précise H. Coulet, « née de son égoïsme de mâle[30] » — quel serait, en effet, le « sens » de ce roman ? Sans risquer de « réduire » une œuvre dont le caractère « ouvert », c'est-à-dire moderne, est indéniable, on peut repérer un des axes de signification principaux dans le dilemme du héros, aveuglé à la fois par une passion indigne, tel des Grieux, et par son « égoïsme de mâle » qui l'empêche de comprendre les aspirations de Théophé. Prévost nous fait assister étape par étape, c'est le but évident de sa démonstration, au spectacle d'une passion grandissante sans cesse rebutée (grandissante *parce que* sans cesse rebutée), au drame débilitant du désir inextinguible et inassouvi. Devant la résistance inébranlable de Théophé, le diplomate sera condamné à une fustration toujours plus intense et finalement intolérable qui le conduira au bord de l'aliénation avant de le faire sombrer dans les aberrations de la jalousie pathologique qui marquent tout le dernier volet du roman. De l'intransigeance même de l'héroïne se dégage, d'ailleurs, un deuxième axe de signification, tout aussi primordial. Dans cette lutte entre les sexes, car c'en est une, Théophé semble avoir compris spontanément la règle du jeu : si elle cède aux désirs du diplomate, même en tant qu'épouse, elle réintégrera son ancien statut d'objet charnel, le mépris remplaçant, de nouveau, l'estime que sa résistance vertueuse aura suscitée chez son protecteur. Il lui aura assez répété, tout en l'encourageant à lui accorder « volontairement » ce qu'il désire, que « le mépris n'est dû qu'aux fautes volontaires » (p. 145) pour qu'elle sache à quoi s'en tenir là-dessus. Radicalisée, de toute évidence, par le sentiment de honte qu'évoque pour elle le souvenir de sa vie de concubine, considérant l'amour physique en soi comme une dégradation, Théophé est profondément convaincue que sa valeur personnelle dépend entièrement, désormais, de son statut d'être moral, et elle n'oubliera pas les prémisses de cette nouvelle existence que le diplomate lui avait fait miroiter — à son insu, certes — par ses propos au sérail sur le « bonheur » et la « vertu ». Ignorant le langage galant, et prenant au mot son interlocuteur, la jeune esclave n'en aura retenu que ce qui répondait chez elle à des penchants d'un tout autre ordre : « Il y a des hommes qui estiment dans une femme d'autres avantages que ceux de la beauté ! Il y a pour les femmes un autre mérite à faire valoir, et d'autres biens à obtenir » (p. 88) ! Et elle n'en démordra pas.

Prévost, nous le savons, a le goût des « expériences ». Dans *Manon Lescaut* il livre aux ravages de l'Amour-passion un jeune puceau, parangon de vertu et d'innocence destiné à une brillante carrière ecclésiastique ; dans l'*Histoire de M. Cleveland* il met à l'épreuve de la vie — c'est-à-dire du malheur, de la souffrance, des passions — la Philosophie et le Rationalisme ; il récidive dans *Le Doyen de Killerine*, mettant la Morale chrétienne elle-même à l'épreuve des passions principales, l'Amour et l'Ambition. En romancier « expérimental » avant la lettre, il réunit les conditions de l'expérience, met la « machine » en marche et constate les résultats, disons plutôt, les dégâts. Son procédé n'est guère différent dans la *Grecque moderne* où il nous propose l'hypothèse, plus originale toutefois, du « coup de foudre moral », mettant face à face un libertin dans la force de l'âge et une ravissante créature — objet sexuel par excellence — qui lui doit tout, à commencer par sa conversion à la vertu. Pour « voir » ce qui arrivera. A la liberté sexuelle de Manon répond la liberté morale de Théophé, qui se révélera, *mutatis mutandis,* tout aussi dévastatrice. Il en résulte un conflit monumental, issu d'une méprise réciproque qui voue à l'échec toute tentative d'harmonisation des rapports entre les deux personnages. Théophé impose d'emblée au diplomate le rôle de mentor moral, de « maître dans la vertu », tandis que lui, de son côté, ne rêve que d'établir avec elle un « commerce de plaisir ». C'est le roman de l'irréconciliable. Au fond, les protagonistes se trompent, tous les deux, de « roman », Théophé prenant son bienfaiteur pour le doyen de Killerine, le diplomate la prenant, elle, pour Manon Lescaut. L'enfer, c'est les autres.

Un Orient métaphorique

Mais que signifient, finalement, tous ces harems, concubines et autres pachas ? Evidemment, on peut considérer la peinture de l'Orient comme sa propre justification ; celle-ci exerce une fascination croissante sur l'esprit des Occidentaux depuis le siècle dernier, comme en témoignent *Bajazet* et *Le Bourgeois gentilhomme, L'Espion turc* de Marana, les récits de voyage de Tavernier, de Chardin et de Thévenot, l'histoire de l'empire ottoman de Rycaut, les multiples éditions de la traduction des *Mille et Une Nuits* de Galland et, plus proche, le vif succès remporté par les *Lettres persanes*. Le public contemporain a soif d'exotisme, se délecte d'intrigues de harem, de marchés d'esclaves et de révolutions de palais, s'enivre de ce parfum de sang et de volupté qui émane des histoires turques. On comprend que Prévost ait voulu profiter de cette vogue, qui bat son plein justement vers 1740 [31], mais cela n'éclaire en rien la *portée* des composantes orientales du roman, le sens dont serait dotée, dans son univers diégétique particulier, l'image archiconventionnelle du Levant que véhicule le récit. Prévost aurait-il voulu tout simplement, comme le prétend

Mauzi, créer une opposition entre deux mondes où l'Orient « entièrement déprécié » ne servirait que de repoussoir à l'ordre occidental et aux valeurs chrétiennes, érigés en « modèles absolus » (pp. xxxvi-xxxvii) ? Dans la mesure où c'est le Français, et non le Turc, qui se trouve honni dans ce roman, il est permis d'en douter. S'il est vrai que le diplomate affiche un certain mépris envers ses hôtes, déclarant que « les usages des Turcs n'étoient point une règle pour un François » (p. 152) ou faisant allusion à « ce que nous trouverions dégoutant dans un Turc » (p. 168), il ne faut pas que le lecteur soit dupe des préjugés du narrateur — qui est lui-même obligé de reconnaître « qu'il y a peu de nations où l'équité naturelle soit plus respectée » qu'en Turquie (p. 97)[32]. La probité de la conduite du sélictar, le personnage turc principal, son honnêteté et sa bonne foi, mettent en relief, d'ailleurs, la mauvaise foi du Français, ainsi que toute l'équivoque des mœurs occidentales que celui-ci avait vantées devant son ami turc, à commencer par les rapports amoureux entre les hommes et les femmes. Pruner a sûrement raison de se demander si « le libertinage à l'occidentale qu'il entend pratiquer avec une maîtresse payée [vaut] mieux que la polygamie orientale » (p. 141), et le diplomate sera contraint d'avouer à Théophé que « la vertu, dont on a des idées si justes en Europe, n'y est guères mieux pratiquée qu'en Turquie » (p. 145). C'est là, d'ailleurs, dans ce renvoi ironique aux mœurs et aux valeurs des pays chrétiens, que nous trouverons peut-être les évocations les plus percutantes de l'image de l'Orient que nous présente ce roman d'un bénédictin mondain rompu autant aux impératifs de la chair qu'à ceux de l'éthique augustinienne. Le monde oriental nous offre une riche série de métaphores potentielles où le sérail représenterait, par exemple, l'esclavage de la chair, « l'amour du monde » et de ses plaisirs, l'univers des biens périssables privé de spiritualité ; où le pacha turc évoquerait la mentalité de l'homme occidental dans ses rapports avec les femmes, le caractère captatif du désir amoureux aspirant à la possession pure et simple de l'« objet » aimé ; où la concubine, enfin, figurerait cette image de la Femme objet sexuel à laquelle la confine une idéologie phallocrate tant occidentale qu'orientale, qui fait tout simplement abstraction de la vie morale. L'Orient, dans cette optique, propose un idéal féminin qui rejoint et dénonce les fantasmes érotiques de l'homme occidental, le mythe de la femme esclave soumise au désir masculin, qui s'oppose de manière irréconciliable à cet autre mythe occidental, celui de la femme pure, chaste et inaccessible que nous transmettent tout à la fois la morale chrétienne et la tradition courtoise. La métaphore orientale nous renvoie donc à la condition féminine, tant en Occident qu'en Orient, certes, mais aussi au dilemme tout particulier du narrateur, ce Français turquisé, ballotté entre deux cultures comme entre deux codes sociaux, empêtré dans des aspirations contradictoires, réduit aux ruses de son désir et de son amour-propre devant cette femme qu'il « possède » mais qui lui échappe jusqu'au bout. Le diplomate oscille sans cesse entre le désir de possession de l'objet sexuel qu'il a acheté et l'admiration de l'être moral qu'il a créé. Autant dire le dilemme de l'homme occidental tout court devant la dualité — toute cartésienne — de la femme, à la fois être de chair et d'esprit, dualité que le sujet désirant accepte mal mais qu'il cultive hypocritement dans l'espoir d'une possession plus complète, à la fois morale et physique. Mais les espoirs du diplomate se brisent sur le refus de Théophé. Alors, que devient l'homme lorsque la femme, elle, refuse de se réduire aux seules dimensions de son désir ? Ne serait-ce pas là, en fin de compte, le propos essentiel de cette expérience de psychologie appliquée que nous soumet l'abbé Prévost dans l'*Histoire d'une Grecque moderne* ?

Alan J. SINGERMAN.

Je voudrais remercier Davidson College de m'avoir accordé un congé sabbatique et une bourse me permettant d'effectuer les recherches nécessaires à la réalisation de cette édition. Je tiens à exprimer aussi toute ma reconnaissance envers ceux qui ont eu la gentillesse de lire et de commenter les états successifs de l'édition, à commencer par M. Yves Merrien de l'Université de Haute-Bretagne et Mme Maguy Albet de l'Université Paul Valéry (Montpellier III), ainsi que, et surtout, Véronique Singerman.

NOTES

1. H. Harrisse, *L'Abbé Prévost. Histoire de sa vie et de ses œuvres d'après des documents nouveaux,* Paris, Calmann-Lévy, 1896 ; H. Roddier, *L'Abbé Prévost. L'Homme et l'œuvre,* Paris, Hachette-Boivin, 1955 ; C.-E. Engel, *Le Véritable Abbé Prévost,* Monaco, Editions du Rocher, 1957.

2. Voir F. Weil, « L'abbé Prévost et le Gazetin de 1740 », *Studi Francesi*, 16-18 (1962), 474-477.

3. *Un singulier bénédictin. L'abbé Prévost, auteur de « Manon Lescaut »*, Paris, Flammarion, 1969, p. 233.

4. *Prévost romancier,* Paris, Corti, 1968, pp. 406, 483.

5. *Histoire d'une Grecque moderne,* introduction de R. Mauzi, Coll. 10/18, Union générale d'éditions, 1965, p. ix.

6. *Lettres sur les affaires du temps,* n° 39, reproduite par J. Sgard dans *Cahiers Prévost d'Exiles,* 1 (1984), 108-109 (voir notre Appendice 4a).

7. Lettre d'Anfossi à Caumont, citée par Sgard, *Prévost romancier,* p. 430.

8. Lettre à M. d'Héricourt, le 3 janvier 1741, citée par Harrisse, p. 312.

9. Voir E. Bouvier, « La Genèse de l'*Histoire d'une Grecque moderne* », *Revue d'Histoire littéraire de la France,* XLVIII (avril-juin 1948), 113-130. Ancien mousquetaire du roi, puis capitaine de dragons, Ferriol est envoyé en mission auprès de l'ambassadeur de France à Constantinople en 1692. Il accompagne l'armée du sultan lors des campagnes de 1692, 1693 et 1694 dans la guerre de la Ligue d'Augsbourg. Revenu en France en 1695, il est de nouveau envoyé à Constantinople où il participe aux campagnes de 1696 et 1697. Il rentre en France en 1698, puis repart en 1699 en qualité d'ambassadeur du roi auprès de la Porte, poste qu'il conservera jusqu'en 1710. Pour de plus amples renseignements sur le modèle principal du protagoniste de Prévost, consulter l'article « Ferriol, Charles de » dans le *Dictionnaire de biographie française,* l'étude d'E. Asse, « Le baron de Ferriol et mademoiselle Aïssé », dans la *Revue rétrospec-*

tive, Nouvelle Série, XIX (juillet-décembre 1893), 1-48, 97-144, ou encore la monographie de L. Rousseau, *Les Relations diplomatiques de la France et de la Turquie au* XVIIIe *siècle*, I, Paris, F. R. Rudeval, 1908, pp. 1-276.

10. *Mélanges publiés par la Société des Bibliophiles français*, t. 6, Paris, Didot, 1829 ; lettre citée par Sainte-Beuve dans son article consacré à Mlle Aïssé dans *Portraits littéraires*, III, Paris, Garnier, 1864, p. 137.

11. E. Asse, *Lettres de Mlle Aïssé à Mme Calendrini*, Paris, Charpentier et Cie, 1873, p. 169.

12. Voir l'article « Aïssé » d'H. Courteault dans le *Dictionnaire de biographie française*, ainsi que le livre de M. Andrieux, *Mademoiselle Aïssé*, Paris, Plon, 1952 et le portrait par Sainte-Beuve cité ci-dessus (note 10).

13. *Lettres de Mademoiselle Aïssé à Madame C...*, Paris, La Grange, 1787.

14. Ferriol, ou plutôt son porte-parole, y raconte longuement l' « affaire de l'épée », incident survenu au début de son ambassade lorsqu'il se présenta au palais du sultan pour l'audience d'usage. Il provoqua un scandale retentissant en refusant d'enlever son épée, malgré l'interdiction du port d'arme en présence du Grand Seigneur ; on lui refusa l'audience (Paris, Jacques Collombat, 1715, pp. 6-10). Pour un compte rendu plus détaillé, voir l'Appendice 1.

15. J. Pitton de Tournefort, *Relation d'un Voyage du Levant...*, t. 2, Lyon, Anisson et Posuel, 1717, pp. 252-265 ; A. de La Motraye, *Voyages du Sr A. de la Motraye en Europe, Asie et Afrique...*, t. 1, La Haye, Johnson et Van Duren, 1727, pp. 268-273, 369-371, 410-411 ; Démétrius Cantemir, *The History of the Growth and Decay of the Othman Empire*, trad. N. Tindal, London, James, John, and Paul Knapton, 1734, pp. 423-425. Prévost donne la traduction de plusieurs notes de Cantemir, y compris un extrait concernant Ferriol, dans les numéros 292 et 293 du *Pour et Contre* (XX, 217-228, 241-264 ; voir l'Appendice 1) ; voir aussi, à ce sujet, A. Dutu, « L'Abbé Prévost, traducteur de l'*Histoire ottomane de Cantemir* », *Revue de littérature comparée*, 45 (1971), 234-237.

16. Prévost fera raconter le même événement par le narrateur du *Monde moral* (1760, 1764), en remplaçant toutefois « sa *fille de corps* » par « sa propre fille », ce qui est moins accablant pour l'ambassadeur..., *Œuvres de Prévost* (Grenoble, 1984), VI, 439.

17. Nous savons, grâce aux découvertes d'Y. Breuil, « Une lettre inédite relative à " L'Histoire d'une Grecque moderne " de l'abbé Prévost », *Revue des sciences humaines* (juillet-septembre 1968), 391-400, que Prévost avait été obligé de faire une lecture de son roman à l'hôtel de Conti, avant sa publication, pour rassurer les amis de Mlle Aïssé, et qu'il avait accepté de faire la modification dont il est question. Voici les passages pertinents de la lettre découverte par Breuil, collée à la fin de la seconde partie de l'exemplaire de l'édition originale conservé à la Bibliothèque de l'Arsenal, et qui est signée « Didot », sans doute François Didot, l'éditeur parisien de la *Grecque moderne* :

« J'ai l'honneur de vous envoyer *La Grecque moderne*. Messieurs Dargental, Dedi, et Dussé avoient pris l'alarme sur le seul tître, mais la lecture de l'ouvrage que l'auteur leur a faite à l'hôtel de Conty en présence du Prince les a satisfaits, et ils n'ont exigé que de changer le nom du Chevalier D. en celui du Comte de... Une petite difficulté roule sur la préface, que l'on veut supprimer, et que l'auteur veut qui subsiste par le changement qu'il y a fait ; je la joins icy telle qu'elle étoit d'abord. Pardonnez s'il vous plaît Monsieur la liberté que je prens de vous informer de ces bagatelles. J'ai cru qu'il étoit de mon devoir de vous les communiquer. »

18. *Relation de ce qui s'est passé dans une assemblée tenue au bas du Parnasse...*, La Haye, Pierre Paupie, 1739 ; voir Sgard, *Prévost romancier*, pp. 413-414, 611, et son article, « Aventure et politique : le Mythe de Bonneval », où il insiste sur l'importance de Bonneval comme modèle pour le héros de la *Grecque moderne, Romans et Lumières au XVIIIe Siècle*, Paris, Editions sociales, 1970, p. 418.

19. Pour un exposé convaincant de la bonne foi de Théophé, voir l'article d'E. B. Hill, « Virtue on trial : a defense of Prevost's Théophé », *Studies on Voltaire and the Eighteenth Century*, LXVII (1969), 191-209.

20. Voir, respectivement, C.-E. Engel, *Le Véritable Abbé Prévost*, p. 199 ; Sgard, *op. cit.*, p. 429 ; F. Pruner, « La Psychologie de la Grecque moderne », *L'Abbé Prévost. Actes du Colloque d'Aix-en-Provence, 20 et 21 décembre 1963*, Aix-en-Provence, Ophrys, 1965, p. 146 ; J. Monty, *Les Romans de l'abbé Prévost, Studies on Voltaire and the Eighteenth Century*, LXXVIII (1970), 172.

21. *Narcisse romancier. Essai sur la première personne dans le roman*, Paris, Corti, 1973, pp. 153-154.

22. J. Sgard déclarera, par exemple, que « dans la *Grecque moderne*, la vertu est la pire des duperies ; et si Ferriol, à la différence de Montcal ou du Commandeur, finit misérablement, c'est qu'il a eu la faiblesse de croire à celle de Théophé », *Prévost romancier*, p. 423. Cette appréciation du caractère de Théophé nous paraît indûment sévère.

23. Cf. le commentaire de J. Rousset : « ... tout repose ici sur cette identité du narrateur et du héros passionné [...] et ce sont les conséquences de cette identité qui font le sujet réel du roman : l'impossibilité de voir avec un autre regard que le sien propre et de ramener à la vérité objective la vision subjective à laquelle le récitant est condamné... » (*Narcisse romancier*, p. 128). Mais il y a aussi la question de la *bonne foi* du narrateur, et Sgard traitera carrément de « récit fourvoyé » la version des faits que celui-ci nous offre, *L'Abbé Prévost. Labyrinthes de la mémoire*, Paris, Presses Universitaires de France, 1986, p. 233.

24. Nous empruntons ce concept à R. Rogers, *A Psychoanalytical Study of the Double in Literature*, Detroit, Wayne State University Press, 1970.

25. Voir notre commentaire dans *L'Abbé Prévost. L'Amour et la Morale*, Genève, Droz, 1987, pp. 236-274.

26. Voir J. Deprun, « Thèmes malebranchistes dans l'œuvre de

Prévost », *L'Abbé Prévost. Actes du Colloque d'Aix-en-Provence*, Aix-en-Provence, Ophrys, 1965, pp. 162-167, ainsi que notre étude, *L'Abbé Prévost. L'Amour et la Morale*, pp. 231-235.

27. *Histoire du chevalier des Grieux et de Manon Lescaut*, Paris, Garnier, 1965, p. 19.

28. *L'Amour et l'Occident*, Paris, Plon, 1956, p. 315.

29. A. Bailly, *Dictionnaire grec-français*, p. 927 ; cf. N. K. Miller, qui propose une autre étymologie, complémentaire à la nôtre, du nom de l'héroïne : *Theo* (« godliness ») et *phé* (« brightness ») seraient à la fois des signes de son appartenance à l'ethnie grecque et de sa transformation en sortant du sérail, « L'*Histoire d'une Grecque moderne* : No-Win Hermeneutics », *Forum*, 16, ii, 1978, 5.

30. « Sur les Trois Romans écrits par l'abbé Prévost en 1740 », *Cahiers Prévost d'Exiles*, 2 (1985), 13.

31. M.-L. Dufrenoy a montré que le nombre d'ouvrages de fiction orientale publiés en France passe de neuf en 1730 à dix-sept en 1740 pour atteindre son apogée avec vingt-cinq ouvrages en 1746, *L'Orient romanesque en France, 1704-1789*, II, Montréal, Beauchemin, 1946, pp. 15-18. P. Martino explique ce phénomène, en grande partie, par les rapports diplomatiques entre la France et la Sublime Porte à cette époque : « L'intervention diplomatique de la France dans la guerre austro-turque, le rôle de médiatrice qu'elle se fit donner au Congrès de Belgrade [1739], doublèrent subitement et pendant près d'une quinzaine d'années le nombre des romans ou comédies à sujet turc », *L'Orient dans la littérature française aux XVIIe et XVIIIe siècles*, Paris, Hachette, 1906, p. 180.

32. La Motraye évoque à plusieurs reprises la probité des Turcs et les compare favorablement aux Occidentaux. Par exemple : « Sincères et fidèles dans leurs engagemens, ils se piquent de tenir inviolablement leur parole [...] Que vous dirai-je de plus ? En un mot, je trouve le *Chrétien* superstitieux et libertin, et le Turc dévôt et sage ; le premier vain et peu fidèle, et le second modeste et chérissant la probité. Cette comparaison pourrait, je vous assure, être poussée bien loin en faveur du *Mahométan* » (*Voyages*, t. 1, pp. 259-260).

HISTOIRE EDITORIALE ET ETABLISSEMENT DU TEXTE

L'édition originale de l'*Histoire d'une Grecque moderne* parut en 1740 [1], en deux volumes, portant sur la page de titre les indications suivantes :

HISTOIRE / D'UNE / GRECQUE MODERNE. / PREMIERE [SECONDE] PARTIE. / A AMSTERDAM, / Chez FRANÇOIS DESBORDES, / près la Bourse. / M.CC.XL. (*sic*).

Nous savons aujourd'hui que derrière le nom « François Desbordes » se cachait celui de François Didot, l'éditeur parisien de Prévost, et que le roman fut sans doute imprimé non à Amsterdam mais à Paris, la proscription des romans en vigueur depuis la fin des années trente expliquant les fausses indications de lieu et d'éditeur. Les caractéristiques typographiques du livre témoignent d'ailleurs, sans ambages, de la provenance française de l'édition, à commencer par la position des réclames en fin de cahier [2]. Il existe

1. Le nouvelliste Gastellier écrit dans sa lettre 38 du 22 septembre 1740 : « L'Abbé Prévost a fait mettre en vente depuis lundi l'histoire d'une Grecque moderne en deux petits volumes in-douze dont j'ai déjà eu l'honneur de vous parler. Je ne vous en dirai pas davantage dans cette lettre ne l'ayant pas encore lue » (extrait des *Lettres sur les affaires du temps*, reproduit par Sgard dans *Cahiers Prévost d'Exiles*, 1, 1984, 108).

2. La « réclame » est la répétition en bas de page du dernier mot de cette page : « Les réclames figurent en général à chaque page dans un livre anglais ou hollandais, seulement en fin de cahier dans un livre français », R. Laufer, *Introduction à la textologie*, Paris, Larousse, 1972, p. 108.

deux états de cette édition, dont le deuxième est sans « Avertissement », Didot cédant apparemment à la pression des proches de Mlle Aïssé, qui craignaient que les remarques liminaires de Prévost n'incitent les lecteurs contemporains à établir un rapport trop explicite entre celle-ci et l'héroïne du roman (voir plus loin l' « Avertissement », note *a*). On y constate deux erreurs de pagination, dont une majeure, les pages 121 à 143 étant remplacées par 131 à 153, avant que la suite normale ne reprenne à la page 144. Nous avons utilisé l'exemplaire de la Bibliothèque nationale, Y 12507-12508, et celui de la Bibliothèque de l'Arsenal, 8°B 22131-22132 ; dans ce dernier se trouvent la lettre manuscrite de Didot (voir l'*Introduction*, note 17) et la révision manuscrite de l' « Avertissement ».

La « deuxième » édition du roman, publiée en 1741, n'est, de toute évidence, qu'une contrefaçon française.

HISTOIRE / D'UNE / GRECQUE MODERNE. / PREMIERE [SECONDE] PARTIE / A AMSTERDAM, / Chez FRANÇOIS DESBORDES, / Libraire, près la Bourse. / M.DCC.XLI.

Elle reproduit le texte de l'édition originale, tout en ajoutant aux fautes de celle-ci de nombreuses maladresses supplémentaires. Cette édition, dont nous avons pu consulter l'exemplaire, fort détérioré, de la Bibliothèque nationale (Y 42107-42108), ne donne pas l' « Avertissement » et ne comporte, bien au contraire, aucune amélioration du texte.

La troisième et dernière édition du vivant de Prévost parut également en 1741 [1], chez un éditeur hollandais :

1. La publication « incessante » de l'*Histoire d'une Grecque moderne* par J. Catuffe est signalée à Amsterdam en décembre 1740 (*Bibliothèque raisonnée des ouvrages des savans de l'Europe*, XXV, 477) ; sa mise en vente, parmi d'autres « livres nouveaux », sera annoncée par le libraire Pierre Paupie, à La Haye, en avril 1741 (*Nouvelle Bibliothèque, ou Histoire littéraire des principaux écrits qui se publient*, VIII, 430). L'édition de Catuffe a donc paru entre janvier et avril 1741 ; nous n'avons pu découvrir de renseignements plus précis à cet égard.

HISTOIRE / D'UNE / GRECQUE MODERNE / Par Mr. l'Abbé PREVOST, / Aumônier de Son Altesse Sérénissime / Monseigneur le Prince de Conty. / PREMIERE [SECONDE] PARTIE / A AMSTERDAM, / Chez JEAN CATUFFE. / M.DCC.XLI.

L'édition Catuffe est, en tout état de cause, la véritable seconde édition de la *Grecque moderne*, et elle démontre, une fois de plus, ce que R. Laufer appelle « l'autorité supérieure des *secondes* » à une époque où la pratique des épreuves ne s'est pas encore généralisée (*op. cit.*, pp. 25-26). Que les quelques douzaines de révisions soient de la main de Prévost ou d'un correcteur habile, les modifications, que nous indiquons par des astérisques en donnant les variantes de l'original à la suite du texte (pp. 295-297), représentent sans contredit une amélioration du texte, tant grammaticale que sémantique. Par contre, le correcteur ou le typographe de l'édition hollandaise a cru bon de modifier de fond en comble la ponctuation de l'édition originale, à grand renfort de virgules, à tel point que le rythme caractéristique de la phrase prévostienne en est profondément altéré. Tout en choisissant l'édition de Catuffe comme texte de base de l'édition présente, nous avons ainsi été amené à rétablir, dans la mesure du possible, la ponctuation de la première édition, à l'exception, toutefois, de l'introduction des citations directes, où nous avons conservé le style uniforme de Catuffe — deux points plus majuscule — à la place des formules disparates de l'édition originale. Nous avons tenu à respecter l'orthographe de l'édition de Catuffe, sauf en ce qui concerne les leçons divergentes du même mot, où nous avons retenu, tout simplement, celle qui dominait numériquement. Nous nous sommes permis, à l'exemple de A. Holland (voir plus loin), de corriger les quelques parties du texte où, manifestement, Catuffe reproduit une faute de l'édition Desbordes ; ces modifications, peu nombreuses, sont également signalées dans les variantes. Nous avons corrigé, enfin, sans en faire état, les erreurs d'accords de participes passés. Dans l'exécution de cette tâche, nous nous sommes servis de l'exemplaire de l'édition Catuffe conservé à la John Hay Library (PQ 2021/H4/1741), située à Brown University, Providence, Rhode Island.

Une vingtaine d'années après la mort de l'abbé Prévost, en 1784, parut en trente-neuf volumes la première édition de ses *Œuvres choisies* (à Amsterdam et à Paris, Rue et Hôtel Serpente), dont l'*Histoire d'une Grecque moderne* constitue le tome XI. Les éditeurs ont apporté au texte quelque deux cent cinquante révisions, étrangères aux intentions comme à la plume de Prévost. C'est cette édition, foncièrement viciée, qui sera reproduite, à peu de choses près, dans les *Œuvres de Prévost* publiées par Leblanc à Paris de 1810 à 1816, comme dans les *Œuvres de Prévost* proposées par Boulland-Tardieu (Paris, 1823), où la *Grecque moderne* constitue toujours le tome XI. Une édition de E. Flammarion, publiée en français moderne dans la collection « Conteurs du 18e siècle » en 1899, a le mérite de se baser sur l'édition originale de 1740, avec quelques corrections.

Il faudra attendre 1965 et la publication de l'édition de R. Mauzi dans la collection « 10/18 » (Union Générale d'Editions) pour que le public contemporain puisse connaître le texte original de la *Grecque moderne* sans modification aucune. Mauzi nous procure le texte de l'édition de 1740 (François Desbordes), sans « Avertissement » pourtant, sans variantes, et avec une fidélité variable quant à l'orthographe originale (l'emploi des accents surtout). Suivent deux éditions populaires, sans appareil critique, où la *Grecque moderne* fait pendant chaque fois à *Manon Lescaut* (coll. « Le Club des Classiques », Paris, Rombaldi, 1969 ; coll. « Chefs-d'œuvre de l'amour », Paris, Cercle européen du livre, 1974). L'édition du Club des Classiques est fidèle au texte original, avec quelques corrections, tandis que celle de 1974 est un condensé sans valeur. Ce n'est qu'en 1982, avec la parution de l'édition de l'*Histoire d'une Grecque moderne* de A. Holland, le tome IV de la collection en huit volumes des *Œuvres de Prévost* éditée par J. Sgard (Grenoble, Presses universitaires de Grenoble, 1977-1986), que sera offert au public un texte basé sur l'édition corrigée de 1741, avec toutes les améliorations que ce choix comporte. Le texte de Holland, qui sacrifie les particularités orthographiques du XVIIIe siècle à l'orthodoxie du français contemporain, témoigne d'un travail d'établissement des plus scrupuleux, malgré quelques fautes d'inattention quant aux modifications apportées par l'édition de Catuffe; nous tenons à reconnaître ici toute l'étendue de notre dette à son égard. Les variantes de l'édition Leblanc (XI, 1812), qui servit de « vulgate » jusqu'à la parution de l'édition de Mauzi, peuvent être consultées dans celle de Holland (pp. 435-440).

Nous devons à J. Sgard, finalement, une édition toute récente de la *Grecque moderne* (Presses Universitaires de Grenoble, 1989), qui reproduit, avec annotation, le texte établi par Holland pour les *Œuvres de Prévost*.

HISTOIRE
D'UNE
GRECQUE MODERNE.

PREMIERE PARTIE.

A AMSTERDAM,
Chez FRANÇOIS DESBORDES,
près la Bourse.

M. CC. XL.

AVERTISSEMENT

Cette histoire n'a pas besoin de préface; mais l'usage en demande une à la tête d'un livre. Celle-ci ne servira qu'à déclarer au lecteur qu'on ne lui promet, pour l'ouvrage qu'on lui présente, ni clé des noms, ni éclaircissement sur les faits, ni le moindre avis qui puisse lui faire comprendre ou deviner ce qu'il n'entendra point par ses propres lumières. Le manuscrit s'est trouvé parmi les papiers d'un homme connu dans le monde. On a tâché de le revêtir d'un stile supportable, sans rien changer à la simplicité du récit, ni à la force des sentimens. Avec la tendresse, tout y respire l'honneur et la vertu. Qu'il parte sous de si bons auspices, et qu'il ne doive son succès qu'à lui-même.

* On ne dissimulera pas néanmoins qu'il peut avoir un double prix pour ceux qui auront eu quelque connoissance des principaux personnages. Mais qu'on se garde bien aussi de confondre l'héroïne avec une aimable Circassienne qui a été connue et respectée d'une infinité d'honnêtes-gens, et dont l'histoire n'a point eu de ressemblance avec celle-ci [a].

[a]. Curieusement, on trouve ce paragraphe, qui n'apparaît pas dans l'édition de 1740, rajouté à la main en bas de la page « ij » de l' « Avertissement » dans l'exemplaire de l'édition originale qui se trouve à la Bibliothèque de l'Arsenal (cote 8° B 22131). Cette addition s'explique, sans doute, par la lettre manuscrite de l'éditeur, François Didot, qui se trouve collée à la fin de la même édition (voir

On a retranché un étalage d'érudition turque, qui auroit appesanti la narration, et l'on a rendu par des termes françois tous les noms étrangers qui pouvoient recevoir ce changement. Ainsi l'on a mis *serrail* au-lieu de *harem*, quoiqu'on n'ignore point que *harem* est le nom des serrails particuliers, *marché* au-lieu de *bazar*, etc. C'est en faveur de ceux qui ne sont point familiarisés avec les relations du Levant ; car il y a peu de ces ouvrages où l'on ne trouve l'explication de tous ces termes.

---

l'*Introduction*, note 17) et où il est fait allusion à la lecture que Prévost aurait faite de son roman pour rassurer les amis d'Aïssé. Il n'est pas étonnant que Didot n'ait pas cru bon d'imprimer l'alinéa supplémentaire que lui proposait Prévost, qui ne fait qu'attirer davantage l'attention du public sur le parallèle qu'on pourrait établir entre Mlle Aïssé, l'« aimable Circassienne », et l'héroïne du roman de Prévost. Par la suite, cédant à la pression des familiers d'Aïssé, s'il faut en croire Y. Breuil (p. 395), Didot supprimera l'avertissement entier, ce qui explique les états de l'édition originale où celui-ci fait défaut.

LIVRE PREMIER

Ne me rendrai-je point suspect par l'aveu qui va faire mon exorde ? Je suis l'amant de la belle Grecque dont j'entreprens l'histoire. Qui me croira sincère dans le récit de mes plaisirs ou de mes peines ? Qui ne se défiera point de mes descriptions et de mes éloges ? Une passion violente ne fera-t-elle point changer de nature à tout ce qui va passer par mes yeux ou par mes mains ? En un mot, quelle fidélité attendra-t-on d'une plume conduite par l'amour ? Voilà les raisons qui doivent tenir un lecteur en garde. Mais s'il est éclairé, il jugera tout d'un coup qu'en les déclarant avec cette franchise j'étois sûr d'en effacer bientôt l'impression par un autre aveu. J'ai longtems aimé, je le confesse encore, et peut-être ne suis-je pas aussi libre de ce fatal poison que j'ai réussi à me le persuader. Mais l'amour n'a jamais eu pour moi que des rigueurs. Je n'ai connu ni ses plaisirs, ni même ses illusions, qui dans l'aveuglement où j'étois auroient suffi sans doute pour me tenir lieu d'un bien réel. Je suis un amant rebuté, trahi même, si je dois m'en fier à des apparences dont j'abandonnerai le jugement à mes lecteurs ; estimé néanmoins de ce que j'aimois, écouté comme un père, respecté comme un maitre, consulté comme un ami ; mais quel prix pour des sentimens tels que les miens ! Et dans l'amertume qui m'en reste encore, est-ce des louanges trop flatteuses ou des exagérations de sentimens qu'on doit attendre de moi pour une ingrate qui a fait le tourment continuel de ma vie[1] ?

J'étois employé aux affaires du roi dans une cour dont personne n'a connu mieux que moi les usages et les intrigues. L'avantage que j'avois eu en arrivant à Constantinople de savoir parfaitement la langue turque, m'avoit fait parvenir presque tout d'un coup au point de familiarité et de confiance où la plupart des ministres n'arrivent qu'après de longues épreuves ; et la seule singularité de voir un François aussi turc, si l'on me permet cette expression, que les habitans naturels du pays, m'attira dès les prémiers jours des caresses et des distinctions dont on ne s'est jamais relâché. Le goût même que j'affectois de marquer pour les coutumes et les mœurs de la nation, servit encore à redoubler l'inclination qu'on y prit pour moi. On alla jusqu'à s'imaginer que je ne pouvois avoir tant de ressemblance avec les Turcs sans être bien disposé pour leur religion ; et cette idée, achevant de me les attacher par l'estime, je me trouvai aussi libre et aussi familier dans une ville où j'avois à peine vécu deux mois, que dans le lieu de ma naissance[2].

Les occupations de mon emploi me laissoient tant de liberté pour me répandre au dehors, que je m'attachai d'abord à tirer de cette facilité tout le fruit qui convenoit à la curiosité que j'avois de m'instruire. J'étois d'ailleurs dans un âge où le goût du plaisir s'accorde encore avec celui des affaires sérieuses, et mon projet, en faisant le voyage d'Asie, avoit été de me partager entre ces deux inclinations. Les divertissemens des Turcs ne me parurent point si étranges que je n'espérasse d'y être bientôt aussi sensible qu'eux. Ma seule crainte fut de trouver moins facilement à satisfaire le penchant que j'avois pour les femmes. La contrainte où elles sont retenues, et la difficulté qu'on trouve même à les voir, * m'avoient déja fait former le dessein de réprimer cette partie de mes inclinations, et de préférer une vie tranquille à des plaisirs si pénibles.

Cependant, je me trouvois en liaison avec les seigneurs turcs qui avoient la réputation d'être les plus délicats dans le choix de leurs femmes, et les plus magnifiques dans leur serrail. Ils m'avoient traité vingt fois dans leurs palais avec autant de caresses que de distinction. J'admirois qu'au milieu de nos entretiens ils ne mêlassent jamais les objets de leur galanterie, et que leurs discours les plus enjoués ne roulassent que sur la bonne chère, la chasse et les petits événemens de la cour ou de la ville qui peuvent servir de matière à la raillerie. Je me contenois dans la même réserve, et je les plaignois de se retrancher par un excès de jalousie ou par un défaut de goût, le plus agréable sujet qui puisse échauffer une conversation. Mais je pénétrois mal dans leurs vues. Ils ne pensoient qu'à mettre ma discrétion à l'épreuve ; ou plutôt, dans l'idée qu'ils avoient du goût des François pour le mérite des femmes, ils s'accordoient comme de concert à me laisser le tems de leur découvrir mes inclinations. Ce fut du moins le jugement qu'ils me donnérent bientôt lieu d'en porter.

Un ancien bacha[3], qui jouïssoit tranquillement des richesses qu'il avoit accumulées dans une longue possession de son emploi, m'avoit marqué des sentimens d'estime auxquels je m'efforçois de répondre par des témoignages continuels de reconnoissance et d'attachement. Sa maison m'étoit devenue aussi familière que la mienne. J'en connoissois tous les appartemens, à l'exception du quartier de ses femmes, vers lequel j'observois même de ne pas jetter les yeux. Il avoit remarqué cette affectation, et ne pouvant douter que je ne connusse du moins la situation de son serrail, il m'avoit engagé plusieurs fois à faire quelques tours de promenade avec lui dans son jardin, sur lequel donnoit une partie du bâtiment. Enfin, me voyant garder un silence obstiné, il me dit en souriant qu'il admiroit ma retenue. Vous n'ignorez pas, ajouta-t-il, que j'ai de belles femmes, et vous n'êtes ni d'un âge ni d'un tempérament qui puisse vous inspirer beaucoup d'indifférence pour ce sexe. Je m'étonne que votre curiosité ne vous ait pas fait souhaiter de les voir. Je sai vos usages, lui répondis-je froidement, et je ne vous proposerai jamais de les violer en ma faveur. Un peu d'expérience du monde, repris-je en le regardant du même air, m'a fait comprendre, en arrivant dans ce pays, que puisqu'on y apporte tant de précautions à la garde des femmes, la curiosité et l'indiscrétion doivent être les deux vices qu'on y supporte le moins. Pourquoi m'exposerois-je à blesser mes amis par des questions qui pourroient leur déplaire ? Il loua beaucoup ma réponse. Et me confessant que divers exemples de la hardiesse des François avoient fort mal disposé les Turcs pour les galans de cette nation, il n'en parut que plus satisfait de me trouver des sentimens si raisonnables. Sur le champ il m'offrit de m'accorder la vue de ses femmes. J'acceptai cette faveur sans empressement. Nous entrames dans un lieu dont la description est inutile à mon dessein. Mais je fus trop frappé de l'ordre que j'y vis règner pour n'en pas rappeller aisément toutes les circonstances.

Les femmes du bacha, qui étoient au nombre de vingt-deux, se trouvoient toutes ensemble dans un sallon destiné à leurs exercices. Elles étoient occupées séparément, les unes à peindre des fleurs, d'autres à coudre ou à broder, suivant leurs talens ou leurs inclinations, qu'elles avoient la liberté de suivre. L'étoffe de leurs robes me parut la même ; la couleur du moins en étoit uniforme. Mais leur coiffure étoit variée, et je conçus qu'elle étoit ajustée à l'air de leur visage. Un grand nombre de domestiques de l'un et de l'autre sexe, dont je remarquai néanmoins que ceux qui paroissoient du mien étoient des eunuques, se tenoient aux coins du sallon pour exécuter leurs moindres ordres. Mais cette foule d'esclaves se retira aussi-tôt que nous fumes entrés, et les vingt-deux dames se levant sans s'écarter de leurs places, parurent attendre les ordres de leur seigneur, ou l'explication d'une visite qui leur causoit apparemment beaucoup de surprise. Je les considérai successivement, leur âge me parut inégal ; mais si je n'en remarquai aucune qui me parût au-dessus de trente ans, je n'en vis pas non plus d'aussi jeunes que je me l'étois figuré, et celles qui l'étoient le plus n'avoient pas moins de seize ou dix-sept ans.

Chériber, c'étoit le nom du bacha, les pria honnêtement de s'approcher, et leur aiant appris en peu de mots qui j'étois, il leur proposa d'entreprendre quelque chose pour mon amusement. Elles se firent apporter divers instrumens, dont quelques-unes se mirent à jouer, tandis que les autres dansoient avec assez de grace et de légèreté. Ce spectacle aiant duré plus d'une heure, le bacha fit apporter des rafraichissemens, qui furent distribués dans chaque lieu du sallon où elles avoient repris leur place. Je n'avois pas encore eu l'occasion d'ouvrir la bouche. Il me demanda enfin ce que je pensois de cette galante assemblée, et sur l'éloge que je fis de tant de charmes, il me tint quelques discours sensés sur la force de l'éducation et de l'habitude, qui rend les plus belles femmes soumises et tranquilles en Turquie, pendant qu'il entendoit, me dit-il, toutes les autres nations se plaindre du trouble et du desordre qu'elles causent ailleurs par leur beauté. Je lui répondis par quelques réfléxions flatteuses pour les dames turques. Non, reprit-il, ce n'est point un caractère qui soit plus propre à nos femmes qu'à celles de tout autre pays. De vingt-deux que vous voyez ici, il n'y en a pas quatre qui soient nées turques. La plupart sont des esclaves que j'ai achetées sans distinction. Et me faisant jetter les yeux sur une des plus jeunes et des plus aimables, c'est une Grecque, me dit-il, que je n'ai que depuis six mois. J'ignore des mains de qui elle sortoit. Le seul agrément de sa figure et de son esprit me l'a fait prendre au hazard, et vous la voyez aussi contente de son sort que le reste de ses compagnes [4]. Cependant, avec l'étendue et la vivacité de génie que je lui connois, j'admire quelquefois qu'elle ait pu s'assujettir si tôt à nos usages, et je n'en puis trouver d'autre raison que la force de l'exemple et de l'habitude. Vous pouvez l'entretenir un moment, me dit-il, et je suis trompé si vous n'y découvrez tout le mérite qui élève chez vous les femmes à la plus haute fortune et qui les rend propres aux plus grandes affaires.

Je m'approchai d'elle. Son goût étoit pour la peinture, et peu attentive en apparence à ce qui se passoit dans le sallon, elle n'avoit cessé de danser que pour reprendre son pinceau. Après quelques politesses sur la liberté que je prenois de l'interrompre, il ne s'offrit rien de mieux à mon esprit que ce que je venois d'apprendre de Chériber. Je la félicitai sur les qualités naturelles qui la rendoient chère à son maitre, et lui faisant connoitre que je n'ignorois pas depuis quel tems elle étoit à lui, j'admirai que dans un espace si court elle se fût formée si parfaitement aux usages et aux exercices des dames turques. Sa réponse fut simple. Une femme, me dit-elle, n'aiant point d'autre bonheur à espérer que celui de plaire à son maitre, elle se trouvoit fort heureuse si Chériber avoit d'elle l'opinion qu'il m'en avoit fait prendre, et je ne devois pas être surpris qu'avec ce motif elle se fût conformée si facilement aux loix qu'il avoit établies pour ses esclaves. Ce dévouement sincère aux volontés d'un vieillard, dans une fille charmante qui n'avoit pas en effet plus de seize ans, me parut beaucoup plus admirable que tout ce que j'avois entendu du bacha. Je croyois remarquer à l'air autant qu'au discours de la jeune esclave qu'elle étoit pénétrée du sentiment qu'elle venoit d'exprimer. La comparaison qui se fit dans mon esprit entre les principes de nos dames et les siens me porta sans dessein à lui marquer quelque regret de la voir née pour un autre sort que celui qu'elle méritoit par tant de complaisance et de bonté. Je lui parlai avec douleur de l'infortune des pays chrétiens, où les hommes n'épargnant rien pour le bonheur des femmes, les traitant en reines plutôt qu'en esclaves, se livrant à elles sans partage, ne leur demandant pour unique retour que de la douceur, de la tendresse et de la vertu, ils se trouvent presque toujours trompés dans le choix qu'ils font d'une épouse, avec laquelle ils partagent leur nom, leur rang et leur bien. Et croyant m'appercevoir que mes plaintes étoient écoutées *avidement, je continuai de parler avec envie du bonheur d'un mari françois qui trouveroit dans la compagne de sa vie des vertus qui étoient comme perdues pour les dames turques, par le malheur qu'elles ont de ne jamais trouver dans les hommes un retour digne de leurs sentimens[5].

Cette conversation, où j'avoue que le mouvement de pitié qui m'emportoit me fit laisser à la jeune Grecque peu de liberté pour me répondre, fut interrompue par Chériber. Il s'apperçut peut-être de la chaleur avec laquelle j'entretenois son esclave; mais le témoignage de mon cœur ne me reprochant rien qui blessât sa confiance, je retournai à lui d'un air libre. Ses questions néanmoins ne furent accompagnées d'aucune marque de jalousie. Il me promit au contraire de me donner souvent le même spectacle si je le trouvois propre à m'amuser.

Il se passa quelques jours pendant lesquels je me dispensai volontairement de le voir, dans le seul dessein de prévenir toutes ses défiances par une affectation d'indifférence pour les femmes. Mais dans une visite qu'il me rendit lui-même pour me faire quelques reproches de l'avoir négligé, un esclave de sa suite remit un billet à l'un de mes gens. Ce fut à mon valet de chambre, qui me l'apporta aussi mystérieusement qu'il l'avoit reçu. L'aiant ouvert, je le trouvai en caractères grecs, que je n'entendois point encore, quoique j'eusse commencé depuis quelque tems à étudier cette langue. Je fis appeller aussi-tôt mon maitre[6], qui passoit pour un fort honnête chrétien, et je lui demandai l'explication de cette pièce, comme si le hazard l'eût fait tomber entre mes mains. Il m'écrivit la traduction : je reconnus tout d'un coup qu'elle venoit de la jeune Grecque à qui j'avois parlé au serrail du bacha. Mais j'étois fort éloigné de m'attendre à ce qu'elle contenoit. Après quelques réfléxions sur le malheur de sa condition, elle me conjuroit au nom de l'estime que je lui avois marquée pour les femmes qui aimoient la vertu, d'employer mon crédit à la tirer des mains du bacha.

Je n'avois pris pour elle que les sentimens d'admiration qui étoient dûs naturellement à ses charmes; et dans les principes de conduite que je m'étois formés, rien n'étoit si opposé à mes intentions que de m'engager dans une avanture *où j'avois à craindre plus de peine que de plaisir à espérer. Je ne doutai point que la jeune esclave, charmée de l'image que je lui avois tracée en peu de *mots du bonheur de nos femmes, n'eût pris du dégoût pour la vie du serrail, et que l'espérance de me trouver toutes les dispositions que je lui avois vantées dans les hommes de mon pays ne lui fît souhaiter de lier avec moi quelque intrigue d'amour. En réfléchissant sur les dangers de cette entreprise, je ne fis que me confirmer dans ma prémière résolution. Cependant, le desir naturel d'obliger une femme aimable, à qui je supposai que sa condition alloit devenir un supplice, me fit chercher s'il étoit impossible de lui procurer la liberté par des voies honnêtes. Il me vint à l'esprit d'en essayer une, qui ne devoit exercer que ma générosité, par l'engagement que je voulois prendre de payer sa rançon. La crainte de choquer le bacha par mes offres étoit capable de m'arrêter. Mais je formai un plan qui satisfit toute ma délicatesse. J'étois lié fort étroitement avec le *sélictar*, qui est un des plus importans personnages de l'empire[7]. Je résolus de m'ouvrir à lui sur le desir que j'avois d'acheter une esclave qui appartenoit au bacha Chériber, et de l'engager à se charger de cette proposition comme s'il eût souhaité de faire le marché pour lui-même[8]. Le sélictar y consentit, sans me faire trop valoir un service si léger. Je le laissai le maitre du prix. La considération que Chériber avoit pour son rang, le rendit plus facile que je n'osois l'espérer. J'eus dès le même jour la parole du sélictar, qui me fit avertir en même tems qu'il m'en coûteroit mille écus.

Je m'applaudis d'un si bel emploi de cette somme; mais étant à la veille d'obtenir ce que j'avois desiré, je fis une réfléxion qui m'étoit échappée dans l'ardeur de réussir. Qu'alloit devenir la jeune esclave, et quelles étoient ses vues en sortant du serrail? Se proposoit-elle de venir chez moi et de se faire un établissement dans ma maison? Je la trouvois assez aimable pour mériter que je prisse soin de sa fortune; mais outre les mesures de bienséance que je devois garder avec mes domestiques, pouvois-je éviter que le bacha n'apprît tôt ou tard où elle s'étoit retirée, et ne retombois-je pas malgré moi dans l'écueil dont j'avois cru me garantir? Cette pensée me refroidit tellement pour mon entreprise, qu'aiant vu le lendemain le sélictar, je lui marquai quelque regret de l'avoir employé dans une affaire dont je craignois que le bacha ne ressentît trop de chagrin. Et sans parler de lui remettre les mille écus, je le quittai pour rendre ma visite à Chériber. Partagé tout à la fois entre le desir de rendre service à l'esclave, l'embarras que j'en appréhendois, et la crainte de chagriner mon ami, j'aurois souhaité de trouver quelque prétexte pour me dégager absolument de cette avanture, et je délibérai si le meilleur parti n'étoit pas de m'ouvrir assez au bacha même, pour connoitre du moins si le sacrifice dont je lui avois fait comme une nécessité ne lui coûtoit pas trop de violence. Il me sembloit qu'avec une excuse aussi juste que celle des égards de l'amitié, je pourrois me dispenser sans grossièreté de satisfaire les caprices d'une femme. Ma visite fut si agréable à Chériber qu'aiant prévenu par les témoignages de sa joie l'ouverture à laquelle je m'étois préparé, il eut le tems de me raconter sans interruption qu'il avoit une femme de moins dans son serrail, et que la jeune Grecque dont il m'avoit procuré l'entretien étoit vendue au sélictar. Il parut si peu contraint dans ce récit, que jugeant de ses sentimens par ses expressions, je ne le crus point fort affligé de sa perte. Je remarquai encore mieux dans la suite qu'il n'avoit aucune passion pour ses femmes. A l'âge où il étoit, les besoins du tempérament lui causoient peu d'inquiétude, et la dépense qu'il faisoit dans son serrail étoit moins pour la satisfaction de son cœur que pour celle de sa vanité. Cette observation aiant levé tous mes scrupules, je perdis jusqu'à la pensée de les lui découvrir, et je crus devoir lui laisser celle où il étoit d'avoir acquis un droit essentiel sur la reconnoissance du sélictar.

Cependant, m'aiant proposé d'aller passer quelques momens dans son serrail, il me parut embarrassé sur le compliment qu'il avoit à faire à son esclave. Elle ignore, me dit-il, qu'elle va changer de maitre. Après tous les témoignages qu'elle a reçus de mon affection, son orgueil sera blessé de me voir consentir si facilement à la mettre au pouvoir d'un autre. Vous serez témoin, ajouta-t-il, de la manière dont elle recevra mes adieux, car je vais la voir pour la dernière fois, et j'ai dit au sélictar qu'il étoit le maitre de se la faire amener quand il le jugeroit à propos. Je prévis que cette scène auroit en effet quelque agrément pour moi ; mais ce n'étoit point par les raisons qui pouvoient la faire trouver embarrassante au bacha. N'aiant osé risquer un mot de réponse au billet de la jeune Grecque, je m'attendois bien qu'elle n'apprendroit point sans douleur que son esclavage alloit augmenter dans le serrail du sélictar. Que seroit-ce de l'apprendre en ma présence, et de n'oser faire éclater son ressentiment par des plaintes ? L'esclave de Chériber étoit venu deux fois me demander ma réponse, et je m'étois contenté de lui dire que je répondrois à l'opinion qu'on avoit de moi avec tout le zèle qu'on en attendoit.

Au-lieu de me conduire au sallon, le bacha fit avertir son esclave de venir nous joindre dans un cabinet, où il donna ordre qu'on ne reçût qu'elle après nous. Sa timidité, en nous abordant, me fit connoitre l'agitation de son cœur. Elle ne put me voir avec son patron, sans se flatter que j'étois entré dans ses intentions, et que je lui apportois peut-être l'heureuse nouvelle de sa liberté. Le prémier compliment du bacha dut la confirmer dans cette idée. Il lui déclara avec beaucoup de douceur et de politesse que malgré toute l'affection qu'il avoit pour elle, il n'avoit pu se défendre de céder à un puissant ami les droits qu'il avoit sur son cœur ; mais sa consolation, ajouta-t-il, étoit de l'assurer en la perdant qu'elle ne pouvoit tomber entre les mains d'un plus galant homme ; sans compter que c'étoit un des prémiers seigneurs de l'empire, et le plus capable par ses richesses et son penchant pour l'amour de faire un heureux sort aux femmes qui prenoient quelque ascendant sur lui. Il lui nomma le sélictar. Un regard tremblant qu'elle jetta sur moi, et la tristesse qui se répandit tout d'un coup sur son visage, me * parurent un reproche d'avoir mal compris ses intentions. Elle se figura que c'étoit moi qui la tirois effectivement du serrail de Chériber, mais pour la faire changer seulement d'esclavage, et que j'avois mal entendu par conséquent ou compté pour rien les motifs qu'elle m'avoit donnés pour la servir. Chériber ne douta point que le trouble où il la voyoit ne vînt du regret qu'elle avoit de le quitter. Elle augmenta son erreur, en lui protestant que pour vivre dans la condition où la fortune l'avoit placée, elle ne souhaitoit point d'autre maitre que lui ; et sa douleur lui fit joindre à cette protestation des instances si tendres et si pressantes que je vis le bacha au moment d'oublier toutes ses promesses. Mais regardant son incertitude comme un mouvement passager, dont je fus beaucoup moins attendri que des larmes de la belle Grecque, je me hâtai de les secourir l'un et l'autre par quelques mots qui les remirent également. Vous devez être consolée, dis-je à l'esclave, par le chagrin que votre perte cause au bacha ; et si vous doutiez du bonheur qui vous attend, je suis assez bien avec le sélictar pour vous garantir qu'il vous rendra maitresse de votre sort. Elle leva les yeux sur moi, et sa pénétration lui fit lire ma pensée dans les miens. Chériber ne vit dans mon discours que *ce qui se rapportoit à ses idées. Le reste de notre entretien devint plus tranquille. Il la combla de présens, et il voulut que j'aidasse à les choisir. Ensuite, m'aiant prié de trouver bon qu'il en usât familièrement, il passa avec elle dans un autre cabinet, où ils demeurérent ensemble plus d'un quart d'heure; et je ne doutai point que ce ne fût pour lui donner les dernières marques de sa tendresse. Mon cœur étoit bien libre, puisque je soutins cette idée sans la moindre émotion.

Cependant, l'affaire étant si avancée qu'il n'étoit plus question de délibérer, je ne pensai qu'à me rendre chez moi, pour y prendre mille écus que je portai sur le champ au sélictar. Il me demanda agréablement si je lui ferois un secret de mon avanture; et pour unique prix du service qu'il alloit me rendre, il me pria de lui apprendre du moins par quel hazard je me trouvois lié avec une esclave de Chériber. Rien ne m'obligeant à la dissimulation, je lui racontai l'origine et la nature de mon intrigue. Et lorsqu'il eut marqué quelque peine à croire que ce fût ma seule générosité qui me portoit à servir une fille aussi aimable que je lui avois représenté cette jeune Grecque, je lui jurai si sincèrement que j'étois sans passion pour elle, et que ne pensant qu'à la rendre libre, j'avois même quelque embarras sur le parti qu'elle prendroit en sortant d'esclavage, qu'il ne put lui rester le moindre doute de mes sentimens. Il me marqua l'heure à laquelle je pourrois la prendre chez lui. Je l'attendis sans impatience. Nous étions convenus de choisir le tems de la nuit, pour dérober la connoissance de cette avanture au public. J'envoyai mon valet de chambre, vers les neuf heures du soir, dans une voiture peu éclatante, avec ordre de faire avertir seulement le sélictar qu'il étoit de ma part à sa porte. On lui répondit que le sélictar me verroit le lendemain, et qu'il remettoit à me rendre compte alors de ce qu'il avoit fait en ma faveur.

Ce retardement ne m'apporta point d'inquiétude. A quelque raison qu'il fallût l'attribuer, j'avois satisfait à tout ce que l'honneur et la générosité m'avoient prescrit, et la joie que pouvoit me causer le succès de mon entreprise ne tiroit sa force que de ces deux motifs. J'avois pensé sérieusement dans cet intervalle à la conduite que je devois tenir avec la jeune esclave. Mille raisons sembloient me défendre de la recevoir chez moi; et m'arrêtant même à ce qu'il y avoit de plus flatteur pour moi dans le parti qu'elle avoit pris de solliciter mon secours, qui étoit peut-être l'espérance qu'elle me feroit une composition aisée de ses charmes, mon dessein n'étoit pas d'en faire ouvertement ma maitresse. Je m'étois adressé à mon maitre de langues, que j'avois mis enfin dans ma confidence. Il étoit marié. Sa femme devoit recevoir l'esclave des mains de mon valet de chambre, et je me proposois d'aller savoir le lendemain d'elle-même ce qu'elle desiroit encore de mon zèle[9].

Mais les raisons qui avoient arrêté le sélictar étoient plus fortes que je n'aurois pu me l'imaginer. M'étant rendu chez lui lorsqu'il pensoit lui-même à me prévenir par sa visite, mon arrivée et mes prémières questions ne laissérent pas de l'embarrasser. Il demeura quelques momens à me répondre. Ensuite, m'embrassant avec plus de tendresse que je n'en avois remarqué dans son caractère, il me conjura de rappeller à ma mémoire ce que je lui avois assuré la veille dans des termes qui ne lui avoient pas permis de soupçonner ma bonne-foi. Il attendit que je les eusse confirmés par de nouvelles assurances, et recommençant à m'embrasser d'un air plus ouvert et plus gai, il me dit qu'il étoit donc le plus heureux de tous les hommes, puisqu'aiant conçu une vive passion pour l'esclave de Chériber, il n'avoit point à redouter la concurrence ni les oppositions de son ami. Il ne me dissimula rien. Je la vis hier, me dit-il, je passai une heure seulement avec elle; il ne m'est point échappé un mot d'amour. Mais il m'est resté une impression de ses charmes qui ne me permet plus de vivre sans elle. Vous ne la voyez pas du même œil, continua-t-il, je me suis flatté qu'en faveur d'un ami vous abandonneriez sans peine un bien qui vous touche si peu. Mettez-y le prix dont vous la jugez digne, et ne soyez pas si réservé que Chériber, qui n'a pas connu ce qu'elle vaut.

Quoique je ne me fusse point attendu à cette proposition, après le service qu'il m'avoit rendu, n'aiant rien dans le cœur qui pût me la faire regarder comme une infidélité, je ne me plaignis point qu'elle blessât ni l'honneur ni l'amitié ; mais les mêmes motifs qui m'avoient porté à servir l'esclave, me révoltérent contre la pensée de lui donner malgré elle un nouveau maitre. Je ne fis point d'autre difficulté au sélictar. Si vous m'appreniez, lui dis-je, qu'elle est sensible à votre tendresse, ou qu'elle consent du moins à vous appartenir, j'oublierois tous mes * desseins, et j'atteste le Ciel que vous ne me demanderiez pas deux fois une satisfaction que je m'empresserois de vous accorder. Mais je sai au contraire qu'elle regarderoit comme le dernier malheur de retomber dans un serrail, et c'est l'unique raison qui m'ait fait prendre intérêt à son sort. Il ne put s'empêcher de revenir ici aux principes de sa nation : Faut-il consulter, me dit-il, les inclinations d'une esclave ? Je pris le parti de lui ôter sur le champ ce prétexte. Ne lui donnez plus ce nom, répondis-je ; je ne l'ai achetée que pour la rendre libre : elle l'est depuis le moment qu'elle est sortie des mains de Chériber.

Il parut extrèmement consterné de cette déclaration. Cependant comme je voulois me conserver son amitié, j'ajoutai qu'il n'étoit pas impossible que la tendresse et les offres d'un homme de son rang ne touchassent le cœur d'une fille de cet âge, et je lui engageai ma parole de consentir à tout ce qui me paroîtroit volontaire. Je lui proposai de ne pas remettre plus loin cette épreuve. Il reprit quelque espérance. La jeune Grecque fut appellée. Ce fut moimême qui servis d'interprète aux sentimens du sélictar ; mais je voulus qu'elle connût tous ses avantages, afin qu'il ne manquât rien à la liberté de son choix. Vous êtes à moi, lui dis-je ; je vous ai achetée de Chériber par la médiation du sélictar. Mon intention est de vous rendre heureuse, et l'occasion s'en offre dès aujourd'hui. Vous pouvez trouver ici dans la tendresse d'un homme qui vous aime et dans l'abondance de toutes sortes de biens ce que vous chercheriez peut-être inutilement dans tout le reste du monde. Le sélictar, qui trouva mon langage et mon procédé sincères, s'empressa d'y joindre mille promesses flatteuses. Il prit son prophète à témoin qu'elle tiendroit le premier rang dans son serrail. Il lui fit l'exposition de tous les plaisirs qui l'attendoient, et du nombre d'esclaves qu'elle auroit pour la servir. Elle écouta son discours ; mais elle avoit pris le sens du mien. Si vous pensez à me rendre heureuse, me dit-elle, il faut me mettre en état de profiter de votre bienfait. Cette réponse ne pouvant me laisser d'incertitude, je ne pensai plus qu'à lui fournir toutes les armes qui pouvoient la défendre contre la violence, et quoique je n'en appréhendasse point d'un homme tel que le sélictar, cette précaution me parut utile par mille raisons. Autant que les Turcs gardent peu de ménagement pour leurs esclaves, autant respectent-ils les femmes libres. Je voulois qu'elle fût à couvert de tous les périls de sa condition. Suivez votre penchant, lui dis-je, et ne vous formez point de crainte, ni de ma part ni de celle d'un autre, car vous n'êtes plus esclave ; et je vous rends tous les droits que j'ai sur vous et sur votre liberté.

Elle savoit, pour l'avoir entendu mille fois depuis qu'elle étoit en Turquie, quelle différence les Turcs mettent dans leurs manières à l'égard des femmes libres. Dans quelque transport de joie que l'eût jettée ma déclaration, son prémier mouvement fut de prendre l'air et la contenance qu'elle crut convenable au changement de son sort. J'admirai la modestie et la décence qui semblérent tout d'un coup répandues sur son visage. Elle s'occupa moins à me témoigner sa reconnoissance qu'à faire entendre au sélictar à quoi son devoir l'obligeoit après la faveur que je venois de lui accorder. Il se vit forcé lui-même de le reconnoitre, et ne marquant son chagrin que par son silence, il parut disposé à lui laisser la liberté qu'elle souhaitoit de se retirer. J'ignorois où elle prétendoit se faire conduire ; mais surprise elle-même que je ne lui expliquasse point mes intentions, elle s'approcha de moi pour me les demander. Je ne jugeai point à propos d'entrer dans un long éclaircissement à la vue du sélictar, et l'assurant qu'elle continueroit de trouver dans mes services tous les secours qui lui seroient nécessaires, je la menai jusqu'à la porte de l'appartement, où je la mis entre les mains d'un de mes gens, avec ordre de la conduire secrettement chez le maitre de langues. On trouve à Constantinople des voitures propres à l'usage des femmes.

Mon étonnement fut que le sélictar, loin de s'opposer au parti qu'elle prenoit de se retirer, donna lui-même ordre qu'on lui ouvrît la porte de sa maison, et me reçut d'un visage fort tranquille lorsque je retournai vers lui. Il me pria avec la même modération d'écouter ce qu'il avoit médité. Je loue, me dit-il, le généreux sentiment qui vous intéresse au bonheur de cette jeune Grecque, et je le trouve si désintéressé qu'il excite mon admiration. Mais puisque vous l'en jugez digne, l'opinion que vous avez d'elle sert à confirmer la tendresse qu'elle m'a inspirée. Elle est libre, continua-t-il, et je ne vous accuse point d'avoir préféré sa fortune à ma satisfaction. Mais je vous demande une grace, dont je vous promets de ne point abuser. C'est de ne pas permettre qu'elle s'éloigne de Constantinople sans ma participation. Et vous ne serez pas lié longtems par votre promesse, ajouta-t-il, car je vous engage la mienne, que vous saurez dans quatre jours quelles sont mes intentions. Je ne fis point difficulté de lui accorder une faveur si simple. Aiant même appréhendé qu'il ne lui restât quelque ressentiment de ma conduite, je fus charmé de me conserver à ce prix son estime et son amitié.

Quelques affaires que j'avois à terminer le même jour, me firent différer jusqu'au soir la visite que je devois à ma jeune Grecque. Le hazard me fit rencontrer Chériber. Il me dit qu'il avoit vu le sélictar, et qu'il l'avoit trouvé extrèmement satisfait de son esclave. Ce ne pouvoit être que depuis que je l'avois quitté. La discrétion qui lui avoit fait cacher si soigneusement notre avanture augmenta l'opinion que j'avois de sa probité. Chériber releva beaucoup l'idée qu'il avoit aussi de la mienne, et de la manière dont ce seigneur s'étoit expliqué avec lui sur mon compte, il m'assura que je n'avois point d'amis qui me fussent dévoués plus parfaitement. Je reçus ce compliment avec la reconnoissance qu'il méritoit. N'aiant point un intérêt fort vif à pénétrer où ce redoublement d'amitié, et la promesse que le sélictar avoit exigée de moi, pouvoient aboutir, mon imagination étoit aussi tranquille que mon cœur, et rien n'avoit changé ma disposition lorsque je me rendis le soir chez le maitre de langues.

On me dit que la jeune Grecque, qui avoit déja changé le nom de Zara, qu'elle portoit dans l'esclavage, en celui de *Théophé*, attendoit mon arrivée avec toutes les marques d'une vive impatience[10]. Je me présentai à elle. Son prémier mouvement fut de se jetter à mes genoux, qu'elle embrassa avec un ruisseau de pleurs. Je fis longtems des efforts inutiles pour la relever. Ses soupirs furent d'abord le seul langage qu'elle me fit entendre ; mais à mesure que le tumulte de ses sentimens diminuoit, elle m'adressa mille fois les noms de son libérateur, de son père, et de son Dieu. Il me fut impossible de modérer ce prémier transport, dans lequel il sembloit que son ame se repandît *toute entière. Et touché moi-même jusqu'aux larmes des expressions d'une si vive reconnoissance, je perdis comme la force de repousser ses tendres caresses, et je lui laissai toute la liberté de se satisfaire[11]. Enfin lorsque je crus m'appercevoir qu'elle revenoit un peu de son agitation, je la levai entre mes bras, et je la plaçai dans un lieu plus commode où je m'assis auprès d'elle.

Après avoir repris haleine pendant quelques momens, elle me répéta avec plus d'ordre ce qu'elle avoit déja commencé dans vingt discours interrompus. C'étoient des remercimens affectueux du service que je lui avois rendu, des marques d'admiration pour ma bonté, des prières ardentes au Ciel de me rendre avec une profusion de faveurs ce que toutes ses forces et tout son sang ne pouvoient jamais la mettre en état de payer. Elle s'étoit fait une mortelle violence pour retenir ses transports aux yeux du sélictar. Elle n'avoit pas moins souffert du délai de ma visite, et si je n'étois pas persuadé qu'elle ne vouloit vivre et respirer que pour se rendre digne de mes bienfaits, j'allois la rendre plus malheureuse qu'elle ne l'avoit été dans l'esclavage. Je l'interrompis pour l'assurer que des sentimens si vifs et si sincères étoient déja un retour égal à mes services. Et ne pensant qu'à détourner des transports que je voyois prêts à se renouveller, je lui demandai pour unique faveur de m'apprendre depuis quel tems et par quelle infortune elle avoit perdu sa liberté.

Je me dois ce témoignage, que malgré les charmes de sa figure, et ce desordre touchant où je l'avois vue à mes pieds et dans mes bras, il ne s'étoit encore élevé dans mon cœur aucun sentiment qui fût différent de la compassion. Ma délicatesse naturelle m'avoit empêché de sentir rien de plus tendre pour une jeune personne qui sortoit des bras d'un Turc, et dans laquelle je ne supposois d'ailleurs que le mérite extérieur qui n'est pas rare dans les serrails du Levant. Ainsi non seulement j'avois encore tout le mérite de ma générosité, mais il m'étoit tombé plus d'une fois dans l'esprit que si elle eût été connue de nos Chrétiens, je n'aurois pas évité la censure des gens sévères, qui m'auroient fait un crime de n'avoir pas employé pour le bien de la religion, ou pour la liberté de quelques misérables captifs, une somme qu'ils auroient crue prodiguée à mes plaisirs. On jugera si la suite de cette avanture me rend plus excusable ; mais si j'avois quelque reproche à craindre dans son origine, ce ne seroit pas ce qu'on va lire qui paroîtroit capable de me justifier.

Le moindre de mes desirs paroissant une loi pour Théophé, elle me promit de m'apprendre naturellement ce qu'elle savoit de sa naissance et des avantures de sa vie. J'ai commencé à me connoitre, me dit-elle, dans une ville de la Morée [12], où mon père passoit pour étranger, et ce n'est que sur son témoignage que je me crois grecque, quoiqu'il m'ait toujours caché le lieu de ma naissance. Il étoit pauvre, et n'aiant aucun talent pour acquérir plus de richesses, il m'éleva dans la pauvreté. Cependant je ne puis me rappeller aucune circonstance d'une misère que je n'ai jamais sentie. A peine étois-je âgée de six ans, que je me trouvai transportée à Patras ; je me souviens de ce nom, parce que c'est la prémière trace que ma mémoire conserve de mon enfance. L'abondance où je m'y trouvai après une vie fort dure, fit aussi sur moi des impressions qui n'ont pu s'effacer. J'avois mon père avec moi ; mais ce ne fut qu'après avoir passé plusieurs années dans cette ville que je connus distinctement ma situation, en apprenant à quel sort j'étois destinée. Mon père, sans être esclave et sans m'avoir vendue [13], s'étoit attaché au gouverneur turc. Quelques agrémens qu'on trouvoit dans ma figure lui avoient servi de recommendation auprès du gouverneur, qui s'étoit engagé à le nourrir pendant toute sa vie, et à me faire élever avec soin, sans autre condition que de me livrer à lui lorsque j'aurois atteint l'âge qui répond au desir des hommes. Avec un logement et sa nourriture, mon père obtint un petit emploi. J'étois élevée sous ses yeux, mais par une esclave du gouverneur, qui attendit à peine que je fusse à l'âge de dix ans pour me parler du bonheur que j'avois eu de plaire à son maitre, et de l'espérance dans laquelle il prenoit soin de mon éducation. Ce qui m'étoit annoncé comme la plus haute fortune ne se présenta plus à mon imagination que sous cette forme. L'éclat de plusieurs femmes qui composoient son serrail, et dont on me représentoit l'heureuse condition, excitoit mon impatience. Cependant il étoit dans un âge si avancé que mon père, desespérant d'en tirer pour toute sa vie les avantages qui l'avoient attiré à Patras, commençoit à se repentir d'un engagement dont il avoit à recueillir des fruits si courts. Il ne me communiquoit point encore ces réfléxions ; mais n'aiant point d'obstacle à craindre des principes où l'on m'élevoit, il se lia secrettement avec le fils du gouverneur, qui marquoit déja beaucoup de passion pour les femmes, et il lui proposa d'entrer dans les droits de son père aux mêmes conditions. On me fit voir à ce jeune-homme. Il prit une vive passion pour moi. Plus impatient que son père, il exigea du mien que le terme de leur convention fût abrégé. Je fus livrée à lui dans un âge où j'ignorois encore la différence des sexes.

Vous voyez que le goût du plaisir n'a point eu de part à ma mauvaise fortune, et que je suis moins tombée dans le desordre que je n'y suis née. Aussi n'en ai-je jamais connu la honte ni les remords. L'augmentation des années ne m'a pas même apporté de lumières qui aient pu servir à rectifier mes principes. Je n'ai pas connu non plus dans ces prémiers tems les desirs dont se forment les passions. Ma situation étoit celle de l'habitude. Elle a duré jusqu'au tems que le gouverneur avoit fixé pour m'approcher de lui. Son fils, mon père, et l'esclave qui avoit été chargée du soin de mon enfance, tombérent dans un embarras presque égal ; mais loin de le partager avec eux, j'étois encore persuadée que c'étoit au gouverneur que je devois appartenir. Il étoit fier et cruel. Mon père, qui avoit compté mal à propos sur sa mort, se vit si pressé par le tems que s'étant abandonné à ses craintes, il résolut de prendre la fuite avec moi, sans s'ouvrir ni à l'esclave ni au jeune Turc. Mais son entreprise fut si malheureuse que nous fumes arrêtés avant que d'avoir gagné le port. N'étant point esclave, son évasion n'étoit point un crime qui pût l'exposer au supplice. Cependant il essuya tous les emportemens du gouverneur, qui lui reprocha non seulement sa fuite comme une trahison, mais tous les bienfaits qu'il avoit reçus de lui comme un vol. Je fus enfermée dès le même jour au serrail. On m'annonça la nuit suivante que j'aurois l'honneur d'être comptée parmi les femmes de mon maitre. Je reçus cette déclaration comme une faveur, et n'aiant point pénétré les raisons qui avoient obligé mon père à fuir, je m'étois étonnée qu'il eût voulu renoncer tout d'un coup à sa fortune et à la mienne.

La nuit arrive. On me prépare à l'honneur qu'on m'avoit annoncé, et je suis conduite à l'appartement du gouverneur, qui me reçoit avec beaucoup de complaisance et de caresses. Dans le même moment on vient l'avertir que son fils demande avec les dernières instances à lui parler, et que les affaires qui l'amènent sont si pressantes qu'elles ne peuvent être remises au lendemain. Il le fait introduire, et donne ordre qu'on le laisse seul pour l'écouter. Je demeure néanmoins avec eux ; mais le père passe avec son fils dans un cabinet intérieur, où ils sont quelques momens ensemble. J'entendis à la vérité quelques termes violens, qui me firent juger que leur conférence n'étoit pas tranquille. Ils furent suivis d'un bruit qui commençoit à m'alarmer, lorsque le fils, sortant d'un air égaré, vient à moi, me prend par la main, et m'exhorte à fuir avec lui. Ensuite, faisant attention sans doute à ce qu'il avoit à craindre des domestiques, il sort seul, les trompe par des ordres feints de son père, et me laisse dans l'état où j'étois, c'est-à-dire tremblante de son agitation, et n'osant même aller jusqu'au cabinet pour m'assurer de ce qui s'y étoit passé. Cependant les esclaves à qui le jeune Turc avoit déclaré que son père vouloit être seul un quart-d'heure, reparoissant après cet intervalle, et me trouvant dans la situation que je n'avois pas quittée, mon trouble leur fait naitre des soupçons. Ils m'interrogent. Je leur montre le cabinet, sans avoir la force de parler. Ils y trouvent leur maitre étendu dans son sang, et mort de deux coups de poignard. Leurs cris attirent aussi-tôt toutes les femmes du serrail. On me demande le récit d'un événement si tragique. Je raconte moins ce que j'avois vu que ce que je m'étois figuré d'entendre ; et ne pénétrant pas mieux *qu'une autre dans le fond de cette avanture, mon ignorance et ma crainte se déclaroient également par mes larmes.

On ne put douter que le gouverneur ne fût mort de la main de son fils. Cette opinion, qui étoit confirmée par la fuite du jeune Turc produisit un effet fort étrange. Les femmes et les esclaves du serrail, se croyant desormais sans *maitre, ne pensérent qu'à s'emparer de ce qui s'offroit de plus précieux à leurs yeux, et qu'à profiter de l'obscurité pour s'échapper de leur prison. Ainsi, les portes aiant été ouvertes de tous côtés, je me déterminai à sortir, avec d'autant plus de raison que personne ne pensoit ni à me consoler, ni à me retenir. Mon intention étoit de gagner le logement de mon père, qui étoit dans le voisinage du serrail, et je me flattois d'en trouver facilement la route. Mais à peine eus-je fait vingt pas dans les ténèbres, que je crus appercevoir le fils du gouverneur. Je ne le reconnus néanmoins qu'après m'être hazardée à lui demander qui il étoit. Il me dit que dans l'effroi du malheureux coup qu'il venoit de commettre, il cherchoit à s'assurer si son père étoit mort, pour se mettre à couvert aussi-tôt par la fuite. Je lui rendis témoignage de tout ce que j'avois vu. Sa douleur me parut sincère. Il m'apprit en deux mots qu'étant allé avec plus de crainte que de colère pour s'expliquer sur le commerce qu'il avoit eu avec moi, son père, furieux de cette déclaration, avoit voulu lui ôter la vie de son poignard, et qu'il n'avoit pu s'en défendre qu'en le prévenant avec le sien. Il me proposa de l'accompagner dans sa fuite ; mais au moment qu'il m'en pressoit avec beaucoup d'instances, nous fumes enveloppés de plusieurs personnes qui le reconnurent, et qui, sur le bruit qui s'étoit déja répandu de son crime, se prêtérent la main pour l'arrêter. On me laissa libre. Je me rendis secrettement chez mon père, qui me reçut avec un transport de joie.

N'étant pas mêlé dans une si funeste avanture, il se proposa sur le champ de recueillir tout ce qu'il avoit amassé pendant son séjour à Patras, et de quitter cette ville avec moi. Il ne m'expliquoit point quelles étoient ses vues, et ma simplicité me les faisoit encore moins appréhender. Nous partimes sans obstacles. Mais à peine fumes-nous en mer, qu'il me tint un discours qui m'affligea. Vous êtes jeune, me dit-il, et la nature vous a donné tout ce qui est capable d'élever une femme à la plus haute fortune. Je vous mène dans un lieu où vous avez beaucoup de fruit à tirer de ces avantages ; mais je veux que vous me promettiez avec serment de ne vous conduire que par mes conseils. Il me pressa de lui faire cette promesse dans les termes qu'il crut les plus propres à la rendre inviolable. Je me sentis une répugnance extrème à me lier comme il l'exigeoit. Quelques réfléxions que j'avois commencé à faire sur les avantures où il m'avoit engagée me faisoient concevoir qu'en me liant avec un homme, je pouvois tirer plus d'agrément de mon propre choix. Le fils du gouverneur de Patras avec qui j'avois eu cette liaison, n'avoit jamais fait d'impression sur mon cœur ; tandis que j'avois vu mille jeunes-gens avec qui je n'aurois pas été fâchée d'avoir la même familiarité. Cependant, l'autorité paternelle étant un joug auquel je n'avois pas la force de résister, je pris le parti de la soumission. Nous arrivames à Constantinople. Les prémiers mois furent employés à me faire acquérir les manières et les connoissances qui mettent une femme au goût de la capitale [14]. Mon âge ne passoit pas quinze ans. Sans s'ouvrir sur ses desseins, mon père me flattoit sans cesse d'une fortune qui surpasseroit mes espérances. Un jour qu'il revenoit de la ville, il ne s'apperçut point qu'il avoit été suivi par deux personnes, qui ne s'arrêtérent qu'après s'être assurées de la maison où il entroit, et qui se firent accompagner de quelques voisins pour y entrer après lui. Nous n'en occupions qu'une petite partie. Ils frappérent si brusquement à notre porte, que dans l'inquiétude qu'il eut de ce bruit il me fit passer dans une seconde chambre qui touchoit à la prémière. Aiant ouvert, il se vit arrêté tout d'un coup par un homme qu'il crut reconnoitre, puisque sa vue lui fit perdre la voix, et qu'il demeura quelques tems sans répondre à plusieurs reproches injurieux que j'entendois distinctement. On l'appelloit traitre, lâche, qui n'échapperoit pas plus longtems à la justice, et qui rendroit compte malgré lui de ses perfidies et de ses vols. Il ne chercha point à se justifier, et ne voyant pas plus d'apparence à se défendre, il se laissa mener sans résistance au *cadi*[15]. A peine fus-je remise de ma prémière frayeur, que me couvrant la tête d'un voile, je me hâtai de suivre la route qu'on lui avoit fait prendre. Comme l'audience de la justice s'accorde publiquement, j'arrivai assez tôt pour être témoin des plaintes de ses accusateurs, et de la sentence qui suivit immédiatement sa confession. On le chargeoit d'avoir séduit la femme d'un seigneur grec, dont il étoit l'intendant, de l'avoir enlevée avec une fille de deux ans qu'elle avoit eue de son mari, et d'avoir dérobé en même tems ce qu'il avoit trouvé de plus précieux chez son maitre. N'aiant pu desavouer ces accusations, il chercha seulement à s'excuser, en prenant le Ciel à témoin qu'il n'avoit fait que céder aux sollicitations de la dame ; qu'elle étoit seule coupable du vol, et qu'il n'en avoit pas tiré le moindre avantage, par le malheur qu'il avoit eu d'être volé si cruellement lui-même qu'il étoit tombé dans le dernier excès de la misère. A la demande qu'on lui fit sur ce qu'étoient devenues la mère et la fille qu'il avoit enlevées, il protesta qu'il les avoit perdues toutes deux par la mort. Les seuls aveux auxquels il étoit forcé parurent suffisans au juge pour le condamner au supplice. J'entendis prononcer cette décision. Toute la honte que je ressentois d'être née d'un père si coupable ne m'auroit pas empêchée de faire éclater ma douleur par des cris et par des larmes. Mais aiant demandé au cadi la grace d'être entendu un moment en secret, ce qu'il dit à ce juge parut l'adoucir, et servit du moins à faire différer l'exécution de son châtiment. Il fut conduit en prison. On augura bien d'un délai si contraire à l'usage. Pour moi, je n'eus point d'autre parti à prendre, dans ma triste situation, que de retourner à notre logement, pour y attendre la fin d'une si cruelle avanture. Mais en approchant de la maison, j'y vis une foule de peuple, et des marques de desordre, qui me firent demander la cause de ce tumulte sans avoir la hardiesse d'avancer. Avec ce que je n'avois déja que trop appris, on m'informa que l'usage de la ville étant de saisir les biens d'un criminel au moment que sa sentence est prononcée, cette rigoureuse coutume s'exécutoit déja sur ceux de mon père[16]. Mes alarmes augmentérent si vivement que n'aiant point la force de déguiser qui j'étois, je conjurai en tremblant une femme turque à qui je m'étois adressée de prendre pitié de la malheureuse fille du Grec qui venoit d'être condamné. Elle leva mon voile pour observer mon visage, et ma douleur paroissant la toucher, elle me fit entrer dans sa maison avec le consentement de son mari. Ils me firent valoir tous deux le service qu'ils me rendoient. La crainte dont j'étois saisie me le fit encore exagérer. Je les laissai les maitres de mon sort, et je crus leur devoir la vie lorsqu'ils m'eurent promis d'en prendre soin. Il me restoit néanmoins l'espérance que tout le monde avoit formée sur le délai du cadi. Mais au bout de quelques jours j'appris de mes hôtes que mon père avoit subi sa sentence.

Dans une ville où je ne connoissois personne, à l'âge d'environ quinze ans, avec si peu d'expérience du monde, et troublée par une disgrace si humiliante, je me crus d'abord condamnée pour le reste de ma vie à l'infortune et à la misère. Cependant, l'extrémité de ma situation m'apprit à réfléchir sur mes prémières années, pour chercher quelque règle qui pût servir à ma conduite. Dans toutes les traces qui m'en étoient restées, je ne trouvois que deux principes sur lesquels on avoit fait rouler mon éducation ; l'un qui m'avoit fait regarder les hommes comme l'unique source de la fortune et du bonheur des femmes ; l'autre qui m'avoit appris que par nos complaisances, notre soumission, nos caresses, nous pouvions acquérir sur eux une espèce d'empire, qui les mettoit à leur tour dans notre dépendance, et qui nous en faisoit obtenir tout ce qui étoit propre à nous rendre heureuses[17]. Quelque obscurité que j'eusse trouvée dans les desseins de mon père, je me souvenois que c'étoit aux richesses et à l'abondance qu'il avoit rapporté toutes ses vues. S'il avoit pris tant de soins pour cultiver mes qualités naturelles depuis que nous étions à Constantinople, c'étoit en me mettant sans cesse devant les yeux que je pouvois espérer mille avantages au dessus du commun des femmes. Il les attendoit donc de moi, beaucoup plus qu'il n'avoit le pouvoir de me les procurer ; ou si son adresse devoit m'ouvrir les voies, ce n'étoit que par les moyens de réussir qu'il me connoissoit, qu'il se promettoit pour lui-même une partie des biens auxquels il me faisoit aspirer. Sa mort m'avoit-elle fait perdre ce qu'il m'avoit dit mille fois que j'avois reçu de la nature ? Ce raisonnement, qui se fortifia dans mon esprit pendant quelques jours de solitude, me fit naitre une pensée que je crus capable de m'acquitter de la reconnoissance que je devois à mes hôtes. Ce fut de leur déclarer à quoi mon père m'avoit crue propre, et de les substituer aux espérances qu'il avoit conçues de moi. Je ne doutois point que connoissant leur pays, ils ne comprissent tout d'un coup ce que j'étois capable de faire pour eux, et pour moi-même. Je fus si satisfaite de cette réfléxion, que je résolus de n'en pas remettre au lendemain l'ouverture.

Mais ce que la simplicité de mon esprit m'inspiroit,

n'avoit pas manqué de se présenter à des gens beaucoup plus rusés que moi. La vue de quelques agrémens sur le visage d'une étrangère, qui se trouvoit à Constantinople sans connoissance et sans protection, avoit été le seul motif qui avoit intéressé la femme turque à mon sort. Elle avoit médité avec son mari un plan qu'elle se proposoit de me faire goûter ; et le jour même où je comptois de lui découvrir le mien, étoit celui qu'elle avoit choisi pour s'expliquer avec moi. Elle me fit plusieurs questions sur ma famille et sur le lieu de ma naissance, qui parurent servir à son dessein par les lumières qu'elle tira de mes réponses. Enfin m'aiant flattée sur mes agrémens, elle m'offrit de me rendre heureuse au-delà de mes desirs, si je voulois prendre ses conseils et me fier à sa conduite. Elle connoissoit, me dit-elle, un riche négociant, qui étoit passionné pour les femmes, et qui n'épargnoit rien pour leur satisfaction. Il en avoit dix, dont la plus belle m'étoit fort inférieure, et je ne devois pas douter que toute son affection se réunissant sur moi, il ne fît plus pour mon bonheur que pour celui des dix autres. Elle s'étendit beaucoup sur l'abondance qui règnoit dans sa maison. J'en devois croire le témoignage de son mari et le sien, puisqu'ils étoient employés depuis longtems à son service, et qu'ils admiroient tous les jours les bénédictions que le prophète avoit répandues sur un si galant homme.

Elle acheva ce tableau assez adroitement pour m'ébranler ; d'autant plus, qu'étant remplie de l'idée que j'allois lui communiquer, j'étois ravie qu'elle m'en eût épargné la peine, en me prévenant. Mais je ne trouvois dans l'amant qu'elle me proposoit que la moitié de mes prétentions. Mon père m'avoit toujours fait envisager l'élévation du rang avec les richesses. La qualité de négociant choqua ma fierté. Je fis cette objection à mes hôtes, qui loin de s'y rendre, insistérent beaucoup plus sur les avantages qu'ils m'offroient, et parurent blessés à la fin de ma résistance. Je compris que ce qu'ils avoient affecté de remettre à mon choix, étoit déja réglé entre eux, et peut-être avec le négociant au nom duquel ils agissoient. Je n'en fus que plus révoltée contre leurs instances ; mais dissimulant mon chagrin, je leur demandai jusqu'au lendemain pour me déterminer. Les réfléxions que je fis le reste du jour aiant augmenté mes répugnances, je pris dans le cours de la nuit suivante un parti que vous attribueriez à mon desespoir, si je ne vous assurois que je le pris avec beaucoup de tranquillité. Les grandes espérances de mon père, que je me rappellois sans cesse, eurent la force de soutenir mon courage. A peine crus-je mes hôtes endormis, que sortant de chez eux dans l'état où j'y étois venue, je m'engageai seule dans les rues de Constantinople, avec le dessein vague de m'adresser à quelque personne de distinction, pour lui abandonner le soin de ma fortune. Une idée si mal conçue ne pouvoit réussir heureusement. Je n'en fus persuadée que le lendemain, lorsqu'aiant passé le reste de la nuit dans un extrème embarras, je ne vis pas mieux pendant le jour par quel moyen je pourrois m'en délivrer. Je ne trouvois dans les rues que des personnes du peuple, dont je n'espérois pas plus de secours que des hôtes que j'avois quittés. Quoiqu'il me fût facile de distinguer les maisons des grands, je ne voyois aucune apparence de m'en procurer l'accès, et ma timidité contre laquelle j'avois combattu l'emportant enfin sur ma résolution, je me crus plus malheureuse qu'au prémier moment qui avoit suivi la mort de mon père. Je serois retournée dans la maison d'où je sortois, si j'avois eu quelque espoir de la retrouver ; mais ouvrant les yeux sur mon imprudence, j'en fus si effrayée que ma perte me parut inévitable.

Cependant je connoissois aussi peu les maux qui me menaçoient que les biens que j'avois voulu me procurer. Mes craintes n'avoient pas d'objet fixe, et la faim qui commençoit à me presser étoit encore la plus vive de mes inquiétudes. Le hazard, qui me servoit seul de guide, m'aiant fait passer près du marché où se vendent les esclaves, je demandai ce que c'étoit qu'une troupe de femmes que je voyois rangées sous une voûte. On ne m'eut pas plutôt appris à quoi elles étoient destinées, que je regardai cette occasion comme une ressource. Je m'approchai d'elles, et me plaçant au bout de la ligne, je me flattai, que si j'avois les qualités qu'on m'avoit vantées tant de fois, je ne serois pas longtems sans me voir distinguée. Comme toutes mes compagnes avoient le visage couvert, je ne cédai point tout d'un coup à l'envie que j'avois de dévoiler le mien. Cependant l'heure du marché étant arrivée, je ne pus voir diverses personnes occupées à se faire montrer quelques femmes qui ne me valoient pas, sans être pressée d'une vive impatience de lever mon voile. On ne s'étoit point apperçu que je fusse étrangère dans la troupe, ou plutôt on n'avoit pu juger du dessein qui m'avoit amenée. Mais à peine eut-on vu paroître mon visage que tous les spectateurs, surpris de ma jeunesse et de ma figure, s'assemblérent autour de moi. J'entendis demander de tous côtés à qui j'appartenois, et les marchands d'esclaves le demandoient eux-mêmes avec admiration. Personne ne pouvant satisfaire à cette question, on prit le parti de s'adresser à moi. Mais en convenant que j'étois à vendre, je commençai par demander à mon tour qui étoient ceux qui pensoient à m'acheter. Une avanture si extraordinaire fit redoubler autour de moi la foule. Les marchands, aussi avides que les spectateurs, me firent des propositions que je dédaignai. Il se trouva quelques personnes qui répondirent à la question que j'avois faite, en me déclarant leurs noms et leurs qualités ; mais comme je n'entendis rien d'assez relevé pour satisfaire mon ambition, je m'obstinai à rejetter leurs offres. L'étonnement de ceux qui m'admiroient parut redoubler, lorsqu'aiant apperçu à quelque distance de moi une femme qui portoit quelques alimens, la faim qui commençoit à me dévorer me fit avancer rapidement vers elle. Je la conjurai de ne pas me refuser un secours dont la nécessité étoit pressante.

Elle me l'accorda. J'en profitai avec une ardeur qui rendit tout le monde attentif au spectacle. On n'y comprenoit rien. Je voyois dans les uns de la compassion pour mon sort, dans les autres de la curiosité, et dans presque tous les hommes les regards et les desirs de l'amour. Ces impressions, que je croyois démêler, soutenoient l'opinion que j'avois de moi, et me persuadérent que cette scène tourneroit à mon avantage.

Après avoir essuyé mille questions auxquelles je refusois de satisfaire, la foule s'ouvrit enfin pour faire place à un homme qui s'étoit informé en passant de ce qui attiroit la multitude de curieux qu'il voyoit au marché. On lui avoit raconté ce qui causoit la surprise de tout le monde, et il ne s'approchoit que pour contenter la sienne. Quoique les égards qu'on marquoit pour lui me disposassent à le recevoir avec plus de complaisance, je ne consentis à lui répondre qu'après avoir su de lui-même qu'il étoit l'intendant du bacha Chériber. Je voulus savoir encore quel étoit le caractère particulier de son maitre. Il m'apprit qu'il avoit été bacha d'Egypte, et qu'il possédoit d'immenses richesses. Alors m'approchant de son oreille, je lui dis que s'il me trouvoit capable de plaire au bacha, il m'obligeroit beaucoup de me présenter à lui. Il ne se fit pas répéter cette prière, et me prenant par la main, il me conduisit à sa voiture, qu'il avoit quittée pour s'avancer jusqu'à moi. J'entendis les regrets de ceux qui me voyoient échapper, et leurs conjectures sur un événement qui leur paroissoit plus obscur que jamais.

En chemin l'intendant du bacha me demanda l'explication de mes desseins, et par quelle avanture une jeune Grecque, telle qu'on pouvoit me reconnoitre à mon habillement, se trouvoit seule et maitresse d'elle-même. Je lui composai une histoire qui n'étoit pas sans vraisemblance, mais où ma naïveté se trahissoit assez pour lui faire conclure qu'il avoit quelque profit à tirer du service qu'il alloit rendre à son maitre.

La joie que j'avois d'être tombée si heureusement m'avoit fait perdre toute vue d'intérêt, et je ne m'en étois d'ailleurs occupée que pour me mettre en état de marquer ma reconnoissance à mes hôtes. Je n'opposai rien à la prière que me fit l'intendant de reconnoitre qu'il m'avoit achetée d'un marchand d'esclaves. Il me promit à cette condition de me rendre de si bons offices auprès du bacha que je tiendrois bientôt le premier rang dans son estime, et il me traça d'avance les moyens que je devois employer pour lui plaire. L'aiant prévenu en effet sur mon arrivée, il m'en fit obtenir un accueil qui remplit presque tout d'un coup l'idée que j'avois eue de ma fortune. Je fus établie dans un appartement de la magnificence de ceux que vous connoissez. Un grand nombre d'esclaves fut nommé pour me servir. Je passai quelque tems seule, à recevoir les instructions qui devoient me former pour mon sort ; et dans ces prémiers jours où je goûtai toute la douceur d'être servie au moindre signe, d'obtenir tout ce qui flattoit mes goûts, et d'être respectée jusques dans mes caprices, je fus aussi heureuse qu'on peut l'être par un bonheur d'imagination. Ma satisfaction augmenta même, lorsqu'après quinze jours de préparation, le bacha vint me déclarer qu'il me trouvoit plus aimable que toute ses femmes, et qu'à tout ce que j'avois déja obtenu de sa libéralité, il donna ordre qu'on joignît mille nouveaux présens, dont l'abondance éteignoit quelquefois mes desirs. Son âge le rendoit fort modéré dans les siens. Mais il me voyoit régulièrement plusieurs fois le jour. Ma vivacité, et l'air de joie dont tous mes mouvemens se ressentoient, paroissoient l'amuser. Cette situation, dans laquelle j'ai passé deux mois, a sans doute été le plus heureux tems de ma vie. Mais je m'accoutumai insensiblement à ce qui avoit eu le plus de charmes pour piquer mes inclinations. L'idée de mon bonheur ne me touchoit plus, parce que je n'y voyois plus rien qui réveillât mes sens. Non seulement je n'étois plus flattée de la promptitude qu'on avoit à m'obéir, mais je n'avois plus rien à commander. Les richesses de mon appartement, la multitude et la beauté de mes bijoux, la somptuosité de mes habits, rien ne se présentoit plus à moi sous la forme que j'y avois trouvée d'abord. Dans mille momens où je me sentois à charge à moi-même, j'adressois la parole à tout ce qui m'environnoit : Rendez-moi heureuse, disois-je à l'or et aux diamans. Tout étoit muet et insensible [18]. Je me crus attaquée de quelque maladie que je ne connoissois point. Je le dis au bacha, qui s'étoit déja apperçu du changement de mon humeur. Il jugea que la solitude où je passois une partie du jour, avoit pu m'inspirer cette mélancolie, quoiqu'il m'eût donné un maitre de peinture, suivant l'inclination que je lui avois marquée pour cet art. Il me proposa de passer dans l'appartement commun des femmes, dont il m'avoit séparée jusqu'alors par distinction. La nouveauté du spectacle servit à ranimer un peu mon goût. Je pris plaisir à leurs fêtes et à leurs danses, et je me flattai que partageant le même sort, nous nous trouverions quelque ressemblance par le caractère et les inclinations. Mais si elles marquérent de l'empressement pour se lier avec moi, je fus dégoûtée presque aussi-tôt de leur commerce. Je ne trouvai parmi elles que de petites attentions, qui ne répondoient point à ce qui m'occupoit confusément, ni à mille choses enfin que je desirois sans les connoitre. J'ai vécu dans cette société pendant près de quatre mois, sans prendre aucune part à ce qui s'y est passé ; fidèle à mes devoirs, évitant d'offenser personne, et plus aimée de mes compagnes que je ne cherchois à l'être. Le bacha, sans se relâcher de ses soins pour son serrail, sembla perdre le goût qui l'avoit attaché particulièrement à moi. J'y aurois été mortellement sensible dans les prémiers tems ; mais comme si mes idées eussent changé avec mon humeur, je vis ce refroidissement avec indifférence. Je me surprenois quelquefois dans une rêverie dont il ne me restoit rien à l'esprit quand j'en étois revenue. Il me sembloit que mes sentimens avoient plus d'étendue que mes connoissances, et que ce qui occupoit mon ame étoit le desir d'un bien dont je n'avois pas d'idée[19]. Je me demandois encore, comme j'avois fait dans ma solitude, pourquoi je n'étois pas heureuse avec tout ce que j'avois desiré pour l'être. Je m'informois quelquefois si dans un lieu où je croyois toute la fortune et tous les biens réunis, il n'y avoit pas quelque plaisir que je n'eusse point encore goûté, quelque changement qui pût dissiper l'inquiétude continuelle où j'étois[20]. Vous m'avez vue occupée à peindre ; c'est le seul plaisir auquel j'ai été réduite, après en avoir tant espéré de ma condition. Encore étoit-il interrompu par de longues distractions, dont je n'ai jamais pu me rendre compte à moi-même.

J'étois dans cette situation, lorsque le bacha vous ouvrit l'entrée de son serrail. Cette faveur, qu'il n'accordoit à personne, me fit attendre impatiemment ce qu'elle devoit produire. Il nous ordonna de danser. Je le fis avec un redoublement extraordinaire de rêveries et de distractions. Mon inquiétude me fit aussi-tôt regagner ma place. J'ignore de quoi j'étois remplie lorsque vous approchates de moi. Si vous me fites quelque question, mes réponses dûrent se ressentir de mon trouble. Mais l'ordre d'un discours sensé, que je vous entendis prononcer, me rendit d'abord extrèmement attentive. Un agréable instrument que j'aurois entendu pour la prémière fois, ne m'auroit pas fait une autre impression. Je ne me souvenois de rien qui se fût jamais si bien accordé avec l'ordre de mes propres idées. Ce sentiment redoubla, lorsque m'apprenant le bonheur des femmes de votre nation, vous m'expliquates d'où il peut dépendre, et ce que les hommes font pour y contribuer. Les noms de vertu, d'honneur, et de conduite, dont je n'eus pas besoin d'autre explication pour me former l'idée, s'attachérent à mon esprit, et s'y étendirent en un moment, comme s'ils m'eussent toujours été familiers[21]. Je prêtai l'oreille avec une avidité extrème à tout ce que l'occasion vous fit ajouter. Je ne vous interrompis point de mes questions, parce qu'il ne vous échappa rien dont je ne trouvasse aussi-tôt le témoignage au fond de mon cœur. Chériber vint finir une conversation si douce ; mais je n'en avois pas perdu un seul terme, et vous ne futes pas plutôt sorti que je commençai par m'en rappeller jusqu'aux moindres circonstances. Tout m'en étoit précieux. J'en fis dès ce moment mon étude continuelle. Le jour et la nuit ne me présentérent plus d'autre objet. Il y a donc un pays, disois je, où l'on trouve un autre bonheur que celui de la fortune et des richesses ! Il y a des hommes qui estiment dans une femme d'autres avantages que ceux de la beauté ! Il y a pour les femmes un autre mérite à faire valoir, et d'autres biens à obtenir ! Mais comment n'ai-je jamais connu ce qui me flatte avec tant de douceur, et ce qui me semble * si conforme à mes inclinations ? Quoique j'eusse à souhaiter là-dessus des détails que je n'avois pas eu le tems de vous demander, c'étoit assez de me trouver agitée par des desirs si vifs, pour former une haute idée de ce qui me causoit tant d'émotion. Je n'aurois pas balancé à quitter le serrail, s'il m'avoit été possible d'en sortir. Je vous aurois cherché dans toute la ville pour recevoir seulement l'explication de mille choses qui me restoient à savoir, pour vous faire répéter ce que j'avois entendu, pour vous entendre encore, et me rassasier d'un plaisir dont je n'avois fait que l'essai. Je rappellai du moins une espérance que j'avois toujours conservée, et sans laquelle j'aurois pris plus de précautions avec l'intendant du bacha. N'étant point née esclave, et rien ne m'aiant forcée de l'être, je m'étois persuadée que si j'eusse pu supposer des circonstances où je me fusse lassée de mon sort, on n'auroit pu m'y retenir malgré moi. Je m'imaginai qu'il n'étoit question que de m'expliquer avec le bacha. Mais comme j'avois l'occasion de voir quelquefois l'intendant qui étoit chargé des réparations du serrail, je voulus d'abord m'ouvrir à lui. Il m'avoit tenu parole. J'étois satisfaite de ses soins et de ses services, et je ne doutai point qu'il ne fût également disposé à m'obliger. Cependant, à peine eut-il compris où tendoit mon discours, que prenant un air froid et sérieux, il affecta d'ignorer le fondement de mes prétentions ; et lorsque j'entrepris de lui rappeller mon histoire, il marqua de l'étonnement que j'eusse oublié moi-même qu'il m'avoit achetée d'un marchand d'esclaves. Je reconnus clairement que j'étois trahie. La force de ma douleur ne m'empêcha pas néanmoins de considérer que les injures et les plaintes étoient inutiles. Je le conjurai la larme à l'œil de me rendre la justice qu'il me devoit. Il me traita avec une dureté qu'il n'avoit jamais eue pour moi ; et m'apprenant sans pitié que j'étois esclave pour le reste de ma vie, il me conseilla de ne lui renouveller jamais les mêmes discours si je ne voulois qu'il en avertît son maitre.

L'illusion qui m'avoit dérobé si longtems mon sort acheva de se dissiper. Je ne sai comment ma raison s'étoit plus formée depuis le court entretien que j'avois eu avec vous, que par tout l'usage que j'en avois fait jusqu'à l'âge où je suis. Je ne vis plus dans mes avantures passées qu'un sujet de honte, sur lequel je n'osois jetter les yeux ; et sans autres principes que ceux dont vous avez jetté la semence dans mon cœur, je me trouvois comme transportée dans un nouveau jour par une infinité de réfléxions qui me faisoient tout regarder d'un autre œil. Je me sentis même une fermeté qui me surprenoit dans une situation si cruelle ; et plus résolue que jamais de m'ouvrir les portes de ma prison, je pensai que pour chercher les voies du desespoir, il falloit avoir tenté mille moyens que je pouvois encore espérer de l'adresse et de la prudence. Celui de m'ouvrir au bacha me parut le plus dangereux. En m'exposant à son indignation, il ne pouvoit servir qu'à m'attirer la haine de son intendant, et c'étoit me rendre toutes les autres voies beaucoup plus difficiles. Mais il me vint à l'esprit de m'adresser à vous. Tout le changement que j'éprouvois étoit nonseulement votre ouvrage, mais devoit recevoir de vous sa perfection[22]. J'espérai qu'avec un peu de cette prévention que vous aviez marquée en ma faveur, vous ne me refuseriez pas votre secours.

La difficulté n'étoit qu'à vous faire connoitre le besoin que j'en avois. Je me hazardai à sonder une esclave qui m'avoit été fort attachée depuis mon entrée au serrail. Je lui trouvois tout le zèle que je desirois pour me servir ; mais elle étoit aussi resserrée que moi dans nos murs, et n'en pouvant sortir sans crime, elle n'eut à m'offrir que l'entremise de son frère, qui est au service du bacha. Je résolus d'en courir les risques. J'abandonnai entre les mains de mon esclave une lettre que vous avez reçue sans doute, puisque vous ne pouvez avoir eu d'autre motif pour vous employer à ma liberté, mais qui m'a jettée pendant quelques jours dans une nouvelle incertitude. Une de mes compagnes, attentive à ma conduite, et jugeant à mon air chagrin que je roulois quelque projet extraordinaire, m'observa dans le tems que j'écrivois ma lettre, et ne découvrit pas moins habilement que je l'avois remise à l'esclave. Elle se crut maitresse de mon secret. Dès le même jour elle se procura la facilité de m'entretenir à l'écart, et m'aiant déclaré l'avantage qu'elle avoit sur moi, elle me confia à son tour une intrigue fort dangereuse où elle étoit engagée depuis quelques semaines. Elle recevoit un jeune Turc, qui risquoit témérairement sa vie pour la voir. Il passoit au long des toits jusqu'au-dessus de sa fenêtre, où il trouvoit le moyen de descendre à l'aide d'une * échelle de corde. La communication que j'avois avec toutes les femmes du bacha n'aiant point empêché que je n'eusse conservé mon prémier appartement, sa situation avoit paru plus commode à mon adroite compagne, et le service qu'elle attendoit de moi étoit d'y cacher pendant quelques jours son amant, qu'elle ne voyoit point assez librement dans sa chambre.

Cette proposition m'effraya. Mais j'étois liée par la crainte de quelque trahison. Ce que j'apprenois même ne pouvoit servir de frein à cette femme téméraire, parce que je n'avois point de preuve à donner de l'aveu qu'elle m'avoit fait, et que sur mon refus elle pouvoit rompre toutes les traces de son commerce en cessant de recevoir son amant ; au lieu que ma lettre et les deux esclaves qui étoient dans ma confidence déposoient à tous momens contre moi. Je me soumis à toutes les loix qu'elle voulut m'imposer. Son amant fut introduit la nuit suivante. Je fus obligée, pour tromper les esclaves qui me servoient, de quitter mon lit pendant leur sommeil, et de conduire le Turc dans un cabinet dont j'avois seule la clef. C'étoit le lieu où ma compagne se proposoit de le recevoir pendant le jour. Il falloit de l'adresse pour se dérober aux regards d'un grand nombre de femmes et d'esclaves. Mais dans un serrail bien fermé, on ne s'alarmoit point de nous voir quelquefois disparoître, et la multitude des appartemens pouvoit favoriser ces courtes absences.

*Cependant, le Turc, qui ne m'avoit vue qu'un instant à la lumière d'une bougie, avoit pris pour moi les sentimens qu'il avoit eus pour ma compagne. Dès la prémière visite qu'elle lui rendit avec ma clé que je lui avois abandonnée, elle lui remarqua une froideur qu'elle ne put attribuer longtems à sa crainte. Il lui fit naitre des raisons de souhaiter que je fusse témoin d'une partie de leurs entretiens. Elles étoient si frivoles que le soupçonnant aussi-tôt d'infidélité, elle résolut de s'en assurer en satisfaisant à ses desirs. Je ne résistai point à la prière qu'elle me fit de l'accompagner. Son amant garda si peu de mesures, que choquée moi-même de lui voir si peu d'attention pour elle, je ne condamnai point le dépit qui la fit penser à le renvoyer la nuit suivante. Il ne fit qu'irriter sa jalousie par le chagrin qu'il en marqua, et ses regards me disoient en effet trop clairement que j'étois la cause de ses regrets. Mais le châtiment l'emporta beaucoup sur le crime. En l'aidant à regagner le toit par la fenêtre, elle le précipita si cruellement qu'il se tua dans sa chute. Ce fut elle-même qui m'apprit le lendemain cette vengeance barbare.

Cependant elle n'avoit pas fait réfléxion qu'il avoit entraîné avec lui son échelle de corde, et que ce témoignage, joint à la triste situation où il étoit, ne manqueroit pas de faire connoitre tout d'un coup la nature de son entreprise. A la vérité il pouvoit paroître incertain de quelle fenêtre il étoit tombé, parce qu'il y en avoit plusieurs qui donnoient sur la même cour. Mais l'alarme n'en fut pas moins vive dans la maison de Chériber, et les effets s'en communiquérent tout d'un coup au serrail. Il interrogea lui-même toutes ses femmes. Il fit visiter tous les lieux qui pouvoient faire naitre ses défiances. On ne découvrit rien ; et j'admirai avec quelle tranquillité ma compagne soutint les mouvemens qui se faisoient autour d'elle. Enfin les soupçons de l'intendant tombérent sur moi ; mais ce fut sans les communiquer à son maitre. Il me dit qu'après les imaginations dont je m'étois remplie, il ne pouvoit douter que ce ne fût moi qui avois troublé la paix du serrail, et qui avois pensé peut-être à me procurer la liberté par un crime. Les menaces par lesquelles il voulut m'en arracher l'aveu, me causérent peu d'épouvante ; mais je me crus perdue, lorsqu'il me parla d'arrêter les esclaves qui m'étoient le plus attachés. Il observa ma frayeur, et se disposant à passer aux effets, il me mit dans la nécessité de lui apprendre ce que je ne pouvois lui laisser découvrir lui-même, sans exposer mes malheureux esclaves à périr par un cruel supplice. Ainsi les recherches qu'on faisoit pour le déréglement d'autrui, servirent à m'arracher mon propre secret. Je confessai à l'intendant que je cherchois à me procurer la liberté par des voies que le bacha même ne pouvoit condamner, et sans faire valoir plus longtems mes droits, je l'assurai que je ne pensois à l'obtenir qu'à titre d'esclave, et au prix dont on la feroit dépendre. Il voulut savoir à qui je m'étois adressé. Je ne pus lui dissimuler que c'étoit à vous. Ma sincérité fut utile à ma compagne, dont l'intrigue demeura ensevelie ; l'intendant, charmé en apparence de ce qu'il apprenoit, m'assura qu'il contribueroit volontiers à ma satisfaction par cette voie.

Sa facilité me surprit autant que sa rigueur m'avoit effrayée. J'en ignore encore les motifs. Mais trop contente de me voir délivrée d'un si terrible obstacle, je vous fis demander plusieurs fois si ma prière avoit fait quelque impression sur votre cœur. Votre réponse étoit douteuse. Cependant l'expérience vient de m'apprendre trop heureusement que vous vous occupiez d'une malheureuse esclave, et que je dois ma liberté au plus généreux de tous les hommes[23].

Si l'on a fait, en lisant ce récit, une partie des réfléxions qu'il me fit naitre, on doit s'attendre à celles qui vont le suivre. En mettant à part les différences du langage, je trouvai à la jeune Greque tout l'esprit que Chériber m'avoit vanté. J'admirai même que sans autre maitre que la nature, elle eût arrangé ses avantures avec tant d'ordre, et qu'en m'expliquant ses rêveries ou ses méditations, elle eût donné un tour philosophique à la plupart de ses idées. Le développement en étoit sensible, et je ne pouvois la soupçonner de les avoir empruntées d'autrui, dans un pays où l'esprit ne se tourne pas communément à cette sorte d'exercice. Je crus donc lui découvrir un riche naturel, qui étant accompagné d'une figure extrèmement touchante, en faisoit sans doute une femme extraordinaire. Ses avantures n'eurent rien de révoltant pour moi, parce que depuis quelques mois que j'étois à Constantinople, il m'arrivoit tous les jours d'apprendre les plus étranges événemens par rapport aux esclaves de son sexe, et la suite de cette rélation en fournira bien d'autres exemples. Je ne fus pas surpris non plus du récit qu'elle m'avoit fait de son éducation. Toutes les provinces de la Turquie sont remplies de ces pères infames, qui forment leurs filles à la débauche, et qui n'ont point d'autre occupation pour soutenir leur vie, ou pour avancer leur fortune.

Mais en examinant l'impression qu'elle prétendoit avoir ressentie d'une conversation d'un moment, et les motifs qu'elle avoit eus pour souhaiter de m'avoir l'obligation de sa liberté, je ne pus me livrer si crédulement à l'air de naïveté et d'innocence qu'elle avoit su mettre dans sa contenance et dans ses regards. Plus je lui avois reconnu d'esprit, plus je lui soupçonnois d'adresse ; et le soin qu'elle avoit eu de me faire remarquer plusieurs fois sa simplicité, étoit précisément ce qui me la rendoit suspecte. Aujourd'hui comme du tems des anciens, la bonne-foi grecque est un proverbe ironique[24]. Ce que je pus donc m'imaginer de plus favorable, fut qu'étant lasse du serrail, et flattée peut-être de l'espérance d'une vie plus libre, elle avoit pensé à quitter Chériber pour changer de condition, et que dans la vue de m'inspirer quelques sentimens de tendresse, elle avoit profité du discours que je lui avois tenu, pour me prendre du côté par lequel je lui avois paru sensible. Si je supposois quelque réalité dans la description qu'elle m'avoit faite de ses agitations de cœur et d'esprit, il étoit aisé d'en trouver la cause dans la situation d'une jeune personne qui n'avoit pas dû goûter beaucoup de plaisir près d'un vieillard. Aussi m'avoit-elle vanté la modération du bacha. Et pour ne rien déguiser, j'étois à la fleur de mon âge ; et si l'on ne me flattois pas sur ma figure, elle avoit pu faire impression dans un serrail sur une jeune fille à qui je supposois autant de chaleur de tempérament que de vivacité d'esprit. J'ajouterai encore que dans les expressions de sa joie, j'avois cru remarquer un emportement qui n'avoit pas de proportion avec l'idée qu'elle avoit toujours eue des avantures de sa vie. Ces grands transports n'étoient point amenés d'assez loin, et n'avoient point une cause assez sensible. Car à moins que de faire entrer la puissance du Ciel dans le changement de ses principes, quelle raison avoit-elle d'être touchée jusqu'à cet excès du service que je lui avois rendu, et comment pouvoit-elle regarder tout d'un coup avec tant d'horreur un lieu d'où elle n'avoit point emporté d'autre sujet de plaintes que le dégoût qui nait de l'abondance ? De toutes ces réfléxions dont j'avois fait une partie pendant son discours, la conclusion que je tirai, fut que j'avois rendu à une jolie femme un service dont je ne devois pas me repentir, mais auquel toutes les belles esclaves auroient eu le même droit ; et quoiqu'en considérant sa figure avec admiration, je fusse flatté sans doute du desir que je lui supposois de me plaire, la seule pensée qu'elle sortoit des bras de Chériber après avoir été dans ceux d'un autre Turc, et peut-être d'une multitude d'amans qu'elle m'avoit déguisés, me servit de préservatif contre les tentations auxquelles la chaleur de mon âge auroit pu m'exposer.

Cependant j'étois curieux de savoir nettement à quoi elle se destinoit. Elle devoit comprendre que l'aiant rendue libre, je n'avois aucun droit de rien exiger d'elle, et que j'attendois au contraire qu'elle m'expliquât ses desseins. Je ne lui fis point de questions, et elle ne se hâta point de m'éclaircir. M'aiant remis sur l'article de nos femmes d'Europe, et sur les maximes dans lesquelles je lui avois dit qu'on les élevoit, elle me fit entrer dans cent détails sur lesquels je pris plaisir à la satisfaire. La nuit étoit fort avancée, lorsque je m'apperçus qu'il étoit tems de me retirer. Ne m'aiant marqué aucune vue, et ses discours étant toujours retombés sur son bonheur, sur sa reconnoissance, et sur la satisfaction qu'elle avoit à m'entendre, je lui renouvellai, en la quittant, les offres de mes services, et je l'assurai qu'aussi longtems qu'elle s'accommoderoit de la maison et des soins de son hôte, elle n'y manqueroit de rien. L'adieu qu'elle me fit me parut extrèmement passionné. Elle me donna le nom de son maitre, de son roi, de son père, et tous les noms tendres qui sont familiers aux femmes d'Orient.

Après avoir expédié quelques affaires importantes, je ne pus me mettre au lit, sans me représenter toutes les circonstances de ma visite. Elles me revinrent même en songe. Je me trouvai plein de cette idée à mon réveil, et mon prémier soin fut de faire demander au *maitre de langues, comment Théophé avoit passé la nuit. Je ne me sentois point rappellé à elle par un penchant qui me causât de l'inquiétude ; mais aiant l'imagination remplie de ses charmes, et ne doutant point qu'ils ne fussent à ma disposition, j'avoue que je consultai ma délicatesse sur les prémières répugnances que je m'étois senties à lier un commerce de plaisir avec elle. J'examinai jusqu'où ce caprice pouvoit aller sans blesser la raison. Car les caresses de ses deux amans lui avoient-ils imprimé quelque tache, et devois-je me faire un sujet de dégoût de ce que je n'aurois point apperçu, si je l'avois ignoré ? Une flétrissure de cette espèce ne pouvoit-elle pas être réparée par le repos et les soins de quelques jours, surtout dans un âge où la nature se renouvelle incessamment par ses propres forces[25] ? D'ailleurs ce que j'avois trouvé de plus vraisemblable dans son histoire, étoit l'ignorance où elle étoit encore de l'amour. Elle avoit à peine seize ans. Ce n'étoit pas Chériber qui avoit pu faire naitre de la tendresse dans son cœur, et l'enfance où elle étoit à Patras l'en avoit dû défendre avec le fils du gouverneur, autant que le récit qu'elle m'avoit fait de ses dégoûts[26]. Je me figurai qu'il y auroit de la douceur à lui faire faire cet essai, et je souhaitai, en y réfléchissant de plus en plus, d'avoir été assez heureux pour lui en faire éprouver déja quelque chose. Cette pensée servit plus que le raisonnement à diminuer mes scrupules de délicatesse. Je me levai tout différent de ce que j'étois la veille, et si je ne me proposai pas de brusquer l'avanture, je résolus d'en jetter du moins les fondemens avant la fin du jour.

J'étois invité à dîner chez le sélictar. Il m'interrogea beaucoup sur l'état où j'avois laissé mon esclave. Je le fis souvenir qu'elle devoit porter un autre nom, et l'assurant que mon dessein étoit de la laisser jouïr de tous les droits que je lui avois rendus, je le confirmai absolument dans l'opinion que je lui avois donnée de mon indifférence. Il s'en crut plus autorisé à me demander où elle étoit logée. Cette question m'embarrassa. Je ne pus m'en défendre que par un badinage agréable sur le repos dont elle avoit besoin en sortant du serrail de Chériber, et sur le mauvais office que je lui rendrois en découvrant sa retraite. Mais le sélictar me jura si sérieusement qu'elle n'auroit rien à craindre de ses importunités, et qu'il ne pensoit ni à la troubler, ni à la contraindre, qu'après la confiance qu'il avoit eue à mes sermens, je ne pus refuser avec bienséance de me rendre aux siens. Je lui appris la demeure du maitre de langues. Il me renouvella sa parole, avec un air de sincérité qui me rendit tranquille. Notre entretien continua sur le mérite extraordinaire de Théophé. Ce n'étoit pas sans efforts qu'il avoit fait violence à son inclination. Il me confessa qu'il ne s'étoit jamais senti plus touché par la figure d'une femme. Je me suis hâté de vous la rendre, me dit-il, de peur que ma foiblesse n'augmentât pour elle, en la connoissant mieux, et que l'amour ne devînt plus puissant que la justice. Ce discours me parut d'un homme d'honneur, et je dois ce témoignage aux Turcs qu'il y a peu de nations où l'équité naturelle soit plus respectée.

Tandis qu'il m'expliquoit ses sentimens avec cette noblesse, on lui annonça le bacha Chériber, qui parut au même moment avec des marques de chaleur et d'agitation dont nous lui demandames impatiemment le sujet. Il étoit lié avec le sélictar autant qu'avec moi, et c'étoit sur la recommandation de l'un que je me trouvois dans la même familiarité avec l'autre. Sa réponse fut de jetter à nos pieds un sac de séquins d'or, qui contenoit mes mille écus[27]. Qu'on est à plaindre, nous dit-il, d'être le jouet de ses esclaves ! Voilà un sac d'or que mon intendant vous a volé, ajouta-t-il, en s'adressant au sélictar. Et ce n'est pas son unique vol. A force de supplices je viens d'arracher de lui une horrible confession. Je ne lui ai conservé la vie que pour lui faire recommencer l'aveu de son crime à vos yeux. Je mourrois de honte, si cet infame esclave ne me rendoit justice. Il proposa au sélictar de permettre qu'il le fît introduire. Mais nous le priames l'un et l'autre de nous préparer à cette scène par quelques mots d'explication.

Il nous apprit qu'un autre de ses gens, jaloux à la vérité du pouvoir que l'intendant avoit usurpé dans sa maison, mais intéressé par cette raison à l'observer, s'étoit apperçu que l'eunuque du sélictar, qui étoit venu prendre la jeune esclave, avoit compté beaucoup d'or à l'intendant avant que de la recevoir de ses mains. Etant encore sans soupçon, il lui avoit parlé de ce qu'il avoit vu, par la seule curiosité de savoir à quoi montoit cette somme. Mais l'intendant, confus d'avoir été surpris, l'avoit conjuré aussi-tôt de garder le silence, et lui avoit fait un gros présent pour l'y engager. C'étoit aiguiser au contraire l'envie que l'autre avoit de le perdre. Ne doutant point qu'il ne se fût rendu coupable de quelque infidélité dont il craignoit le châtiment, il avoit découvert aussi-tôt ses conjectures au bacha, qui n'avoit pas eu de peine à pénétrer la vérité. L'intendant, pressé par les menaces de son maitre, avoit confessé que lorsque le sélictar étoit venu proposer au bacha de lui vendre la jeune Grecque, il avoit entendu ces deux seigneurs disputer civilement sur le prix de sa rançon, et son maitre protester que se croyant trop heureux de pouvoir obliger son illustre ami, il étoit résolu de lui céder gratuïtement son esclave. Aiant remarqué qu'ils s'étoient séparés sans avoir fini ce combat de politesse, il avoit suivi le sélictar, et lui avoit dit, comme s'il eût été envoyé par le bacha, que puisqu'il s'obstinoit à ne pas recevoir l'esclave comme un présent, il en donneroit la valeur de mille écus. Il avoit ajouté qu'il étoit chargé de les recevoir, et de remettre l'esclave à ceux qui la viendroient prendre par ses ordres. Chériber, qui lui avoit commandé au contraire de la conduire chez son ami, s'étoit reposé sur lui de ce soin, et n'avoit pas eu la moindre défiance du compte qu'il lui en avoit rendu. Mais apprenant qu'il n'avoit pas été moins joué que le sélictar, sa colère avoit été furieuse. Et dans un homme à qui il confioit aveuglément la conduite de ses affaires, il avoit jugé que cette tromperie n'étoit pas la prémière. Ainsi, pour tirer l'aveu de ses autres crimes autant que pour le punir de celui-ci, il l'avoit fait tourmenter si cruellement à ses yeux, qu'il l'avoit forcé de révéler tout l'abus qu'il faisoit de sa confiance. L'avanture de Théophé avoit paru à Chériber une de ses plus noires friponneries. Il ne pouvoit lui pardonner les injustices qu'il lui avoit fait commettre contre une personne libre[28]. Loin de la traiter en esclave, nous dit-il, je l'aurois reçue comme ma fille, j'aurois respecté ses malheurs, j'aurois pris soin de sa fortune ; et toute ma surprise est qu'elle ne m'ait jamais fait connoitre la vérité par ses plaintes.

Ce récit me causa bien moins d'étonnement qu'au sélictar. Cependant, je continuai de cacher ce qu'il étoit inutile de leur apprendre, et la manière dont je parlai à Chériber fit concevoir au sélictar que je souhaitois toujours de n'être pas mêlé dans *cette avanture. L'intendant aiant été introduit, son maitre le força de nous raconter dans quelles circonstances il avoit trouvé la jeune Grecque, et par quelle perfidie il avoit abusé de son innocence pour la faire passer dans l'esclavage. Nous nous intéressames peu au sort de ce misérable, qui fut envoyé sur le champ au supplice qu'il avoit mérité.

Le sélictar ne fit pas difficulté, après cette explication, de reprendre mes séquins, qu'il fit porter chez moi le jour suivant. Mais à peine Chériber nous eut-il quittés, que revenant avec plus de chaleur que jamais à Théophé, il me demanda ce que je pensois d'une avanture si singulière ? Si elle n'est pas née pour l'esclavage, me dit-il, il faut qu'elle soit d'une condition fort supérieure aux apparences. Son raisonnement étoit fondé sur ce qu'à la réserve des états serviles où l'on forme les jeunes gens à quelque talent particulier pour en faire un trafic, la bonne éducation, en Turquie comme ailleurs, est la marque d'une naissance au-dessus du commun ; à peu près comme l'on n'est point surpris en France de trouver de la bonne grace et des airs de politesse dans un maitre à danser, tandis qu'on prendroit les mêmes dehors dans un inconnu pour des témoignages qui annoncent un homme de condition. Je laissai le sélictar dans ses conjectures. Je ne lui communiquai pas même ce qui pouvoit les éclaircir. Mais je ne fus pas moins frappé de sa réfléxion, et me rappellant cette partie du récit de Théophé qui regardoit la mort de son père, je m'étonnoi d'avoir fait si peu d'attention à l'enlèvement d'une dame grecque et de sa fille, dont on l'avoit accusé. Il ne me parut pas impossible que Théophé n'eût été *cet enfant de deux ans qui avoit disparu avec sa mère. Cependant, quel moyen de pouvoir obtenir là-dessus quelque lumière ? Et n'en auroit-elle pas eu quelque défiance elle-même, si elle eût vu dans cette avanture le moindre rapport avec les siennes ? Je me proposai néanmoins de lui faire quelques nouvelles questions pour satisfaire ma curiosité, et je ne remis pas ce dessein plus loin qu'à ma visite.

Mon valet de chambre étant le seul de mes gens qui sût mes relations avec Théophé, j'étois résolu de tenir cette intrigue secrette, et de ne prendre jamais que le tems du soir pour aller chez le maitre de langues. Je m'y rendis à l'entrée de la nuit. Il m'apprit qu'une heure auparavant, il y étoit venu un Turc de fort bonne mine, qui avoit demandé avec empressement à parler à la jeune Grecque, mais en lui donnant le nom de Zara, qu'elle avoit porté au serrail. Elle avoit refusé de le voir. Après avoir marqué beaucoup de chagrin de ce refus, le Turc avoit laissé au maitre de langues une cassette dont il étoit chargé pour elle, avec un billet à la façon des Turcs, qu'il l'avoit prié instamment de lui faire lire. Théophé avoit refusé également de recevoir le billet et la cassette. Le maitre de langues me les remit. Je les pris avec moi en entrant dans l'appartement, et plus curieux qu'elle de pénétrer le fond de cette avanture, je l'excitai à ouvrir le billet en ma présence. Il me fut plus aisé qu'à elle de le reconnoitre pour une galanterie du sélictar. Les expressions en étoient mesurées ; mais elles ne paroissoient pas moins partir d'un cœur pénétré de ses charmes. On la prioit de ne rien craindre de la fortune, aussi longtems qu'elle daigneroit accepter les secours d'un homme qui n'avoit rien dont elle ne pût disposer. En lui envoyant une somme d'argent, avec d'autres présens considérables, il ne donnoit à cette générosité que le nom d'un essai léger, qu'elle le trouveroit toujours prêt à redoubler. J'expliquai naturellement à Théophé de quelle main je croyois cette lettre, et j'ajoutai, pour lui donner occasion de me découvrir ses sentimens, que le sélictar avoit pour elle autant de respect que d'amour depuis qu'il ne la considéroit plus comme une esclave. Mais elle parut si indifférente pour ce qu'il pensoit d'elle, qu'entrant sérieusement dans ses idées, je remis la cassette au maitre de langues pour la rendre au messager du sélictar lorsqu'il reparoîtroit. Elle avoit quelque regret d'avoir ouvert sa lettre et de ne pouvoir feindre par conséquent d'ignorer ce qu'elle contenoit ; mais par une seconde réfléxion dont elle ne fut redevable qu'à elle-même, elle prit le parti de lui répondre. J'attendis curieusement quels termes elle alloit employer, car elle ne pensa point à me cacher son dessein. Une dame de Paris, avec autant d'usage du monde que d'esprit et de vertu, n'auroit pas pris un autre ton pour éteindre l'amour et l'espérance dans le cœur d'un amant. Elle donna, sans affectation, cette réponse au maitre de langues, en le priant de lui épargner desormais tout ce qui pourroit ressembler à cette avanture.

Je ne déguiserai point que l'amour-propre me fit expliquer ce sacrifice en ma faveur, et n'aiant point perdu le projet dont je m'étois rempli le matin, j'interrompis tout ce qui appartenoit au sélictar pour commencer par dégrés à m'occuper de mes propres intérêts. Mais je fus interrompu moi-même par une infinité de réfléxions qui sortoient naturellement de la bouche de Théophé, et dont je reconnoissois la source dans quelques traits légers qui m'étoient échappés la veille. Son esprit, porté de lui-même à méditer, ne saisissoit rien qu'il n'étendît aussi-tôt pour le considérer sous toutes ses faces, et je remarquai qu'elle n'avoit point eu d'autre occupation depuis que je l'avois quittée. Elle me fit mille questions nouvelles, comme si elle n'eût pensé qu'à se préparer des sujets de méditation pour la nuit suivante. Etoit-elle frappée de quelque usage de ma nation, ou de quelque principe qu'elle entendît pour la prémière fois, je la voyois un moment recueillie pour le graver dans sa mémoire ; et quelquefois elle me prioit de le répéter, dans la crainte de n'avoir pas saisi tout le sens de mes expressions, ou dans celle de l'oublier[29]. Au milieu d'un entretien si sérieux, elle trouvoit toujours le moyen de mêler quelques témoignages de la reconnoissance qu'elle me devoit ; mais elle m'avoit jetté si loin de mes prétentions par les discours qui avoient précédé ces tendres mouvemens, que je ne pouvois revenir assez tôt à moi-même pour en tirer l'avantage que j'aurois souhaité. D'ailleurs, l'intervalle étoit si court, que me faisant passer aussi-tôt à d'autres pensées par quelque nouvelle question, elle me mettoit dans la nécessité continuelle de paroître plus grave et plus sérieux que je n'avois voulu l'être.

Dans l'ardeur qui la rappelloit sans cesse à cette espèce de philosophie, à peine me laissa-t-elle le temps de lui communiquer les soupçons que le sélictar m'avoit fait naitre sur son origine. Cependant, comme je n'avois pas besoin de préparations pour lui parler de son père, je la priai de suspendre un moment sa curiosité et ses réfléxions. Il m'est venu un doute, lui dis-je, et vous reconnoitrez tout d'un coup que c'est l'admiration que j'ai pour vous qui me l'inspire. Mais avant que de vous l'expliquer, j'ai besoin de savoir si vous n'avez jamais connu votre mère. Elle me répondit qu'il ne lui en restoit pas la moindre trace. Je continuai : Quoi ? Vous ignorez à quel âge vous l'avez perdue ? Vous ne savez point par exemple si c'est avant cet enlèvement dont on a fait le crime de votre père ; et vous ignorez même si elle étoit différente de cette dame grecque qu'il avoit engagée à quitter son mari, et qui étoit accompagnée, si je me rappelle bien votre récit, d'une fille âgée de deux ans ?

Mon discours la fit rougir, sans que je pûsse distinguer encore la cause de son émotion. Ses regards se fixérent sur moi. Enfin, rompant le silence qu'elle avoit gardé un moment : Vous seroit-il venu, me dit-elle, la même pensée qu'à moi, ou le hazard vous auroit-il procuré quelques lumières sur un doute dont je n'ai osé faire l'ouverture à personne ? Je ne pénètre point votre idée, repris-je, mais en admirant mille qualités naturelles qui vous distinguent du commun des femmes, je ne puis me persuader que vous soyez née d'un père aussi infame que vous m'avez représenté le vôtre ; et plus je vous vois d'ignorance sur les prémiers temps de votre vie, plus je suis porté à vous croire fille de ce même seigneur grec dont le misérable qui vous donnoit faussement ce nom avoit enlevé la femme. Cette déclaration produisit sur elle un effet surprenant. Elle se leva dans une espèce de transport. Ah ! c'est ce que j'ai pensé longtems, me dit-elle, sans avoir la hardiesse de m'en flatter tout à fait. Vous voyez donc quelque apparence ? Ses yeux se couvrirent de larmes en me faisant cette question. Hélas ! reprit-elle aussitôt, pourquoi me remplir d'une idée qui ne peut servir qu'à augmenter ma honte et mes malheurs !

Sans pénétrer quel sens elle attachoit aux termes de malheur et de honte, j'écartai ces fâcheuses images en lui représentant au contraire qu'elle n'avoit rien de plus heureux à souhaiter que de se trouver née d'un autre père que le scélérat qui avoit usurpé ce titre. Et le seul doute où elle étoit là-dessus me paroissant capable de confirmer le mien, je la pressai non-seulement de se rappeller tout ce qui pouvoit nous conduire à quelque éclaircissement pour le tems de son enfance, mais de m'apprendre si elle n'avoit point entendu à l'audience du cadi le nom de la dame grecque dont je la croyois fille, ou du moins celui des accusateurs qui avoient trainé au supplice le malheureux auteur de toutes ses infortunes. Elle ne se rappella rien. Mais en nommant moi-même le cadi, il me parut que j'avois quelques lumières à espérer de ce magistrat, et je promis à Théophé de prendre le lendemain des informations. Ainsi, cette soirée où je m'étois flatté de donner quelque chose à la galanterie se passa dans des discussions de fortune et d'intérêts.

Je me fis un reproche, en me retirant, d'avoir gardé tant de mesures avec une femme qui sortoit du serrail, sur-tout après le récit qu'elle m'avoit fait des autres circonstances de sa vie. Je me demandai à moi-même si en supposant qu'elle eût pour moi toute l'inclination que je lui croyois encore, j'étois disposé à m'attacher à elle dans le sens qu'on donne en France à ce qu'on appelle entretenir une femme; et me trouvant moins d'éloignement que je n'en avois eu d'abord pour former cette sorte de liaison avec elle, il me sembla que sans employer tant de détours, je n'avois qu'à lui en faire naturellement la proposition. Si elle la recevoit avec autant de satisfaction que je ne croyois pas devoir en douter, la passion du sélictar ne pouvoit me causer d'embarras lorsqu'il m'avoit déclaré lui-même qu'il ne prétendoit rien obtenir de la violence; et quand les informations que je voulois prendre me feroient découvrir sa naissance, ce qui la releveroit un peu à mes yeux n'empêchant point qu'elle n'eût essuyé les disgraces qu'elle m'avoit racontées, je ne voyois dans toutes les découvertes que je pouvois faire qu'une raison d'augmenter mon goût pour elle, sans qu'elle en fût moins propre au commerce où je voulois l'engager. Je m'arrêtai absolument à ce dessein. On voit combien j'étois encore éloigné de tous les sentimens d'amour.

M'étant fait conduire le lendemain chez le * cadi, je lui rappellai l'affaire d'un Grec qu'il avoit condamné au supplice. Il l'avoit si peu oublié que m'en faisant aussi-tôt le détail, il me donna le plaisir de lui entendre répéter plusieurs fois les noms que je cherchois à connoitre. Le seigneur grec dont la femme avoit été enlevée se nommoit *Paniota Condoidi.* C'étoit lui-même qui avoit reconnu le ravisseur dans une rue de la ville, et qui l'avoit fait arrêter. Mais il n'avoit tiré de cette rencontre, ajouta le cadi, que la satisfaction d'être vengé ; et sa femme, ni sa fille, ni ses joyaux, n'avoient point été retrouvés. J'admirai cette réfléxion, lorsqu'il me sembloit que tous les soins par lesquels on pouvoit parvenir à les retrouver effectivement, avoient été négligés. J'en marquai même quelque surprise au cadi. Que pouvois-je faire de plus ? me dit-il. Le criminel déclara que la dame et sa fille étoient mortes. Cette déclaration devoit être sincère, puisque le seul moyen qui lui restoit de conserver sa vie étoit de les faire paroître, si elles eussent été vivantes : aussi n'eut-il pas plutôt entendu prononcer sa sentence, qu'il espéra de m'embarrasser par des fables ; mais je reconnus bientôt qu'il ne cherchoit qu'à tromper ma justice.

Comme je me rappellois qu'en effet l'exécution de la sentence avoit été suspendue, je priai le cadi de m'apprendre la cause de cet incident. Il me dit que le criminel, aiant demandé à lui parler à l'écart, lui avoit offert, pour obtenir la vie, non-seulement de lui représenter la fille du seigneur Condoidi, mais de la lui livrer secrettement pour son serrail ; et que sur le détail qu'il lui avoit fait de plusieurs circonstances, il avoit eu l'art de lui faire trouver quelque air de vérité dans cette promesse. Mais tous les mouvemens qu'on s'étoit donnés pour la découvrir avoient été inutiles ; et jugeant enfin que c'étoit l'artifice d'un malheureux qui employoit le mensonge pour retarder son supplice, l'indignation qu'il avoit eue de sa hardiesse et de son infamie, n'avoit servi qu'à lui faire hâter sa mort.

*Je ne pus m'empêcher de communiquer à ce prémier juge des Turcs quelques réfléxions sur sa conduite. Qui vous empêchoit, lui dis-je, de garder quelques jours de plus votre prisonnier, et de prendre le tems de vous procurer des informations dans les lieux où il avoit demeuré depuis son crime ? Ne pouviez-vous pas le forcer de vous découvrir où la dame grecque étoit morte, et par quel accident il l'avoit perdue ? Enfin n'étoit-il pas aisé de remonter sur ses traces, et de les suivre jusques dans les moindres circonstances ? C'est notre méthode en Europe, ajoutai-je, et si nous n'avons pas plus de zèle que vous pour l'équité, nous nous entendons mieux à la recherche du crime. Il trouva mes conseils si justes qu'il m'en fit des remercimens, et quelques discours qu'il ajouta sur l'exercice de sa profession me persuadérent que les Turcs ont plus de gravité que de lumières dans leurs tribunaux de justice[30].

Avec le nom du seigneur grec, je tirai du cadi le lieu de sa demeure ; c'étoit une petite ville de la Morée, que les Turcs nomment *Acade*. Il ne me parut pas aisé d'y trouver tout d'un coup de la communication, et je pensai d'abord à m'adresser au bacha de cette province[31]. Mais aiant appris qu'il se trouvoit à Constantinople quantité de marchands d'esclaves du même pays, je fus si heureux que le prémier chez lequel je me fis conduire, m'assura que le seigneur Condoidi n'avoit pas quitté cette ville depuis plus d'un an, et qu'il y étoit connu de toutes les personnes de sa nation. La difficulté n'étoit plus qu'à trouver sa maison. Le marchand d'esclaves me rendit aussi-tôt ce service. Je ne différai point à m'y rendre, et mon ardeur redoublant par le succès de mes prémiers soins, je crus toucher à l'éclaircissement que je desirois. La maison et la figure du seigneur grec ne me donnérent point une haute idée de ses richesses. Il étoit d'une de ces anciennes familles qui conservent moins de lustre que de fierté de leur noblesse, et qui, dans l'abaissement où elles sont tenues par les Turcs, n'oseroient même faire parade de leur bien, si elles en avoient assez pour vivre avec plus de distinction. Condoidi, qui avoit l'air en un mot d'un bon gentilhomme campagnard, me reçut civilement, sans avoir appris qui j'étois, car j'avois renvoyé mon équipage en quittant le cadi ; et paroissant attendre sans empressement mes explications, il me donna tout le tems de lui faire le discours que j'avois médité. Après lui avoir témoigné que je n'ignorois point ses anciennes infortunes, je le priai de pardonner à l'intérêt que diverses raisons m'y faisoient prendre, une curiosité qu'il pouvoit satisfaire aisément. C'étoit celle de savoir de lui-même depuis quel tems il avoit perdu sa femme et sa fille. Il me répondit qu'il y avoit quatorze ou quinze ans. Ce tems répondoit si juste à l'âge de Théophé, du moins en y joignant les deux ans qu'elle avoit alors, que je crus mes doutes à demi levés. Croyez-vous, repris-je, que malgré la déclaration du ravisseur, il soit impossible que l'une des deux vive encore ; et s'il paroît à desirer pour vous que ce soit votre fille, n'auriez-vous pas quelque reconnoissance pour ceux qui vous feroient voir quelque jour à la retrouver ? Je m'attendois que cette demande alloit exciter ses transports. Mais demeurant dans sa pesanteur, il me dit que le tems, qui avoit guéri la douleur de sa perte, empêchoit aussi qu'il ne souhaitât des miracles pour la réparer ; qu'il avoit plusieurs fils, à qui l'héritage qu'il devoit laisser suffiroit à peine pour soutenir l'honneur de leur naissance, et qu'en supposant d'ailleurs que sa fille vécût, il étoit si difficile qu'elle eût conservé quelque sagesse entre les mains d'un scélérat et dans un pays tel que la Turquie, qu'il ne se persuaderoit jamais qu'elle fût digne de reparoître dans sa famille.

Cette dernière objection me parut la plus forte. Cependant le prémier moment me paroissant décisif pour les sentimens de la nature, je pris le parti de réunir tout ce qui étoit capable de les réveiller. Je n'examine point, lui dis-je vivement, la force de vos scrupules ou de vos raisons, parce qu'elle ne peut rien changer à la certitude d'un fait. Votre fille vit. Laissons sa vertu, dont je ne puis répondre ; mais j'ose vous garantir qu'il ne manque rien à son esprit ni à ses charmes. Il dépend de vous de la revoir à ce moment, et je vais vous laisser par écrit le lieu de sa demeure. En effet m'étant fait donner une plume, je lui écrivis le nom du maitre de langues, et je me retirai aussi-tôt.

J'étois persuadé que s'il n'étoit pas tout à fait insensible, il ne résisteroit pas un instant à l'impulsion de la nature, et je partis si plein d'espérance que pour me procurer un spectacle agréable, j'allai directement chez le maitre de langues, où je m'imaginois qu'il seroit peut-être aussi-tôt que moi. Je n'entrai pas chez Théophé, parce que je voulois me faire un plaisir de sa surprise. Mais quelques heures s'étant passées sans qu'il eût paru, je commençai à craindre de m'être trop flatté, et je découvris enfin à celle que rien ne pouvoit plus m'empêcher de regarder comme sa fille, ce que j'avois fait pour remplir ma promesse. Le témoignage du malheureux qui avoit abusé de son enfance, fit sur elle plus d'impression que tout le reste. Je ne serai point affligée, me dit-elle, de demeurer incertaine de ma naissance; et quand je serois sûre de la devoir à votre seigneur grec, je ne me plaindrois pas qu'il fît difficulté de me reconnoitre. Mais je remercie le Ciel du droit qu'il me donne desormais de refuser le nom de père à l'homme du monde à qui je devois le plus de haine et de mépris. Elle parut si touchée de cette pensée que ses yeux s'étant remplis de larmes, elle me répéta vingt fois que c'étoit à moi qu'elle croyoit devoir la naissance, puisque c'étoit lui en donner une seconde que de la délivrer de l'infamie de la première[32].

Mais je ne crus point mon ouvrage achevé, et dans la chaleur qui m'en restoit encore, je lui proposai de m'accompagner chez Condoidi. La nature a des droits contre lesquels ni la grossièreté ni l'intérêt ne rendent jamais le cœur assez fort. Il me parut impossible qu'en voyant sa fille, en l'entendant, en recevant ses embrassemens et ses regards, il ne fût point ramené malgré lui aux sentimens qu'il lui devoit[33]. Il ne m'avoit point fait d'objection contre la possibilité de la retrouver. J'espérai que la nature triompheroit de toutes les autres. Théophé me laissa voir quelque crainte. Ne ferai-je pas mieux, me dit-elle, de demeurer inconnue, et cachée même à toute la terre ? Je n'approfondissois point la cause de ces mouvemens, et je la forçai presque malgré elle à m'accompagner.

Il étoit assez tard. J'avois passé seul une partie du jour chez le maitre de langues, et m'accoutumant déja à cet air de commerce dérobé, je m'y étois fait apporter à dîner par mon valet de chambre. Avant que j'eusse déterminé la jeune Grecque à sortir avec moi, la nuit avoit commencé à s'approcher ; de sorte que l'obscurité se trouvoit déja épaisse lorsque nous arrivames chez Condoidi. Il n'étoit pas revenu de la ville, où ses affaires l'avoient appellé dans l'après-midi ; mais un de ses domestiques, qui m'avoit vu le matin, me dit qu'en l'attendant je pouvois parler à ses trois fils. Loin de rejetter cette proposition, je la regardai comme ce que j'avois à souhaiter de plus heureux. Je me fis introduire avec Theophé, qui avoit la tête couverte d'un voile. A peine eus-je fait connoitre aux trois jeunes-gens que j'avois rendu le même jour une visite à leur père, et que j'étois rappellé chez lui par le même sujet, qu'ils me parurent informé de ce qui m'amenoit ; et celui que je pris à son air pour l'ainé me répondit froidement qu'il y avoit peu d'apparence que je fisse goûter à son père une histoire vague et sans vraisemblance. Je ne lui répondis que par le détail des raisons qui me la faisoient regarder d'un autre œil, et lorsque je les eus fortifiées par mes raisonnemens, je priai Théophé de lever son voile, pour laisser le tems à ses frères de démêler sur son visage quelques traits de famille. Les deux ainés la considérérent avec beaucoup de froideur ; mais le plus jeune, dont l'âge ne paroissoit pas surpasser dix-huit ans, et qui m'avoit frappé d'abord par la ressemblance que je lui avois trouvée avec sa sœur, n'eut pas jetté deux fois les yeux sur elle que s'avançant les bras ouverts, il lui donna mille tendres embrassemens. Théophé, n'osant encore se livrer à ses caresses, tâchoit modestement de s'en défendre. Mais les deux autres ne la laissérent point longtems dans cet embarras. Ils s'approchérent brusquement pour la tirer des bras de leur frère, en le menaçant de l'indignation de Condoidi, qui seroit vivement offensé du parti qu'il prenoit contre ses intentions. Je fus moi-même indigné de leur dureté, et je leur en fis des reproches piquans, qui ne m'empêchérent point d'inviter Théophé à s'asseoir pour attendre Condoidi. Outre mon valet de chambre, j'avois avec moi le maitre de langues, et deux hommes suffisoient pour me mettre à couvert de toutes sortes d'insultes.

Enfin le père arriva ; mais, ce que je n'avois pas prévu, à peine eut-il appris que je l'attendois, et que j'étois accompagné d'une jeune fille, que sortant avec autant de diligence que s'il eût été menacé de quelque péril, il me fit dire par le domestique qui m'avoit reçu, qu'après l'explication qu'il avoit eue avec moi, il s'étonnoit que je prétendisse le forcer de recevoir une fille qu'il ne reconnoissoit point. Choqué comme je le fus de cette grossièreté, je pris Théophé par la main, et je lui dis que sa naissance ne dépendant point du caprice de son père, il importait peu qu'elle fût reconnue de Condoidi, lorsqu'il paroissoit manifestement qu'elle étoit sa fille. Le témoignage du cadi et le mien, ajoutai-je, auront autant de force que l'aveu de votre famille, et je ne vois rien d'ailleurs à regretter pour vous dans l'amitié qu'on vous refuse ici. Je sortis avec elle, sans qu'on me fît la moindre civilité pour me conduire à la porte. N'aiant rien à exiger de trois jeunes-gens dont je n'étois pas connu, je leur pardonnai plus aisément leur impolitesse que la dureté avec laquelle ils avoient traité leur sœur.

Cette malheureuse fille paroissoit plus affligée de cette disgrace que je ne l'en eusse crue capable après la difficulté qu'elle avoit marquée à me suivre. Je remettois à lui déclarer mes vues chez le maitre de langues, et ce qui venoit d'arriver les favorisoit. Mais l'air de tristesse qu'elle conserva pendant toute la soirée me fit penser ensuite que ce moment étoit mal choisi. Je me bornai à lui répéter plusieurs fois qu'elle devoit être tranquille avec la certitude qu'elle avoit de ne manquer de rien. Elle me dit que ce qui la touchoit le plus dans mes offres étoit l'assurance qu'elle y trouvoit de la continuation de mes sentimens pour elle ; mais quoique ce compliment eût l'air affectueux, il me parut accompagné de tant d'amertume de cœur, que je voulus laisser à son chagrin le tems de la nuit pour se dissiper.

Je le passai avec plus de tranquillité, parce que m'étant fixé enfin à mes résolutions, la naissance de Théophé qui passoit pour certaine à mes yeux avoit achevé d'effacer les idées importunes qui revenoient toujours blesser ma délicatesse. Elle avoit essuyé des épreuves révoltantes ; mais avec tant de belles qualités et la noblesse de son origine, en aurois-je voulu faire ma maitresse si elle n'eût rien eu à se reprocher du côté de l'honneur ? Il se faisoit de ses perfections et de ses taches une compensation qui sembloit la rendre propre à l'état où je voulois l'engager. Je m'endormis dans cette idée, à laquelle il falloit bien que j'attachasse déja plus de douceur que je ne me l'étois jusqu'alors imaginé, puisque je fus si sensible à la nouvelle qui vint troubler mon réveil. Ce fut le maitre de langues, qui fit demander instamment à me parler sur les neuf heures. Théophé, me dit-il, vient de partir dans une voiture qui lui a été amenée par un inconnu. Elle ne s'est pas fait presser pour le suivre. Je m'y serois opposé, ajouta-t-il, si vous ne m'aviez donné des ordres précis de la laisser libre dans toutes ses volontés. J'interrompis ce cruel discours par une exclamation qui ne fut pas réfléchie. Ah ! que ne vous y opposiez-vous, m'écriai-je, et n'avez-vous pas dû comprendre mieux le sens de mes ordres [34] ? Il se hâta d'ajouter qu'il n'avoit pas laissé de lui représenter à son départ que je serois surpris d'une résolution si précipitée et qu'elle me devoit du moins quelque éclaircissement sur sa conduite. Elle avoit répondu qu'elle ignoroit elle-même à quoi elle alloit s'exposer, et que de quelque malheur qu'elle fût menacée, elle prendroit soin de m'informer de son sort.

On prendra l'idée qu'on voudra des motifs qui m'échaufférent le sang. J'ignore moi-même de quelle nature ils étoient. Mais je me levai avec des mouvemens que je n'avois jamais sentis, et renouvellant amèrement mes plaintes au maitre de langues, je lui déclarai avec la même ardeur que mon amitié ou mon indignation dépendoient des efforts qu'il alloit faire pour découvrir les traces de Théophé[35]. Comme il n'ignoroit point tout ce qui s'étoit passé depuis qu'elle étoit chez lui, il me dit que s'il n'y avoit rien de plus caché dans ses avantures que ce qu'il en connoissoit, l'inconnu qui l'étoit venu prendre ne pouvoit être qu'un messager de Condoidi ou du sélictar. L'alternative me parut aussi certaine qu'à lui. Mais je la trouvai également chagrinante, et sans chercher les raisons qui me causoient un trouble si pressant, j'ordonnai au maitre de langues d'aller successivement chez le sélictar et chez *Condoidi. Je ne lui donnai point d'autre commission chez le prémier que de prendre des informations à la porte sur les personnes qu'on y avoit vues depuis neuf heures. A l'égard de l'autre, je le chargeai formellement de savoir de lui-même si c'étoit lui qui avoit envoyé chercher sa fille.

J'attendis son retour avec une impatience qui ne peut être exprimée. Il rapporta si peu de fruit de son voyage, que dans la fureur où me jetta ce redoublement d'obscurité, mes soupçons se tournérent sur lui-même. Si j'osois m'arrêter, lui dis-je avec un regard terrible, aux défiances qui m'entrent dans l'esprit, je vous ferois traiter sur le champ d'une manière si cruelle que j'arracherois de vous la vérité. Il fut effrayé de mes menaces, et se jettant à mes pieds, il me promit l'aveu de ce qu'il ne s'étoit laissé engagé à faire, me dit-il, qu'avec la dernière répugnance et sans autre motif* que celui de la compassion. Je brûlois de l'entendre. Il m'apprit que la veille, peu de momens après que j'avois quitté Théophé, elle l'avoit fait appeller dans sa chambre, et qu'après un discours fort touchant sur sa situation, elle lui avoit demandé son secours pour exécuter une résolution à laquelle elle étoit absolument déterminée. Ne pouvant soutenir plus longtems, lui avoit-elle dit, les regards de ceux qui connoissoient sa honte et ses infortunes, elle avoit pris le parti de quitter secrettement Constantinople et de se rendre dans quelque ville d'Europe où elle pût trouver un asyle dans la générosité de quelque famille chrétienne. Elle confessoit qu'après les faveurs qu'elle avoit reçues de moi, c'étoit les reconnoitre mal que de se dérober sans ma participation, et d'avoir manqué de confiance pour son bienfaiteur. Mais comme j'étois l'homme du monde à qui elle avoit le plus d'obligation, j'étois aussi celui pour qui elle avoit le plus d'estime, et par conséquent celui dont la présence, les discours et l'amitié renouvelloient le plus vivement la honte de ses avantures. Enfin ses instances, plutôt que ses raisons, avoient engagé le maitre de langues à la conduire dès la pointe du jour au port, où elle avoit trouvé un vaisseau messinois dont elle étoit résolue de profiter pour se rendre en Sicile.

Où est-elle, interrompis-je avec une impatience encore plus vive ? Voilà ce que je vous demande, et ce qu'il falloit m'apprendre tout d'un coup. Je ne doute point, me dit-il, qu'elle ne soit ou sur le vaisseau messinois, qui ne doit mettre à la voile que dans deux jours, ou dans une hôtellerie grecque où je l'ai conduite sur le port. Hâtez-vous d'y retourner, repris-je* impérieusement ; engagez-la sur le champ à revenir chez vous. Gardez-vous de reparoître sans elle, ajoutai-je en joignant la menace à cet ordre ; je ne vous dis point tout ce que vous avez à redouter de ma colère si je ne la vois point avant midi. Il alloit sortir sans répliquer. Mais dans le mouvement qui m'agitoit, troublé de mille craintes que je ne m'arrêtois pas à démêler, je pensois que tout ce que je ne ferois pas moi-même seroit ou trop lent ou trop incertain. Je le rappellai. Avec la connoissance que j'avois de la langue, il me parut aisé d'aller au port et de m'y mêler dans la foule sans être reconnu. Je veux vous accompagner, lui dis-je. Après m'avoir trahi si cruellement, vous ne méritez plus ma confiance.

Mon dessein étoit de sortir à pied, vêtu simplement et sans autre suite que mon valet de chambre. Le maitre de langues s'efforça tandis que je m'habillois de se rétablir dans mon esprit, par toutes sortes d'excuses et de soumissions. Je ne doutai point qu'il ne fût entré quelque motif d'intérêt dans ses vues. Mais prêtant peu d'attention à ses discours, je ne m'occupois que de la démarche que j'allois faire. Malgré toute l'ardeur que je me sentois pour retenir Théophé à Constantinople, il me sembloit que si j'eusse pu m'assurer de ses intentions et me persuader qu'elle vouloit prendre sérieusement le parti d'une vie sage et retirée, j'aurois moins pensé à combattre son dessein qu'à le seconder. Mais en la supposant sincère, quelle apparence à son âge de pouvoir résister à toutes les occasions qu'elle alloit avoir de retomber dans de nouvelles avantures? Le capitaine messinois, le prémier passager qui se trouveroit avec elle sur le vaisseau, tout m'étoit suspect. Et si elle ne paroissoit point destinée par son sort à une conduite plus réglée que celle des prémières années de sa vie, pourquoi me laisser enlever par un autre les douceurs que je m'étois proposé de goûter avec elle? Telles étoient encore les bornes où je croyois renfermer mes sentimens. J'arrivai à l'hôtellerie où le maitre de langues l'avoit laissée. Elle n'en étoit pas sortie. Mais on nous apprit qu'elle étoit dans sa chambre avec un jeune-homme qu'elle avoit fait appeller en le voyant passer sur le port. Je demandai curieusement les circonstances de cette visite. Théophé, que le jeune-homme avoit reconnue aussi-tôt et qu'il avoit embrassée avec la plus vive tendresse, avoit paru répondre fort librement à ses caresses. Ils s'étoient enfermés ensemble, et personne ne les avoit interrompus depuis plus d'une heure.

Je crus toutes mes prédictions déja remplies, et dans le dépit dont je ne pus me défendre, il s'en fallut peu que renonçant à toute liaison avec Théophé je ne retournasse chez moi sans la voir. Mais le motif qui me faisoit agir continuant de se déguiser, je voulus donner à la curiosité ce qu'il me sembloit que je ne souhaitois plus par aucun autre intérêt. Je fis monter le maitre de langues, pour l'avertir que je demandois à lui parler. Le trouble où la jetta mon nom lui ôta longtems le pouvoir de répondre. Enfin le maitre de langues, revenant à moi, me dit que le jeune-homme qu'il avoit trouvé avec elle étoit le plus jeune des trois fils de Condoidi. J'entrai aussi-tôt. Elle fit un mouvement pour se jetter à mes pieds ; je la retins malgré elle ; et plus tranquille en reconnoissant son frère que je n'aurois dû l'être après tant d'agitation, si mes sentimens n'avoient point été d'une autre nature que je ne les croyois encore ; je pensai bien moins à lui faire des reproches qu'à lui marquer la joie que j'avois de la retrouver.

En effet comme s'il étoit arrivé quelque changement dans mes yeux depuis le jour précédent, je demeurai quelque tems à la regarder avec un goût, ou plutôt avec une avidité, que je n'avois jamais sentie. Toute sa figure, pour laquelle il m'avoit paru jusqu'alors que je n'avois eu qu'une admiration modérée, me touchoit jusqu'à me faire avancer ma chaise avec une espèce de transport, pour me placer plus près d'elle. La crainte que j'avois eue de la perdre sembloit augmenter en la retrouvant. J'aurois voulu qu'elle fût déja retournée chez le maitre de langues, et la vue de plusieurs vaisseaux parmi lesquels je me figurois que devoit être celui du Messinois me causoit une inquiétude qui m'échauffoit le sang. Vous me quittiez donc, Théophé, lui dis-je tristement, et lorsque vous avez pris la résolution d'abandonner un homme qui vous est si dévoué, vous avez compté pour rien la douleur que votre départ m'alloit causer! Mais pourquoi me quitter sans m'avoir averti de votre projet? Avez-vous trouvé que j'aye mal répondu à votre confiance? Elle tenoit les yeux baissés, et j'en voyois couler quelques larmes. Cependant les levant sur moi avec un air de confusion, elle m'assura qu'elle n'avoit rien à se reprocher du côté de la reconnoissance; si le maitre de langues, me dit-elle, m'avoit rendu compte des sentimens qu'elle emportoit pour moi, je ne devois pas la soupçonner d'ingratitude. Elle continua de se justifier par les mêmes raisons qu'il m'avoit apportées, et venant au jeune Condoidi, que je pouvois être surpris de trouver dans sa chambre, elle me confessa que l'aiant vu passer, le souvenir de l'affection qu'il lui avoit marquée la veille l'avoit portée à le faire appeller. Ce qu'elle venoit d'apprendre par son témoignage devenoit pour elle une nouvelle raison de précipiter son départ. Condoidi avoit déclaré à ses trois fils qu'il ne lui restoit pas le moindre doute qu'elle ne fût leur sœur; mais n'en étant pas plus disposé à la recevoir dans sa famille, il avoit défendu au contraire à ses fils de former la moindre liaison avec elle, et sans expliquer le fond de ses idées, il paroissoit rouler secrettement quelque noir projet. Le jeune-homme, charmé de rencontrer sa sœur, pour laquelle il sentoit redoubler son affection, l'avoit exhortée lui-même à se défier de l'humeur de son père; et la trouvant déterminée à s'éloigner de Constantinople, il lui avoit offert de se joindre à elle pour l'accompagner dans son voyage. Quel conseil donneriez-vous à une malheureuse, ajouta Théophé, et quel autre parti me reste-t-il à choisir que la fuite?

J'aurois pu lui répondre que la plus forte raison qu'elle eût de fuir étant la crainte qu'on lui inspiroit de son père, le sujet de mes plaintes n'en subsistoit pas moins, puisque ce nouveau malheur n'étoit venu qu'après sa résolution. Mais faisant tout céder à l'envie de la retenir, et n'exceptant pas même son frère de mes défiances, je lui représentai que si son départ étoit juste et nécessaire, il devoit être accompagné de quelques mesures dont elle ne pouvoit se dispenser sans imprudence. Et l'accusant encore de n'avoir pas fait assez de fond sur mes services, je la pressai de suspendre son dessein pour me donner le tems de lui chercher quelque occasion moins dangereuse que celle d'un capitaine inconnu. A l'égard du jeune Condoidi, dont je louois le bon naturel, je lui offris de le prendre chez moi, où elle devoit se persuader aisément que pour la douceur de la vie et pour le soin de son éducation il n'auroit point à regretter la maison de son père. Je ne sai si ce fut sa timidité seule qui la fit céder sans résistance à mes sollicitations ; mais jugeant par son silence qu'elle consentoit à me suivre, je fis amener une voiture pour la conduire moi-même chez le maitre de langues. Il lui dit à l'oreille quelques mots que je ne pus distinguer. Condoidi, qui avoit su d'elle qui j'étois, marqua tant de joie de mes offres que je pris plus mauvaise opinion que jamais d'un père dont je voyois le fils si content d'en être délivré ; et l'un de mes motifs étoit l'envie d'être informé à fond de tout ce qui appartenoit à cette famille.

En retournant chez le maitre de langues, je me proposois bien de ne pas différer plus longtems l'ouverture que je voulois faire à Théophé des vues que j'avois sur elle. Mais n'aiant pu me dégager avec bienséance du jeune Condoidi, qui sembloit craindre que je n'oubliasse ma promesse en le perdant de vue un moment, je fus forcé de me réduire à des expressions vagues dont je ne m'étonnai point qu'elle ne parût pas comprendre le sens. Ce langage étoit néanmoins si différent de celui dont j'avois toujours usé avec elle, qu'avec autant d'esprit qu'elle en avoit naturellement, elle dut s'appercevoir qu'il venoit de quelque autre source. Le seul changement que je mis chez le maitre de langues, fut d'y laisser mon valet de chambre, sous prétexte que Théophé n'avoit encore personne pour la servir ; mais au fond, pour m'assurer de toutes ses démarches, en attendant que j'eusse trouvé pour elle quelque esclave dont la fidélité pût me rendre tranquille. Je comptois de m'en procurer deux, c'est-à-dire un de chaque sexe, et de les lui mener le même soir. Condoidi me suivit chez moi. Je lui fis quitter aussi-tôt l'habit grec pour le vêtir plus proprement à la françoise. Ce changement lui fut si avantageux que j'avois vu peu de jeunes-gens d'une figure si aimable. C'étoit les mêmes traits et les mêmes yeux que ceux de Théophé, avec une taille admirable dont son premier habit cachoit tout l'agrément. Il lui manquoit néanmoins mille choses qu'il auroit pu recevoir de l'éducation, et qui continuoient de me faire juger fort mal des usages et des sentimens de la noblesse grecque. Mais c'étoit assez de l'opinion où j'étois qu'il touchoit de si près par le sang à Théophé, pour me faire apporter tous mes soins à perfectionner ses qualités naturelles. Je donnai ordre qu'il fût servi de mes domestiques avec autant d'attention que moi-même, et j'engageai dès le même jour différens maitres pour le former dans toutes sortes d'exercices. Je ne remis pas plus loin non plus à lui demander quelque éclaircissement sur sa famille. Je connoissois l'ancienneté de sa noblesse, mais les lumières que je desirois étoient celles que je pouvois rendre utiles à Théophé.

En me répétant ce que je savois déja de l'ancienne noblesse de son père, il m'apprit qu'il prétendoit descendre d'un Condoidi qui étoit général du dernier empereur grec, et qui avoit fait trembler Mahomet II peu de jours avant la prise de Constantinople[36]. Il tenoit la campagne avec des troupes considérables; mais la situation de l'armée turque ne lui permettant point d'en approcher, il prit la résolution, sur les dernières nouvelles du misérable état de la ville, de sacrifier sa vie pour sauver l'empire d'Orient. Aiant choisi cent de ses plus braves officiers, il leur proposa de le suivre par des chemins où il n'y avoit point d'espérance de faire passer une armée, et s'y engageant à leur tête dans la plus grande obscurité de la nuit, il parvint au camp de Mahomet, qu'il s'étoit promis de tuer dans sa tente. Les Turcs se croyoient en effet si couverts de ce côté-là, que la garde y étoit foible et négligeante. Il pénétra, sinon jusqu'à la tente de Mahomet, du moins jusqu'à celles qui l'environnoient et qui appartenoient à son équipage. Ne s'arrêtant point à faire main-basse sur des ennemis qu'il trouvoit ensevelis dans le sommeil, il ne pensoit qu'à s'approcher du sultan, et ses prémiers pas furent heureux. Mais une femme turque, qui se déroboit apparemment d'une tente pour passer dans une autre, entendit le bruit sourd d'une marche qui l'alarma. Elle retourna sur ses traces avec une frayeur qu'elle communiqua tout d'un coup autour d'elle. Condoidi, aussi sage que vaillant, desespéra aussi-tôt de réussir, et croyant sa vie nécessaire à son maitre lorsqu'elle ne pouvoit servir à le défaire de son ennemi, il tourna son courage et sa prudence à s'ouvrir un passage, pour se sauver avec les compagnons de son entreprise. Dans la prémière confusion des Turcs, il s'échappa si heureusement qu'il ne perdit que deux hommes. Mais il n'avoit conservé la vie que pour la perdre encore plus glorieusement dans l'affreuse révolution qui arriva deux jours après. Ses enfans, qui étoient dans le prémier âge, demeurérent sujets des Turcs, et l'un d'eux se fit un établissement dans la Morée, où ses descendans essuyérent encore une infinité d'avantures. Enfin, leur maison se trouvoit réduite à ceux qui étoient alors à Constantinople, et à un évêque grec du même nom, dont le siège étoit dans quelque ville d'Arménie. Leur bien consistoit encore en deux villages, qui leur rapportoient environ mille écus de notre monnoie, et dont la propriété passoit aux ainés par un privilège assez rare dans les états du Grand-Seigneur et qui faisoit la seule distinction de leur famille.

Mais d'autres espérances avoient amené à Constantinople le père et ses enfans, et c'étoit apparemment ce qui causoit leur dureté pour Théophé. Un riche Grec, leur proche parent, avoit fait un testament à sa mort, par lequel il leur laissoit tout son bien, à la seule condition que l'Eglise n'eût aucun reproche à leur faire du côté de la religion et de la liberté ; deux sortes de mérite dont toute la nation grecque est extrêmement jalouse. Et l'Eglise, c'est-à-dire le patriarche et les suffragans [37], qui étoient établis les juges de cette disposition, avoient d'autant plus d'intérêt à ne se pas rendre trop faciles, qu'ils étoient substitués aux légataires dans le cas qui les excluoit de la succession. La femme de Condoidi avoit été enlevée dans ces circonstances, et les prélats grecs n'avoient pas manqué de faire valoir l'incertitude de son sort et de celui de sa fille comme un obstacle à l'exécution du testament. De-là venoit que Condoidi, après avoir reconnu son intendant, avoit moins pensé à faire des informations sur les avantures de sa femme et de sa fille qu'à faire punir *leur ravisseur, aussi-tôt qu'il s'étoit reconnu coupable de l'enlèvement et qu'il avoit déclaré leur mort. Il avoit espéré que dans quelque situation qu'elles eussent pu tomber, la connoissance en seroit ensevelie avec lui. N'aiant pas même ignoré la confidence que ce misérable avoit faite au cadi, il avoit été le plus ardent à la faire passer pour une imposture, et il n'avoit point eu de repos qu'il ne l'eût vu conduire au supplice. A la vérité le patriarche n'en paroissoit pas plus disposé à lui abandonner l'héritage ; et ne se contentant point d'un témoignage de mort, il vouloit des preuves dont Condoidi croyoit pouvoir se dispenser. Sa fille, présentée à lui comme si elle étoit tombée du Ciel, l'avoit jetté dans une mortelle alarme. Loin d'être porté à faire examiner sur quoi elle fondoit ses prétentions, et par quelle avanture elle se trouvoit à Constantinople, il redoutoit tous les éclaircissemens qui pouvoient nuire à ses espérances. Enfin s'étant persuadé qu'après la mort de l'intendant elle auroit beaucoup de peine à prouver la vérité de sa naissance, il s'étoit arrêté au parti, non-seulement de ne la pas reconnoitre, mais de l'accuser même d'imposture, et de solliciter sa punition, si elle entreprenoit de faire éclater les droits qu'elle s'attribuoit.

Et je suis trompé, ajouta le jeune-homme, s'il n'a pas formé quelque dessein plus terrible; car nous l'avons vu, depuis votre visite, dans une agitation qu'il n'a jamais sans quelque effet extraordinaire, et je n'ose vous dire de quoi la haine et la colère l'ont quelquefois rendu capable.

Ce récit me persuada que Théophé réussiroit difficilement à rentrer dans les droits de la nature; mais je m'alarmai peu des intentions de son père, et quelque voie qu'il pût chercher pour lui nuire, je me flattai de la défendre aisément de ses entreprises. Cette pensée me fit même abandonner le dessein que j'avois toujours eu de lui laisser ignorer qui j'étois, ou du moins l'intérêt que je prenois à sa fille. Je pressai au contraire son fils de le voir dès le même jour, autant pour lui déclarer que je prenois Théophé sous ma protection, que pour lui apprendre l'amitié que je marquois à ce jeune-homme en le recevant chez moi. Sur le champ, je fis chercher deux esclaves tels que je les jugeai nécessaires à de nouveaux arrangemens qui me venoient à l'esprit, et n'attendant que le soir pour les commencer, je me rendis chez le maitre de langues à l'entrée de la nuit.

Mon valet de chambre m'attendoit avec impatience. Il avoit été vivement tenté pendant le jour de quitter le poste où je l'avois attaché, pour me venir rendre compte de quelques observations qui lui avoient paru importantes. Le messager du sélictar étoit venu avec de riches présens, et le maitre de langues l'avoit entretenu fort longtems d'un air fort mystérieux. Mon valet, qui n'entendoit point la langue turque, avoit affecté d'autant plus aisément de ne rien remarquer, que n'espérant point de recueillir leurs discours, il s'étoit réduit à les observer dans l'éloignement. Ce qui lui avoit paru le plus étrange, étoit d'avoir vu les présens du sélictar acceptés de fort bonne grace par le maitre de langues. C'étoient des étoffes précieuses, et quantité de bijoux à l'usage des femmes. Il s'étoit attaché à découvrir de quel air ils seroient reçus de Théophé ; mais il m'assura qu'aiant eu continuellement les yeux sur la porte de son appartement, et le plus souvent qu'il avoit pu sur elle-même, il n'avoit pas vu porter * ces galanteries dans sa chambre.

J'avois si peu de ménagemens à garder avec le maitre de langues, que ne voulant point d'autre explication que de lui-même, je le fis appeller aussitôt pour me rendre compte de cette conduite. Il comprit au prémier mot qu'il avoit mal réussi à se déguiser. Et ne se promettant rien de l'artifice, il prit le parti de m'avouer naturellement qu'avec la participation de Théophé, à qui il avoit représenté ses besoins, il avoit tourné les présens du sélictar à son usage. La somme d'argent avoit eu le même sort que les étoffes. Je suis pauvre, me dit-il ; j'ai fait entendre à Théophé que les présens sont à elle sans doute, puisqu'ils lui sont envoyés sans condition ; et la reconnoissance qu'elle a cru devoir à quelques petits services que je lui ai rendus, l'a fait consentir à me les abandonner. Il me fut aisé, après cet aveu, de pénétrer les motifs qu'il avoit eus pour se prêter si facilement à sa fuite. Je perdis aussi-tôt toute confiance pour un homme capable de cette bassesse, et quoique je ne pusse l'accuser d'avoir manqué aux devoirs de la probité, je lui déclarai qu'il n'avoit plus rien à espérer de mon amitié. Cette chaleur fut une imprudence. L'empire que j'avois sur un homme de cette sorte m'empêcha d'y faire réfléxion tout d'un coup, et la résolution où j'étois d'ailleurs de faire changer de demeure à Théophé me délivroit du besoin que j'avois eu de ses services.

Les deux esclaves que j'amenois me venoient d'une main si sûre que je pouvois me reposer sur eux avec une parfaite confiance. Je leur avois expliqué mes intentions, et je leur avois promis la liberté pour prix de leur fidélité et de leur zèle. La femme avoit servi dans plusieurs serrails. Elle étoit grecque comme

Théophé. L'homme étoit égyptien, et quoique je n'eusse fait aucune attention à leur figure, ils étoient tous deux d'un air supérieur à leur condition. Je les présentai à Théophé. Elle ne fit pas difficulté de les recevoir ; mais elle me demanda de quelle utilité ils lui pouvoient être dans le peu de séjour qu'elle devoit faire à Constantinople.

J'étois seul avec elle. Je pris le moment pour lui faire l'ouverture de mon projet. Mais quoiqu'il fût médité et que je me flattasse encore que ma proposition seroit écoutée volontiers, je ne me trouvai point la facilité que j'avois ordinairement à m'exprimer. Chaque regard que je jettois sur Théophé me faisoit éprouver des mouvemens que j'aurois trouvé plus de douceur à lui expliquer qu'à lui proposer brusquement le genre de liaison que je voulois former avec elle. Cependant, une agitation si confuse n'étant point capable de me faire changer tout d'un coup une résolution à laquelle je m'étois fixé, je lui dis assez timidement que l'intérêt que je prenois à son bonheur m'aiant fait regarder son départ comme une imprudence qui ne pouvoit jamais être heureuse, je m'étois déterminé à lui offrir un parti beaucoup plus doux, et dans lequel je pouvois lui garantir également et le repos qu'elle paroissoit desirer et toutes sortes de suretés contre les entreprises de Condoidi. J'ai, à peu de distance de la ville, continuai-je, une maison fort agréable par sa situation et par la beauté extraordinaire du jardin. Je vous l'offre pour demeure. Vous y serez libre et respectée. Eloignez toutes les idées du serrail, c'est-à-dire celles de solitude et de contrainte perpétuelle. J'y serai avec vous aussi souvent que mes affaires me le permettront. Je ne vous y ménerai point d'autre compagnie que celle de quelques amis françois, avec lesquels vous pourrez faire un essai des usages de ma nation. Si mes caresses, mes soins et mes complaisances peuvent servir à vous rendre la vie douce, vous ne vous appercevrez jamais que je m'en relâche un moment. Enfin, vous connoitrez combien il est différent pour le bonheur d'une femme de partager le cœur d'un vieillard dans un serrail, ou de vivre avec un homme de mon âge, qui réunira tous ses desirs à vous plaire et qui se fera une étude de vous rendre heureuse.

J'avois tenu les yeux baissés en lui adressant ce discours, comme si j'eusse trop présumé du pouvoir que j'avois sur elle et que ma crainte eût été d'en abuser. Plus occupé même de mes sentimens que d'un projet que j'avois formé avec tant de joie, j'attendois bien plus impatiemment qu'elle s'expliquât sur le goût qu'elle avoit pour moi, que sur le repos et la sureté que je lui faisois envisager dans le parti que je lui proposois. Sa lenteur à répondre me causoit déja de l'inquiétude. Enfin, paroissant sortir d'un doute qu'elle avoit eu peine à vaincre, elle me dit que sans changer de sentiment sur la nécessité qu'il y avoit pour elle de quitter la Turquie, elle convenoit que pour attendre l'occasion que je lui avois promis de chercher, elle seroit plus agréablement à la campagne qu'à la ville ; et retombant sur sa reconnoissance, elle ajouta que mes bienfaits étant sans bornes, elle ne s'arrêtoit plus à chercher quel en seroit le prix, puisqu'en obligeant une infortunée qui n'étoit capable de rien pour mon service, je ne me proposois sans doute que de satisfaire ma générosité. Il étoit naturel qu'avec les mouvemens qui me pressoient le cœur, je me soulageasse par une déclaration plus ouverte ; mais trop content de la voir disposée à se laisser conduire à ma campagne, je n'examinai point si elle avoit compris mes intentions, ni si sa réponse étoit un consentement ou un refus, et je la pressai de partir sur le champ avec moi[38].

Elle ne fit point d'objection à mes instances. Je donnai ordre à mon valet de chambre de me faire amener promptement une calèche. Il étoit à peine neuf heures du soir. Je comptois de souper à la campagne avec elle, et que ne me promettois-je pas ensuite de cette heureuse nuit ? Mais lorsque je commençois à lui marquer ma joie, le maitre de langues entre d'un air consterné, et me prenant à l'écart, il m'apprend que le sélictar, accompagné seulement de deux esclaves, demandoit à voir Théophé. Le trouble avec lequel il m'apprit cette nouvelle ne me permit point de comprendre d'abord que ce seigneur étoit lui-même à la porte. Ah ! n'avez-vous pas répondu, lui dis-je, que Théophé ne peut recevoir sa visite ? Il me confessa, avec la même confusion, que n'aiant pu deviner que c'étoit le sélictar, et l'aiant pris pour un de ses gens, il avoit cru s'en défaire en lui répondant que j'étois avec Théophé ; mais ce seigneur n'en avoit paru que plus empressé pour descendre, et lui avoit même ordonné de m'avertir que c'étoit lui. Il me parut impossible d'éviter un contretems si fâcheux ; et si j'admirai de quoi l'amour rendoit capable un homme de ce rang, ce fut moins pour m'appliquer une réfléxion qui ne me convenoit guères moins qu'à lui que pour me livrer au chagrin de lui voir renverser mes espérances. Je ne doutai point que ce ne fût une nouvelle trahison du maitre de langues ; mais ne daignant point tourner mes reproches sur ce perfide, je me hâtai d'exhorter Théophé à ne donner aucun avantage sur elle à un homme dont elle connoissoit les intentions. Cette inquiétude devoit achever de lui faire comprendre les miennes. Elle m'assura qu'il n'y avoit que l'obéissance qu'elle me devoit qui pût la faire consentir à recevoir sa visite.

J'allai au-devant de lui. Il m'embrassa avec affection, et badinant agréablement sur une si étrange rencontre, il me dit que la belle Grecque auroit mauvaise grace de se plaindre de l'amitié et de l'amour. Ensuite, m'aiant répété tout ce qu'il m'avoit déja dit du penchant qu'il avoit pour elle, il ajouta que dans la confiance qu'il avoit toujours à ma parole, il n'étoit pas fâché que je fusse témoin des propositions qu'il avoit à lui faire. J'avoue que ce discours et la scène qu'il m'annonçoit me causérent un égal embarras. Que je me sentois différent de ce que j'étois en effet, lorsque je lui avois protesté que la générosité seule m'intéressoit au sort de Théophé ! Et dans une disposition dont il ne pouvoit plus me rester d'incertitude, comment pouvois-je me promettre assez de modération pour être tranquillement témoin des offres ou des galanteries de mon rival ? Cependant, il fallut me faire cette violence, avec une dissimulation d'autant plus cruelle que je m'en étois fait moi-même une loi indispensable. Théophé marqua beaucoup d'embarras en le voyant paroître avec moi. Il redoubla encore, lorsque s'étant approché d'elle, il lui parla ouvertement de sa passion, et la fatigua par tous les témoignages de tendresse qui ont l'air chez les Turcs d'un rôle étudié. Je m'efforçai plusieurs fois d'interrompre une comédie qui ne pouvoit être aussi insupportable à Théophé qu'à moi, et j'en vins jusqu'à répondre pour elle que se proposant de faire usage de sa liberté pour quitter Constantinople, elle devoit emporter quelque regret de ne pouvoir prêter l'oreille à des sentimens si tendres et si agréablement exprimés. Mais ce que je croyois capable de le refroidir, ou de lui faire modérer du moins ses expressions, lui fit hâter au contraire les offres auxquelles il s'étoit préparé. Il lui reprocha un dessein qu'elle n'avoit formé, lui dit-il, que pour le rendre misérable ; mais se flattant encore de toucher son cœur en lui apprenant ce qu'il vouloit faire pour elle, il lui parla d'une superbe maison qu'il avoit sur le Bosphore, dont il étoit résolu de lui abandonner la jouïssance pour toute sa vie, avec un revenu qui répondît à la magnificence d'une si belle demeure. Elle y seroit non-seulement libre et indépendante, mais elle y auroit une autorité absolue sur tout ce qui dépendoit de lui. Il lui donneroit trente esclaves de l'un et de l'autre sexe, tous ses diamans, dont le nombre et la beauté lui causeroient de l'admiration, et le choix continuel de tout ce qui pourroit flatter son goût. Il étoit dans une assez haute faveur à la Sublime Porte pour ne craindre la jalousie de personne. Rien n'étoit mieux fondé qu'une fortune dont il faisoit son ouvrage. Et pour ne lui laisser aucun doute de sa bonne-foi, il me prenoit à témoin de toutes ses promesses.

Ces offres, prononcées avec l'enflure qui est naturelle aux Turcs, firent assez d'impression sur moi pour me faire craindre qu'elles n'en eussent fait trop sur Théophé. Il me parut si étonnant qu'elles eussent tant de ressemblance avec les miennes, que l'emportant beaucoup d'ailleurs par l'éclat, je tremblai tout d'un coup pour un projet que j'avois si heureusement conduit, ou que je desespérai du moins d'obtenir jamais ce qui auroit été refusé au sélictar. Mais combien ne sentis-je point redoubler mes alarmes lorsque Théophé, pressée de s'expliquer, lui marqua plus de sensibilité pour ses bienfaits qu'il ne s'y étoit lui-même attendu ? Un air de satisfaction qui se répandit sur son visage, m'y fit découvrir plus de charmes que je n'y en avois apperçu depuis que je la connoissois. Je l'avois toujours vue triste ou inquiète. Le mouvement d'une cruelle jalousie me fit voir tous les feux de l'amour allumés dans ses yeux. Il devint un transport de fureur, en lui entendant ajouter qu'elle ne demandoit que vingt-quatre heures pour se déterminer. Elle finit cette scène par des instances qu'elle n'adressa qu'à lui, pour obtenir qu'il se retirât ; et faisant ensuite réfléxion qu'il pouvoit trouver choquant qu'elle m'exceptât de cette prière, où qu'elle fît difficulté de le souffrir longtems dans un lieu où il m'avoit trouvé, elle ajouta fort adroitement qu'avec un bienfaiteur à qui elle devoit la liberté, elle s'observoit moins qu'avec un étranger qu'elle avoit à peine vu trois fois.

J'aurois peut-être trouvé dans la fin de ce discours de quoi diminuer ou suspendre le chagrin qui me dévoroit, si mes prétentions m'eussent laissé l'esprit assez libre pour y découvrir ce qu'il y avoit de flatteur et de consolant pour moi. Mais frappé du terme qu'elle avoit demandé pour sa réponse, desespéré de la joie du sélictar, et presque étouffé par la violence que je me faisois pour cacher mon agitation, je ne pensai qu'à gagner la rue, dans l'espérance de me soulager du moins par quelques soupirs. Cependant n'aiant point eu la force de sortir sans le sélictar, ce fut un autre tourment pour moi de me voir obligé, en sortant avec lui, de soutenir son entretien pendant plus d'une heure, et d'entendre avec quelle satisfaction il se louoit déja de sa fortune. Je ne pus me persuader que la facilité avec laquelle il s'étoit fait écouter fût le bonheur d'un moment, et connoissant sa bonne-foi, je lui demandai quelque explication sur cette visite qui m'avoit causé tant d'étonnement. Il ne se fit pas presser pour me découvrir qu'aiant envoyé le même jour à Théophé divers présens qu'elle avoit reçus, me dit-il, sans répondre à sa lettre, il avoit fait pressentir le maitre de langues sur le dessein où il étoit de se rendre secrettement chez lui, et que l'espoir d'être récompensé avoit engagé cette ame mercénaire à lui ouvrir sa maison. A la vérité il l'avoit fait avertir que je m'y trouvois régulièrement le soir ; mais n'aiant pour elle, continua le sélictar, que les sentimens que vous me connoissez, et n'ignorant point de quelle nature sont les vôtres, je n'ai pas trouvé que votre présence me fût importune, et je suis ravi au contraire de vous avoir eu pour témoin de la vérité de mes promesses. Il me répéta qu'il étoit résolu de les exécuter fidèlement et qu'il vouloit faire l'essai d'un bonheur que les musulmans ne connoissoient pas.

Je louai malgré moi la noblesse de ce procédé. Joignant même au chagrin que je venois d'essuyer le souvenir des termes où j'en étois avec lui, et mille scrupules d'honneur auxquels je ne pouvois m'empêcher d'être sensible, je résolus de combattre des sentimens auxquels j'avois laissé prendre trop d'empire, et je quittai le sélictar avec cette pensée. Mais à peine étoit-il éloigné de quelques pas que j'entendis appeller par son nom mon valet de chambre, qui étoit le seul domestique que j'eusse avec moi. Je reconnus Jazir, l'esclave que j'avois mis auprès de Théophé. La réfléxion avec laquelle j'avois quitté le sélictar agissoit encore si fortement que j'ouvris la bouche pour le charger de quelques ordres qui auroient paru durs à sa maitresse. Mais il me prévint par ceux qu'il m'apportoit. Théophé l'avoit dépéché après moi, pour me prier de retourner chez elle, et lui avoit recommandé d'attendre à quelque distance que j'eusse quitté le sélictar. Il s'éleva quelque combat dans mon cœur entre le juste dépit qui s'y étoit fortifié par l'entretien que je venois de finir, et l'inclination qui me portoit encore à regretter les espérances que j'avois perdues. Mais je crus éviter l'embarras de cette discussion en prenant pour retourner sur mes pas un motif qui n'avoit rien de commun avec les mouvemens qui m'agitoient. J'avois oublié ma montre, que j'aimois singulièrement pour l'excellence de l'ouvrage. Ainsi, sans examiner si ce n'étoit pas à mon valet de chambre qu'il convenoit de l'aller prendre, je retournai avec l'esclave, assez satisfait d'avoir ce prétexte pour me déguiser ma foiblesse à moi-même[39]. Que me dira l'infidèle ? Par quelle excuse l'ingrate va-t-elle justifier sa légèreté ? Ces plaintes sortoient de ma bouche en marchant, et loin de faire réfléxion que les noms que je lui donnois supposoient des droits qu'elle ne m'avoit point accordés sur elle, mon imagination ne faisoit que s'échauffer en approchant de chez elle. J'aurois commencé infailliblement par les plus durs reproches, si je lui eusse trouvé en arrivant le moindre air de crainte et d'embarras. Mais ma propre confusion fut extrême lorsque je la vis au contraire tranquille, riante, et comme prête à s'applaudir du bonheur dont on venoit de l'assurer. Elle ne laissa pas durer longtems mes doutes. Convenez, me dit-elle, que je n'avois pas d'autre ressource pour me délivrer des importunités du sélictar. Mais si votre voiture est prête, il faut quitter la ville avant que la nuit soit passée. Et je serois fâchée, ajouta-t-elle, que vous eussiez mis le maitre de langues dans notre secret, car je commence à voir clairement qu'il nous trompe

Comme j'étois encore plus embarrassé de ma joie que je ne l'avois été de ma douleur, elle eut le tems de me raconter qu'après s'être ouverte à lui du projet de son départ, elle avoit eu la satisfaction de le trouver fort disposé à la servir, mais qu'au travers de son zèle elle avoit su distinguer que l'intérêt étoit son seul motif. Il lui avoit demandé la permission de garder les présens du sélictar, en lui représentant qu'elle devoit être fort indifférente pour ce qu'on penseroit d'elle après son départ. Les deux mots qu'il lui avoit dit secrettement sur le port étoient une prière de me cacher cette convention. Et quoiqu'il parût, par le soin qu'il avoit pris de s'autoriser de son consentement, qu'il lui restoit assez de probité pour ne pas se rendre coupable d'un vol, elle ne doutoit point qu'il n'eût quelque part à la visite et aux propositions du sélictar. Enfin, toutes sortes de raisons devoient lui faire accepter l'offre que je lui avois faite de ma campagne, et si j'avois assez de bonté pour satisfaire son impatience, je ne remettrois pas ce voyage au lendemain.

J'étois si charmé de l'entendre, et si résolu de ne pas différer un moment ce que je desirois beaucoup plus qu'elle, que sans prendre le tems de lui répondre, je renouvellai mes ordres pour hâter le retour de ma chaise. Elle étoit venue pendant que je m'entretenois avec le sélictar, et j'avois chargé mon valet de chambre de la renvoyer. La difficulté n'étoit point de cacher la retraite de Théophé au maitre de langues ; mais toute ma joie ne pouvant écarter l'idée du sélictar, j'avois quelque inquiétude sur la manière dont il prendroit cette avanture. Autant que mes scrupules pouvoient s'éclaircir en un moment, je me croyois fort à couvert de ses reproches. La déclaration que je lui avois faite de mes sentimens étoit sincère alors. Je ne lui avois pas répondu qu'ils ne pussent point changer, et ne lui aiant pas même ôté le pouvoir de gagner Théophé par ses offres, ce n'étoit pas de moi qu'il devoit se plaindre lorsqu'elle leur préféroit les miennes. Cependant, elle l'avoit flatté de quelque espérance, et le terme qu'elle avoit pris pour *se déterminer étoit une espèce d'engagement qui l'obligeoit du moins à le revoir et à lui expliquer nettement ses intentions. Je craignois de l'embarrasser elle-même en lui rappellant ce souvenir. Mais elle avoit tout prévu. Etant rentré dans sa chambre après avoir donné mes ordres, je lui trouvai une plume à la main. J'écris, me dit-elle, au sélictar, pour ruïner absolument toutes les idées qu'il auroit pu se former de ma réponse. Je laisserai ma lettre au maitre de langues, qui sera fort satisfait sans doute d'avoir un nouveau service à lui rendre. Elle continuoit d'écrire, et je ne lui répondis en peu de mots que pour louer sa résolution. Je me contraignois encore pour renfermer toute ma joie dans mon cœur, comme si la crainte de me voir traversé par quelque nouvel incident m'en eût fait suspendre tous les transports. Le maitre de langues, que je regardois à peine, et que ses propres remords excitoient peut-être à chercher quelque moyen de se réconcilier avec moi, me fit demander la permission d'entrer. Sans doute, répondit pour moi Théophé ; et le voyant paroître, elle lui dit qu'étant résolue d'abandonner Constantinople, et les raisons qu'elle m'avoit expliquées me forçant moi-même d'approuver sa résolution, elle étoit bien aise de marquer au sélictar la reconnoissance qu'elle emportoit pour ses bontés. Elle lui remit sa lettre, qu'elle venoit de finir. Vous exécuterez d'autant mieux cette commission, ajouta-t-elle malicieusement, que vous en êtes déja récompensé, et que le sélictar ne pensera pas plus que moi à vous demander compte de ses présens. Je ne pus me dispenser de prendre occasion de ce discours pour faire quelques reproches à mon lâche confident. Il me jura, pour se justifier, qu'il n'avoit pas cru donner atteinte à la fidélité qu'il me devoit ; et me rappellant avec quelle franchise il m'avoit confessé la part qu'il avoit eue à l'absence de Théophé lorsqu'il s'étoit apperçu que j'en étois vivement affligé, il me supplia de juger du fond de ses sentimens par une si bonne preuve de leur sincérité.

Mais je distinguois trop bien ce que je devois attribuer à la crainte qu'il avoit eue de ma vengeance, et renonçant à ses services, je le chargeai seulement de dire au sélictar que je comptois de le voir incessamment.

En effet, je méditois déja quelques moyens que je croyois infaillibles, pour me conserver l'amitié de ce seigneur malgré l'opposition de nos intérêts. Mais ma chaise s'étant fait entendre au même moment, je ne pensai plus qu'à prendre la main de Théophé pour l'y conduire. Je la serrai avec un mouvement de passion que je n'avois plus la force de déguiser ; et quoiqu'il me fût venu à l'esprit de la faire partir seule sous la conduite de mon valet de chambre, pour laisser le maitre de langues plus incertain de sa route, je ne pus résister au plaisir que j'allois avoir de me trouver avec elle dans une même chaise, maitre de son sort et de sa personne par le consentement volontaire qu'elle avoit donné à notre départ ; maitre de son cœur, car pourquoi dissimulerois-je le bonheur dont je me flattois ? Et quelle autre explication pouvois-je donner au parti qu'elle prenoit de se jetter dans mes bras avec cette confiance ?

Je ne fus pas plutôt à côté d'elle, que prenant un baiser passionné sur ses lèvres, j'eus la douceur de la trouver sensible à cette tendre caresse. Un soupir, qui lui échappa malgré elle, me fit encore juger plus favorablement de ce qui se passoit dans son cœur[40]. Pendant toute la route je tins sa main serrée dans les miennes, et je crus remarquer qu'elle y trouvoit autant de douceur que moi. Je ne lui dis pas un mot qui ne fût mêlé de quelque marque de tendresse, et mes discours mêmes, quoiqu'aussi mesurés que mes actions par un goût de bienséance qui m'a toujours été naturel, se ressentirent continuellement du feu qui prenoit plus de force que jamais dans mon cœur.

Si Théophé se défendit quelquefois contre l'ardeur de mes expressions, ce ne fut point par des mépris ni par des rigueurs. Elle me prioit seulement de ne pas employer mal à propos un langage si tendre et si doux, avec une femme qui n'étoit accoutumée qu'aux usages tyranniques du serrail ; et lorsque cette manière de se défendre me faisoit redoubler mes caresses, elle ajoutoit qu'il n'étoit pas surprenant que le sort des femmes fût heureux dans ma patrie, si tous les hommes s'y accordoient à les traiter avec des complaisances si excessives.

Il étoit environ minuit lorsque nous arrivames à ma campagne, qui étoit située près d'un village nommé *Oru*. Quoique je n'y eusse point ordonné des préparatifs extraordinaires, il s'y trouvoit toujours de quoi traiter honnêtement mes amis, que j'y menois quelquefois aux heures où j'y étois le moins attendu. Je parlai de souper en arrivant. Théophé me témoigna qu'elle avoit besoin de repos plus que de nourriture. Mais j'insistai sur la nécessité de nous rafraichir du moins, par une collation légère et délicate. Nous passames peu de tems à table, et je l'employai moins à manger qu'à satisfaire d'avance une partie de mes tendres desirs par le badinage de mes discours et par l'ardeur de mes regards. J'avois marqué l'appartement où je me proposois de passer la nuit, et l'une des raisons qui m'avoit fait presser Théophé de prendre quelques rafraichissemens, avoit été pour donner le tems à mes domestiques de l'orner avec la dernière élégance. Enfin, m'aiant répété qu'elle avoit besoin de repos, j'expliquai cet avertissement comme une déclaration modeste de l'impatience qu'elle avoit de se voir libre avec moi. Je m'applaudis même de trouver tout à la fois dans une aimable maitresse assez de vivacité pour souhaiter impatiemment l'heure du plaisir, et assez de retenue pour déguiser honnêtement ses desirs.

Mes domestiques, qui m'avoient vu faire plus d'une partie d'amour dans ma maison d'Oru[41], et qui n'avoient ordre d'ailleurs que de préparer un lit, avoient disposé dans le même appartement tout ce qui étoit nécessaire à la commodité de Théophé et à la mienne. Je l'y conduisis avec un redoublement de joie et de galanterie. Son esclave et mon valet de chambre, qui nous y attendoient, s'approchérent pour nous rendre chacun de leur côté les services de leur condition, et j'exhortai en badinant *Bema* (c'étoit le nom de l'esclave) à ne pas s'attirer ma haine par un excès de lenteur. Il m'avoit semblé jusqu'alors que Théophé étoit entrée naturellement dans toutes mes vues, et je la crus si disposée à la conclusion de cette scène que je n'avois jamais pensé à couvrir mes espérances du moindre voile. Ce n'étoit point avec une femme qui m'avoit raconté si ouvertement ses avantures de Patras et celles du serrail que je me croyois obligé de prendre les détours qui soulagent quelquefois la modestie d'une jeune personne sans expérience ; si l'on me permet une autre réfléxion, ce n'étoit pas non plus d'une femme sur qui j'avois acquis tant de droits, et qui s'étoit livrée d'ailleurs à moi si volontairement, que je devois attendre des excès de réserve et de bienséance. Aussi tout ce que j'avois senti jusqu'alors de plus vif et de plus passionné pour elle ne passoit-il à mes propres yeux que pour le transport d'un libertinage éclairé, qui me la faisoit préférer à toute autre femme, parce qu'avec une figure si piquante elle sembloit me promettre beaucoup plus de plaisir.

Cependant, à peine eut-elle remarqué que mon valet de chambre commençoit à me deshabiller, que repoussant son esclave qui s'agitoit pour lui rendre le même service, elle demeura quelques momens rêveuse et comme incertaine, sans lever les yeux sur moi. Je n'attribuai d'abord ce changement de contenance qu'à l'obscurité de la nuit, qui d'un bout de la chambre à l'autre pouvoit me faire trouver quelque altération sur son visage. Mais continuant de la voir immobile, et Bema oisive auprès d'elle, je hazardai, avec inquiétude, quelques expressions badines sur la crainte que j'avois de m'ennuyer beaucoup à l'attendre. Ce langage, qui lui devenoit plus clair apparemment par les circonstances, acheva tout à fait de la déconcerter. Elle quitta le miroir devant lequel elle étoit encore, et se jettant languissamment sur un sopha, elle s'y tint panchée, le front appuyé sur la main, comme si elle eût cherché à me dérober la vue de son visage. Ma prémière crainte fut encore qu'elle ne se trouvât saisie de quelque incommodité. Nous avions fait le voyage pendant la nuit. Notre collation n'avoit été composée que de fruits et de glaces. Je courus à elle avec le plus vif empressement, et je lui demandai si sa santé avoit souffert quelque altération. Elle ne me répondit point. Mon inquiétude augmentant, je saisis une de ses mains, celle même sur laquelle sa tête étoit appuyée, et je fis quelque effort pour l'attirer à moi. Elle résista quelques momens. Enfin, la passant sur ses yeux pour essuyer quelques larmes dont j'apperçus les traces, elle me demanda en grace de faire sortir les deux domestiques, et de lui accorder un moment d'entretien.

A peine fus-je seul avec elle que baissant les yeux et la voix, elle me dit d'un air consterné qu'elle ne pouvoit me disputer tout ce que je prétendois exiger d'elle, mais qu'elle ne s'y seroit jamais attendue. Elle se tut après ces quatre mots, comme si la douleur et la crainte lui eussent coupé tout d'un coup la parole, et je m'apperçus à sa respiration que son cœur étoit dans l'émotion la plus violente. Ma surprise, qui monta aussi-tôt au comble, et peut-être un mouvement de honte qu'il me fut impossible de vaincre tout d'un coup, me jettérent de mon côté dans le même état; de sorte que ç'eût été le plus étrange spectacle du monde que de nous voir l'un et l'autre aussi abattus que si nous eussions été frappés subitement de quelque maladie.

Cependant, je m'excitai à sortir de cette pesanteur, et faisant de nouveaux efforts pour me rendre maitre de la main de Théophé, je vins à bout de la retenir enfin dans les miennes. Un moment, lui dis-je pendant ce tendre combat, souffrez que je la prenne un moment pour vous parler et pour vous entendre. Elle parut céder à la crainte de m'offenser, plutôt qu'au desir de me satisfaire. Hélas ! qu'ai-je droit de vous refuser ? me répéta-t-elle avec la même langueur. Ai-je en mon pouvoir quelque chose qui ne soit pas à vous plus qu'à moi-même ? Mais non, non, je ne m'y serois jamais attendue. Ses pleurs commencérent à couler avec plus d'abondance. Dans l'embarras où me jetta cette scène, il me vint quelque doute de sa sincérité. Je me souvenois d'avoir entendu mille fois que la plupart des filles turques se font une gloire de disputer longtems les faveurs de l'amour, et je fus prêt, dans cette pensée, à compter pour rien sa résistance et ses larmes. Cependant, l'ingénuïté que je remarquois dans sa douleur, et la honte que j'aurois eue de ne pas répondre à l'opinion qu'elle avoit de moi si elle étoit sincère, me fit surmonter au même moment tous mes transports. Ne craignez point de lever les yeux sur moi, lui dis-je en voyant qu'elle continuoit de les tenir baissés, et reconnoissez-moi pour l'homme du monde qui est le moins capable de vous chagriner ou de faire violence à vos inclinations. Mes desirs sont l'effet naturel de vos charmes, et j'avois pensé que vous ne me refuseriez point ce que vous avez accordé volontairement au fils du gouverneur de Patras et au bacha Chériber. Mais les mouvemens du cœur ne sont pas libres... Elle m'interrompit par une exclamation qui me parut venir d'un cœur pénétré d'amertume ; et lorsque je me flattois de lui tenir un discours propre à l'appaiser, elle me fit connoitre que je mettois le comble à sa douleur[42]. Ne comprenant plus rien à cette bizarre avanture, et n'osant même ajouter un seul mot dans la crainte de ne pas pénétrer plus heureusement ses intentions, je la suppliai de m'apprendre donc elle-même ce que je devois faire, ce que je devois dire, pour dissiper le chagrin que je lui avois causé, et de ne me pas faire un crime de ce qu'elle ne pouvoit regarder après tout comme une offense. Il me parut que le ton que je pris pour lui faire cette prière, lui fit craindre à son tour de m'avoir choqué par ses plaintes. Elle me serra la main, avec un mouvement où je reconnus de l'inquiétude. O ! le meilleur de tous les hommes, me dit-elle, par une expression qui est commune chez les Turcs, jugez mieux des sentimens de votre malheureuse esclave, et ne croyez pas qu'il y ait jamais rien de vous à moi qui puisse porter le nom d'offense. Mais vous m'avez percé le cœur d'un mortel chagrin. Ce que je vous demande, ajouta-t-elle, puisque vous me laissez la liberté de vous expliquer mes desirs, c'est de me laisser passer la nuit dans mes tristes réfléxions, et de permettre demain que je vous les communique. Si vous trouvez un excès de hardiesse dans la prière de votre esclave, attendez du moins que vous connoissiez mes sentimens pour les condamner. Elle voulut se laisser tomber à mes pieds. Je la retins malgré elle, et me levant du sopha où je m'étois assis pour l'entendre, je pris un air aussi libre et aussi desintéressé que si je n'eusse jamais pensé à lui faire la moindre proposition d'amour. Retranchez, lui dis-je, des termes qui ne conviennent plus à votre situation. Loin d'être mon esclave, vous auriez pu prendre sur moi un empire que je ne me sentois que trop de penchant à vous accorder. Mais je ne voudrois pas devoir votre cœur à mon autorité, quand j'aurois droit d'employer la contrainte. Vous passerez cette nuit, et tout le reste de votre vie, si c'est votre dessein, avec la tranquillité que vous paroissez desirer. J'appellai aussi-tôt son esclave, à qui j'ordonnai sans affectation de lui rendre ses services ; et me retirant avec la même apparence de calme, je me fis conduire dans un autre appartement, où je ne tardai pas un instant à me mettre au lit. Il me restoit un fond d'agitation que tous les efforts que j'avois faits pour me vaincre n'avoient pu calmer entièrement ; mais je me flattai que le repos du sommeil acheveroit bientôt de rétablir la paix dans mon esprit et dans mon cœur.

Cependant, à peine l'obscurité et le silence de la nuit eurent-ils commencé à recueillir mes sens, que toutes les circonstances qui venoient de se passer à mes yeux se représentérent presque aussi vivement à mon imagination. Comme je n'avois pas perdu un mot de tous les discours de Théophé, le prémier sentiment que j'éprouvai en les retrouvant dans ma mémoire fut sans doute un mouvement de dépit et de confusion. Il me fut même aisé de démêler que la facilité avec laquelle j'avois pris le parti de la laisser tranquille, et tout le desintéressement que j'avois marqué en la quittant, étoient venus de la même cause. Je me confirmai pendant quelques momens dans cette disposition, par les reproches que je me fis de ma foiblesse. Ne devois-je pas rougir de m'être livré si imprudemment depuis quelques jours à l'inclination que je m'étois sentie pour une fille de cette sorte, et le goût que j'avois pour elle auroit-il dû m'intéresser jusqu'à me causer de l'inquiétude et du trouble ? La Turquie n'étoit-elle pas remplie d'esclaves dont je pouvois attendre les mêmes plaisirs ? Il ne me manquoit, ajoutai-je en raillant ma propre folie, que de prendre une passion sérieuse pour une fille de seize ans, que j'avois tirée d'un serrail de Constantinople, et qui n'étoit peut-être entrée dans celui de Chériber qu'après avoir fait l'essai de tous les autres. Passant ensuite au refus qu'elle m'avoit fait de ses faveurs après les avoir prodiguées à je ne sai combien de Turcs, je m'applaudis de ma délicatesse, qui me faisoit attacher un si grand prix au reste du vieux Chériber. Mais je trouvois encore plus admirable que Théophé eût appris dans un espace si court à connoitre la valeur de ses charmes, et que le prémier homme à qui elle s'adressât pour lui en faire acheter la possession si cher, fût un François aussi versé que moi dans le commerce des femmes. Elle s'est imaginée, disois-je, sur l'air de bonté que je porte dans mon visage et dans mes manières, qu'elle alloit faire de moi sa prémière dupe ; et cette jeune coquette, à qui j'ai supposé tant de naïveté et de candeur, se promet peut-être de me mener bien loin par ses artifices.

Mais après avoir comme satisfait mon ressentiment par ces réfléxions injurieuses, je revins peu à peu à considérer le fond de cette avanture avec moins d'émotion. Je me rappellai toute la conduite que Théophé avoit tenue avec moi depuis que je l'avois vue au serrail de Chériber. S'étoit-elle jamais échappée à la moindre action ni au moindre discours qui parût s'accorder avec les intentions que je lui supposois ? N'avois-je pas été surpris au contraire de lui voir saisir vingt fois toutes les ouvertures que j'avois données à ses réfléxions, pour les tourner du côté le plus sérieux de la morale ; et n'avois-je pas même admiré la pénétration et la justesse qui éclatoient dans tous ses raisonnemens ? Il est vrai qu'elle me les avoit rebattus quelquefois jusqu'à l'excès, et c'étoit peut-être cette espèce d'affectation qui m'avoit empêché de les croire sincères. Je les avois regardés tout au plus comme un exercice qu'elle donnoit à son esprit, ou comme l'effet d'une infinité de nouvelles impressions que l'explication de nos maximes et le récit de nos usages faisoient continuellement sur une imagination vive et inquiète. Mais pourquoi lui faire cette injustice, et ne pas croire effectivement qu'avec un bon naturel et beaucoup de raison, elle avoit été sérieusement frappée de mille principes qu'elle trouvoit en semence au fond de son cœur ? N'avoit-elle pas rejetté nettement les offres du sélictar ? N'avoit-elle pas pensé à me quitter moi-même, pour aller chercher en Europe un état qui répondît à ses idées ? Et si elle avoit consenti ensuite à se livrer à mes soins, n'étoit-il pas naturel qu'elle eût cette confiance pour un homme à qui elle devoit les images de vertu qu'elle commençoit à goûter ? Dans cette supposition ne devenoit-elle pas respectable ; et pour qui l'étoit-elle plus que pour moi-même, qui avois commencé à la servir sans intérêt, et qui, loin de troubler ses projets de sagesse par des propositions folles et libertines, devois me faire honneur au contraire d'une conversion qui étoit proprement mon ouvrage[43] ?

Plus je m'attachai à ces réfléxions, plus je sentis que cette manière de considérer mon avanture étoit flatteuse pour moi ; et m'étant toujours piqué de quelque élévation dans mes principes, il ne m'en coûta presque rien pour sacrifier les plaisirs que je m'étois proposés à l'espérance de faire de Théophé une femme aussi distinguée par sa vertu que par ses charmes. Je n'ai jamais pensé, disois-je, à lui inspirer de la sagesse ; et le goût que je lui suppose n'est qu'un heureux effet de son naturel, excité par quelques discours qui me sont échappés au hazard. Que sera-ce, lorsque je me ferai une étude sérieuse de cultiver ces riches présens de la nature ? Je me le représentai avec complaisance dans l'état où je croyois pouvoir la conduire. Mais frappé d'avance de ce portrait, que lui manqueroit-il donc alors, ajoutai-je, pour être la prémière femme du monde ? Quoi ? Théophé pourroit devenir aussi aimable par les qualités de l'esprit et du cœur que par les charmes extérieurs de sa figure ? Eh ! quel est l'homme d'honneur et de goût qui ne se croiroit pas heureux d'être attaché pour toute sa vie... Je m'arrêtai à la moitié de cette réfléxion, comme effrayé de l'avidité avec laquelle mon cœur sembloit s'y prêter. Elle me revint mille fois jusqu'au moment où mes sens s'assoupirent ; et loin d'éprouver le trouble dont j'avois appréhendé de me ressentir jusqu'au lendemain, je passai tout le reste de la nuit dans un délicieux sommeil[44].

Les prémières traces que je retrouvai le matin dans ma mémoire furent celles qui s'y étoient si doucement gravées en m'endormant. Elles s'y étoient étendues avec tant de force qu'aiant comme effacé celles de mon prémier projet, il ne me revint pas le moindre desir qui ressemblât à ceux dont je m'étois entretenu depuis plusieurs jours. Je brûlois de me revoir avec Théophé ; mais c'étoit dans l'espérance de la trouver telle que j'avois eu tant de plaisir à me la figurer, ou du moins de la voir dans la disposition que je lui avois supposée. Cette ardeur alloit jusqu'à me faire craindre de m'être trompé dans mes suppositions. A peine eus-je appris qu'il étoit jour dans son appartement, que je lui fis demander la permission d'y entrer. Son esclave vint me prier de sa part de lui laisser un moment pour sortir du lit. Mais je me hâtai de l'y surprendre, dans la seule vue de lui faire connoitre par ma modération le changement que la nuit avoit mis dans mes idées. Elle marqua quelque trouble en me voyant * si tôt arriver, et dans son embarras elle me fit des excuses de la lenteur de son esclave. Je la rassurai par un discours modeste qui ne lui laissa rien à craindre de mes intentions. Qu'elle étoit belle néanmoins dans cet état, et que tant de charmes étoient propres à me faire oublier mes résolutions !

Vous m'avez promis, lui dis-je d'un ton sérieux, des explications que je brûle d'entendre ; mais permettez qu'elles soient précédées des miennes. A quelques desirs que je me sois hier livré, vous avez dû juger par la soumission que j'eus pour les vôtres, que je ne desire point d'une femme ce qu'elle n'est pas portée à m'accorder volontairement[45]. J'ajoute aujourd'hui à cette preuve de mes sentimens une déclaration qui va les confirmer. C'est que dans quelque vue que vous ayez consenti à m'accompagner ici, vous aurez toujours la liberté de les suivre comme vous avez à présent celle de les expliquer. Je m'imposai silence, en finissant ce discours ; et je résolus de ne le pas rompre qu'elle n'eût achevé le sien. Mais après m'avoir regardé un moment, je fus surpris de lui voir répandre quelques larmes ; et lorsque l'inquiétude que j'en ressentis m'eut fait oublier ma résolution, pour lui demander ce qui les causoit, mon étonnement augmenta encore de sa réponse. Elle me dit que personne n'étoit plus à plaindre qu'elle, et que le discours que je lui tenois étoit précisément le malheur auquel elle s'étoit attendue. Je la pressai de parler plus clairement. Hélas ! reprit-elle ; en me faisant cette déclaration de vos sentimens, que vous rendez peu de justice aux miens ! Après ce qui se passa hier ici, vous ne pouvez prendre ce ton avec moi que par une suite des même idées ; et je meurs de chagrin que depuis le tems que je m'efforce de vous faire voir quelque jour dans le fond de mon cœur, j'aye si mal réussi à vous faire connoitre ce qui s'y passe.

Cette plainte ne faisant que redoubler mon obscurité, je lui confessai, avec autant de franchise dans mes termes que dans l'air de mon visage, que tout ce qui la regardoit depuis que je l'avois vue pour la prémière fois avoit été pour moi une énigme perpétuelle, que son discours même me rendoit encore plus difficile à pénétrer. Parlez donc naturellement, lui dis-je encore ; pourquoi balancez-vous ? A qui vous ouvrirez-vous jamais avec plus de confiance ?

Ce sont vos questions mêmes, me répondit-elle enfin, c'est la nécessité où vous me mettez de parler clairement qui cause mon chagrin. Quoi ? vous avez besoin d'explication pour concevoir que je suis la plus malheureuse personne de mon sexe ? Vous, qui m'avez ouvert les yeux sur ma honte, vous êtes surpris que je sois insupportable à moi-même et que je pense à me cacher aux yeux des autres ? Eh ! quel est desormais le partage qui me convient ? Est-ce de répondre à vos desirs ou à ceux du sélictar, lorsque je trouve dans les lumières que vous m'avez inspirées autant de juges qui les condamnent ? Est-ce de passer dans les pays dont vous m'avez vanté les usages et les principes, pour y retrouver, dans l'exemple de toutes les vertus que j'ai ignorées, le perpétuel reproche de mes infamies ? J'ai tenté néanmoins de quitter cette nation corrompue. J'ai voulu fuir et ceux qui ont perdu mon innocente jeunesse, et vous, qui m'avez appris à connoitre ma perte. Mais où me laissois-je entrainer par ma confusion et par mes remords ? Je ne sens que trop que sans protection et sans guide je n'aurois pas fait de pas qui ne m'eût conduit à quelque nouvel abîme. Vos instances m'ont arrêtée. Quoique vous fussiez plus redoutable pour moi que tous les hommes ensemble, parce que vous connoissiez mieux toute l'étendue de mon infortune, quoique chacun de vos regards me parût une sentence qui portoit ma condamnation[46], je suis rentrée avec vous dans Constantinople. Un malade, disois-je pour me rassurer, rougit-il de voir ses plaies les plus honteuses ? D'ailleurs, après avoir conçu qu'un voyage entrepris au hasard étoit une imprudence, je me suis flattée, sur vos promesses, que vous m'ouvririez des voies plus sûres pour m'éloigner. Cependant, c'est vous-même qui me repoussez aujourd'hui vers le précipice dont vous m'avez tirée. Je vous ai regardé comme mon maitre dans la vertu, et vous voulez me rentrainer vers le vice ; avec d'autant plus de danger pour ma foiblesse que s'il pouvoit m'offrir quelque charme, ce seroit en se présentant à moi par vos mains ? Hélas ! m'étois-je mal expliquée ou feignez-vous de ne pas m'entendre ? Les bornes de mon esprit, le desordre de mes idées et de mes expressions, ont pu vous faire mal juger de mes sentimens ; mais si vous commencez à les connoitre par les efforts que je fais pour les expliquer, ne vous offensez pas de l'effet que vos propres leçons ont produit sur mon cœur. Quand vous auriez changé de principes, je sens trop bien que c'est aux prémiers que je dois ma soumission, et je vous conjure de souffrir que j'y demeure attachée.

Ce discours, dont je ne rapporte que ce qui est resté de plus clair dans ma mémoire, fut assez long pour me donner le tems d'en pénétrer toute la force et d'y préparer ma réponse. Rempli, comme je l'étois, des réfléxions qui m'avoient occupé pendant toute la nuit, j'avois été bien moins offensé des reproches de Théophé, bien moins affligé de ses sentimens et de ses résolutions, que je n'étois charmé au contraire de les trouver conformes à l'opinion que je m'en étois déja formée. Aussi l'idée que j'avois commencé à prendre d'elle, et la satisfaction vertueuse que j'en avois ressentie, n'avoient-elles fait qu'augmenter pendant que j'étois attaché à l'entendre ; et pour peu qu'elle eût fait d'attention à mes mouvemens, elle auroit remarqué que je recevois chaque mot qui sortoit de sa bouche avec quelque signe de joie et d'applaudissement. J'en modérai néanmoins les expressions dans ma réponse, pour ne pas donner un air de légèreté ou d'emportement à la conclusion d'une conférence si sérieuse. Chère Théophé ! lui dis-je dans l'abondance de mes sentimens, vous m'avez humilié par vos plaintes, et je ne vous dissimulerai point que j'étois hier fort éloigné de les prévoir ; mais j'en ai apporté quelque pressentiment dans cette visite, et je suis venu disposé à me reconnoitre coupable. Si vous me demandez comment il m'est arrivé de le devenir, c'est qu'il m'auroit été trop difficile de me persuader ce que je viens d'entendre avec une vive admiration, et ce qui me paroîtroit encore incroyable si je n'en avois des témoignages si certains. Je me reproche d'avoir eu pour vous jusqu'à présent plus d'admiration que d'estime. Eh ! quand on sait combien le goût de la vertu est rare dans les pays les plus favorisés du Ciel, quand on éprouve soi-même combien son exercice est pénible, peut-on croire aisément que dans le sein de la Turquie, au sortir d'un serrail, une personne de votre âge ait saisi tout d'un coup non-seulement l'idée, mais le goût même de la plus haute sagesse ? Qu'ai-je dit, qu'ai-je fait de propre à vous l'inspirer ? Quelques réfléxions hazardées sur nos usages ont-elles pu faire naitre dans votre cœur un si heureux penchant ? Non, non, vous ne le devez qu'à vous-même ; et votre éducation, qui l'a tenu jusqu'à présent comme lié par la force de l'habitude, est un malheur de la fortune dont il n'y a point de reproche à vous faire[47].

Ce que je veux d'abord en conclurre, continuai-je avec la même modération, c'est que vous seriez également injuste et de vous offenser des vues que j'ai eues sur vous, puisqu'il n'étoit pas naturel que je penétrasse tout d'un coup les vôtres, et de croire qu'on puisse se prévaloir du passé pour vous refuser l'estime que vous allez mériter par une conduite digne de vos sentimens. Abandonnez vos projets de voyage ; jeune et sans expérience du monde, vous n'en devez rien attendre d'heureux. La vertu, dont on a des idées si justes en Europe, n'y est guères mieux pratiquée qu'en Turquie. Vous trouverez des passions et des vices dans tous les pays qui sont habités par des hommes. Mais si mes promesses peuvent vous inspirer quelque confiance, reposez-vous sur des sentimens qui ont déja changé de nature, et qui ne m'inspireront plus d'ardeur que pour perfectionner les vôtres. Ma maison sera un sanctuaire ; mon exemple portera tous mes domestiques à vous respecter. Vous y trouverez une ressource constante dans mon amitié ; et si vous avez goûté mes maximes, peut-être vous reste-t-il quelques lumières à tirer de mes conseils.

Elle me regardoit d'un air si rêveur que je cherchois inutilement dans ses yeux si elle étoit satisfaite de ma réponse. J'appréhendai même, en lui voyant garder le silence, qu'il ne lui restât quelque doute de ma sincérité, et qu'après l'essai qu'elle avoit fait de ma foiblesse elle n'osât se fiër à mes protestations. Mais toute son inquiétude étoit pour elle-même. M'imaginerai-je jamais, reprit-elle après avoir fait durer beaucoup plus longtemps son silence, qu'avec les idées que vous avez de la vertu, vous puissiez regarder sans mépris une femme dont vous connoissez tous les égaremens ? Je vous en ai fait l'aveu, et je ne puis m'en repentir. Je devois cette ouverture à l'empressement que vous avez eu d'apprendre mes infortunes. Mais ne m'impose-t-elle pas la loi de vous fuir, et serai-je jamais trop loin de ceux qui peuvent me reprocher ma honte ? Je ne fus pas le maitre de mon transport à ce discours. Je l'interrompis, et toute la retenue que j'avois affectée m'abandonna. Mes plaintes dûrent être bien touchantes, et mes raisonnemens bien persuasifs, puisque je fis confesser à Théophé que plus je connoissois le prix de la vertu, plus je devois d'admiration aux sentimens dont elle étoit remplie. Je lui fis comprendre que dans les idées de la vraie sagesse le mépris n'est dû qu'aux fautes volontaires, et que ce qu'elle nommoit ses égaremens n'en devoit pas porter le nom, puisqu'il auroit supposé qu'elle connoissoit déja ce qu'elle n'avoit appris que par l'occasion qu'elle avoit eue de m'entretenir au serrail[48]. Enfin, je lui promis avec une estime constante tous les soins dont j'étois capable pour achever l'ouvrage que j'avois eu le bonheur de commencer, et je m'engageai par des sermens redoutables à lui laisser la liberté non-seulement de me fuir, mais de me haïr et de me mépriser moi-même, lorsqu'elle me verroit manquer aux conditions qu'elle voudroit m'imposer. Et pour ôter tout air d'équivoque à mes promesses, je lui fis à l'heure même un plan dont je soumis tous les articles à sa décision. Cette maison, lui dis-je, sera votre demeure, et vous y établirez l'ordre qui vous conviendra le mieux. Je ne vous y verrai pas plus souvent que vous ne me le permettrez. Vous n'y verrez vous-même que ceux qu'il vous plaira d'y recevoir. J'aurai soin qu'il n'y manque rien pour vous occuper utilement ou pour vous amuser. Et dans le penchant que vous marquez pour tout ce qui peut servir à former l'esprit et le cœur, je pense à vous faire apprendre la langue de ma nation, qui vous deviendra utile par la familiarité qu'elle vous donnera tout d'un coup avec une infinité d'excellens livres. Vous retrancherez de mes propositions, ou vous y ajouterez, tout ce qui vous sera inspiré par votre propre goût, et vous serez toujours sûre de voir exécuter ce qui pourra vous plaire.

Je n'examinois point d'où me venoit la chaleur qui animoit toutes ces offres, et Théophé ne s'arrêta point non plus à cette discussion. Elle crut voir dans ma franchise des raisons assez fortes pour céder à mes instances. Elle me dit que devant tout à ma générosité, son obstination devoit lui faire appréhender de s'en rendre indigne, et qu'elle acceptoit des offres trop heureuses pour elle, si j'étois fidèle à les exécuter. Je ne sai comment je trouvai assez de force pour retenir le mouvement qui me portoit à me jetter à genoux devant son lit, et à la remercier de ce consentement comme d'une faveur. Nous commencerons sur le champ, lui dis-je avec plus de joie que je n'en voulois faire éclater, et vous reconnoitrez quelque jour que je mérite votre confiance.

Ce sentiment étoit sincère. Je la quittai sans m'être même hazardé à lui baiser la main, quoique l'aiant la plus belle du monde, elle m'en eût inspiré cent fois le desir dans les mouvemens qu'elle avoit faits pendant notre entretien. Mon dessein étoit de retourner aussitôt à Constantinople, non-seulement pour lui procurer ce que je croyois de plus propre à l'amuser dans sa solitude, mais pour lui donner le tems d'établir son autorité et l'ordre qu'elle voudroit dans ma maison. Je déclarai là-dessus mes intentions au petit nombre de domestiques que j'y laissois pour la servir. Bema, que j'avois fait appeller pour la rendre témoin de cet ordre, me demanda la liberté de lui parler à l'écart, et me surprit extrèmement par son discours. Elle me dit que la liberté et l'empire même que je laissois à sa maitresse lui faisoient assez connoitre que j'ignorois le caractère des femmes de sa nation ; que l'expérience qu'elle avoit acquise dans plusieurs serrails la * mettoit en état d'aider un étranger de ses conseils ; que la fidélité à laquelle elle étoit obligée par sa condition ne lui permettoit pas de me déguiser ce que j'avois à craindre d'une maitresse aussi jeune et aussi belle que Théophé[49] ; qu'en un mot je devois faire peu de fond sur sa sagesse, si au-lieu de lui laisser une autorité absolue dans ma maison, je ne l'assujettissois point à la conduite de quelque esclave fidèle ; que c'étoit l'usage de tout ce qu'il y avoit de seigneurs en Turquie, et que si je la croyois propre elle-même à cet emploi, elle me promettoit tant de vigilance et de zèle que je ne me repentirois jamais de ma confiance.

Quoique je n'eusse point reconnu assez d'esprit à cet esclave pour en espérer des secours extraordinaires, et que dans l'opinion que j'avois de Théophé je n'eusse pas besoin d'un argus auprès d'elle, je pris un tempérament entre le conseil que je recevois et ce que je crus pouvoir accorder à la prudence. Je ne me conduis point, dis-je à Bema, par les maximes de votre pays, et je vous déclare d'ailleurs que je n'ai aucun droit sur Théophé qui m'autorise à lui imposer des loix. Mais si vous êtes capable de quelque discrétion, je vous charge volontiers d'avoir l'œil ouvert sur sa conduite. La récompense sera proportionnée à vos services ; et sur-tout à votre sagesse, ajoutai-je, car j'exige absolument que Théophé ne s'apperçoive jamais de la commission que je vous donne. Bema parut extrèmement satisfaite de ma réponse. Sa joie m'auroit peut-être été suspecte, si les personnes de qui je tenois cette esclave ne m'eussent vanté presque également sa prudence et sa fidélité. Mais je ne voyois rien d'ailleurs dans une commission si simple qui demandât plus que de la médiocrité dans les deux qualités dont on m'avoit répondu.

Ce qui m'occupa le plus en retournant à la ville, fut la difficulté de satisfaire le sélictar, qui ne pouvoit ignorer longtems ni que Théophé avoit quitté le maitre de langues, ni même que je lui avois accordé une retraite dans ma maison. J'étois devenu tout d'un coup tranquille sur ce qui la regardoit, depuis que j'étois sûr de l'avoir sous ma conduite, et sans examiner ce que mon cœur osoit s'en promettre, il me sembloit que de quelques sentimens qu'il pût se remplir, l'avenir ne m'offroit que des facilités sur lesquelles je pouvois me reposer. Mais ne pouvant me dispenser d'entrer dans quelque explication avec le sélictar, les raisons que j'avois préparées la veille, et qui m'avoient paru capables de l'appaiser, perdoient leur force pour moi-même à mesure que le moment s'approchoit de les lui faire goûter. Celle dont j'avois espéré le plus d'effet étoit la crainte de son père, qui auroit eu plus de droit que jamais, non-seulement de l'exclurre de sa famille, mais de solliciter sa punition si elle s'étoit livrée volontairement à l'amour d'un Turc. Ma protection, dans le cas où elle étoit, la mettoit plus à couvert que celle du sélictar. Cependant, outre l'idée qu'il avoit lui-même de son crédit, je ne pouvois lui confesser qu'elle étoit chez moi sans retomber dans la nécessité de l'y recevoir aussi souvent qu'il lui plairoit de s'y présenter. C'étoit attirer autant de chagrins à Théophé qu'à moi-même. Dans cet embarras je pris un parti tout différent, et le seul peut-être qui pût me réussir avec un homme aussi généreux que le sélictar : j'allai chez lui directement. Je n'attendis point qu'il rendît mon entreprise plus difficile par ses plaintes, et prévenant même toutes ses questions, je lui appris que le motif qui avoit fait rejetter ses offres, étoit un penchant déclaré de la jeune Grecque pour des vertus qui sont peu connues des femmes en Turquie. Je ne lui cachai pas même que dans l'étonnement que j'en avois eu, je n'y avois pris quelque confiance qu'après les avoir mises à l'épreuve ; mais que n'aiant trouvé que *sujets d'admiration dans les sentimens d'une personne de cet âge, j'étois résolu de lui accorder tous les secours qui pouvoient conduire des inclinations si nobles à leur perfection, et que le connoissant lui-même, je ne doutois pas qu'il ne fût porté à seconder mon dessein. De tout ce discours, que je tournai avec beaucoup de ménagemens, il n'y eut que les derniers termes que je regrettai d'avoir laissé échapper. Le sélictar répondit à mon attente en me protestant qu'il respectoit des sentimens tels que je les représentois dans Théophé, et qu'il n'avoit jamais prétendu les exclurre du commerce qu'il s'étoit proposé avec elle ; mais il prit occasion de l'opinion que je marquois de lui pour m'assurer que sa tendresse augmentant avec son estime, il vouloit lui témoigner plus que jamais le cas qu'il faisoit d'elle. Je ne pus me défendre de la proposition qu'il me fit de m'accompagner quelquefois à Oru qu'en lui offrant toute la liberté que j'accordois chez moi à mes amis ; mais avec la réserve que Théophé y mettroit elle-même, par le droit que mes sermens lui avoient donné de ne voir que ceux qu'elle voudroit admettre dans sa solitude.

Quoique je me reprochasse avec raison d'avoir

donné au sélictar une ouverture dont je le voyois résolu de profiter, je fus si satisfait de m'être délivré par une voie si nette du scrupule qui m'avoit troublé, que je comptai pour rien l'embarras de le voir à Oru. Il auroit eu sujet de s'offenser si j'eusse balancé à lui promettre cette satisfaction, et les soupçons dont sa propre droiture autant que l'opinion qu'il avoit de la mienne avoit eu la force de le défendre jusqu'alors, auroient peut-être commencé à naitre et causé aussitôt la ruïne de notre amitié. Je ne pensai en le quittant qu'à remplir les promesses que j'avois faites à Théophé. Connoissant son goût pour la peinture, qui ne s'étoit encore exercé qu'à représenter des fleurs, suivant la loi qui interdit aux Turcs la représentation de toutes les créatures vivantes, je cherchai un peintre qui pût lui montrer le dessein et le portrait. En lui choisissant d'autres maitres pour les arts et les exercices de l'Europe, il me vint à l'esprit une pensée que je combattis longtems, mais que la Providence, dont il ne faut point entreprendre d'approfondir les secrets, fit prévaloir à la fin sur toutes mes difficultés. Dans la persuasion où j'étois que le jeune Condoidi étoit son frère, il me parut d'autant plus naturel de les associer pour leur éducation que la plupart des maitres que je leur donnois à l'un et à l'autre étoient les mêmes. Ce dessein supposoit que Condoidi feroit aussi sa demeure à Oru ; et loin d'y trouver le moindre sujet d'objection, je me réjouïssois au contraire de pouvoir donner à Théophé une compagnie habituelle, qui lui feroit éviter l'ennui de la solitude. S'il faut que je le confesse, la principale difficulté que j'eus à combattre ne fut pas bien démêlée dans mon esprit, et ce fut peut-être l'obligation où je me crus de l'en éloigner qui m'empêcha d'en former d'autres auxquelles j'aurois pu trouver plus de raisons de m'arrêter. Je pensai confusément, et sans oser me l'avouer à moi-même, que la présence continuelle de ce jeune homme m'ôteroit la liberté d'être seul avec Théophé ; mais étant résolu dans le fond de m'en tenir religieusement à toutes mes promesses, je ne roulai quelque tems cette idée que pour la rejetter.

Synèse (c'étoit le nom du jeune Condoidi) apprit avec beaucoup de joie ce que l'estime et l'inclination me faisoient entreprendre pour sa sœur. Il n'en marqua pas moins de la résolution où j'étois de le faire vivre avec elle, et de leur faire recevoir les mêmes instructions. Je le fis partir dès le même jour pour Oru, avec tout ce que je destinois à l'amusement de Théophé. Leur père qui savoit enfin que je m'étois attaché son fils, et qui étoit déja venu pour m'en faire des remercimens, reparut chez moi sur l'avis que Synèse lui fit donner de mon arrivée. Il me reconnut avec étonnement, et je fus persuadé par son embarras que Synèse avoit eu la fidélité, suivant mes ordres, de lui cacher le nœud de cette avanture. J'avois voulu tout à la fois et me faire un amusement de sa surprise, et profiter de ses prémières impressions pour renouveller mes instances en faveur de Théophé. Mais je perdis la seconde de ces deux espérances lorsque cet obstiné vieillard m'eut déclaré nettement que sa religion et son honneur lui défendoient de reconnoitre une fille qui avoit été élevée dans un serrail. L'offre même que je lui fis de lever tous les obstacles, en me substituant aux devoirs paternels, ne parut pas l'ébranler. Il demeura si inflexible que dans le ressentiment que j'en eus je lui déclarai qu'il pouvoit se dispenser de revenir chez moi, et que je ne recevrois pas volontiers ses visites.

Je ne retournai à Oru que le lendemain. L'impatience de revoir Théophé étoit un sentiment que je ne me dissimulois pas ; mais aiant absolument renoncé à toutes les prétentions que j'avois eues sur elle, je ne pensois pas non plus à m'interdire un penchant honnête qui pouvoit s'accorder avec ses idées de sagesse et avec tous mes engagemens. Cette espèce de liberté que j'accordois à mon cœur m'empêchoit de sentir tout ce qu'il m'en auroit déja coûté si j'avois entrepris de le contraindre[50]. Je trouvai Synèse avec elle, tous deux dans la prémière ardeur de leurs exercices, et presque également sensibles à l'attention que j'avois eue de les faire vivre ensemble. J'admirai dans Théophé un air de tranquillité qui sembloit avoir augmenté sa fraicheur naturelle, et qui étoit déja l'effet de la satisfaction de son cœur. Je voulus savoir de Bema quel usage elle avoit fait de l'autorité que je lui avois accordée dans ma maison. Cette esclave, qui étoit piquée au fond d'en avoir elle-même si peu, n'osa me dire encore que sa maitresse en eût abusé ; mais elle répéta toutes les raisons qu'elle m'avoit déja apportées pour me le faire craindre. La cause de son zèle étoit si visible que je la priai en souriant d'avoir moins d'inquiétude. Elle s'étoit attendue, sur quelques explications de ceux qui l'avoient achetée pour moi, que je lui donnerois une espèce d'empire sur Théophé, et cette marque de confiance qu'elle avoit obtenue dans quelque serrail, étoit le souverain dégré de distinction pour une esclave. Je lui déclarai que les usages des Turcs n'étoient point une règle pour un François, et que nous avions les nôtres, dont je lui conseillois de profiter elle-même pour la douceur de sa vie. Si elle n'eut point la hardiesse de se plaindre, elle prit peut-être dès ce moment un dégoût pour Théophé et pour moi dont elle ne trouva que trop aisément l'occasion de nous faire ressentir les marques.

Les affaires de mon emploi me laissant plus de liberté que je n'en avois eue depuis longtems, je pris le prétexte de la belle saison pour faire un séjour de quelques semaines à la campagne. J'avois appréhendé d'abord que Théophé n'usât trop rigoureusement de l'offre que je lui avois faite de me priver de la voir. Mais croyant remarquer au contraire qu'elle prenoit plaisir à mon entretien, je m'oubliois près d'elle pendant des jours entiers, et j'apprenois dans cette familiarité à connoitre de plus en plus toutes les perfections dont la nature avoit orné son caractère. Ce fut de moi-même qu'elle reçut les prémières leçons de notre langue. Elle y fit des progrès surprenans. Je lui avois vanté les fruits qu'elle en pourroit tirer par la lecture, et son impatience étoit de se voir à la main un livre françois qu'elle pût entendre. Je n'en avois pas moins qu'elle, et je satisfaisois d'avance une partie de la sienne, en lui traçant des images imparfaites de ce qu'elle devoit trouver avec plus de méthode et d'étendue dans nos bons écrivains. Il ne m'échappoit rien qui eût rapport à mes sentimens. La douceur de la voir et celle de l'entendre étoient des plaisirs innocens dont j'étois comme enivré. J'aurois appréhendé de diminuer par quelque retour de foiblesse la confiance qu'elle m'avoit rendue ; et ce qui me paroissoit surprenant à moi-même, je me sentois si peu tourmenté par cette chaleur de tempérament qui rend quelquefois la privation de certains plaisirs assez difficile à l'âge où j'étois, que je me les retranchois sans peine, et même sans réfléxion, quoique je ne me fusse point imposé jusqu'alors des loix fort étroites à l'égard des femmes, sur-tout dans un pays où les besoins de la nature semblent augmenter avec la liberté de les satisfaire. En réfléchissant depuis sur la cause de ce changement, j'ai conçu que les facultés naturelles qui sont la source des desirs prennent peut-être un autre cours dans un homme qui aime que dans ceux qui n'ont pour tout aiguillon que la chaleur de l'âge. L'impression que la beauté fait sur tous les sens divise l'action de la nature. Et ce que je nomme les facultés naturelles, pour éloigner des idées qui paroîtroient sales, remonte ainsi par les mêmes voies qui l'ont apporté dans les réservoirs ordinaires, se mêle dans la masse du sang, y cause cette sorte de fermentation ou d'incendie en quoi l'on peut faire consister proprement l'amour, et ne reprend la route qui le fait servir à l'acte du plaisir que lorsqu'il y est rappellé par l'exercice[51].

Le sélictar venoit troubler quelquefois cette vie délicieuse. J'avois préparé mon élève à ses visites, et voulant même l'accoutumer à regarder la société des hommes d'un autre œil que les femmes turques, qui ne s'imaginent point qu'il y ait de commerce avec eux sans amour, je lui avois recommandé de recevoir avec politesse un homme dont l'estime lui faisoit honneur, et dont la tendresse ne devoit plus lui causer d'inquiétude. Il avoit répondu à l'opinion que j'avois de lui par une conduite si modeste qu'elle me causoit de l'admiration pour ses sentimens. Il me devint assez difficile d'en comprendre la nature ; car la seule voie qui lui avoit pu donner quelque espérance de les satisfaire étant fermée desormais par ses propres conventions autant que par le refus de Théophé, il n'avoit rien à se promettre de l'avenir, et le présent ne lui offroit que le simple plaisir d'une conversation sérieuse, qui n'étoit pas même aussi longue qu'il l'auroit souhaité. Théophé, qui avoit la complaisance de le recevoir aussi souvent qu'il venoit à Oru, n'avoit pas toujours celle de s'ennuyer avec lui lorsqu'il y demeuroit trop longtems. Elle nous quittoit pour aller reprendre ses exercices avec son frère, et j'essuyois dans son absence le récit de tous les tendres sentimens du sélictar. Comme il n'avoit plus de projet formé, et qu'il se réduisoit à des témoignages vagues de son admiration et de son amour, je me persuadai à la fin que m'aiant entendu parler souvent de cette manière fine d'aimer qui consiste dans les sentimens du cœur, et qui est si peu connue de sa nation, il y avoit pris assez de goût pour en faire l'essai. Mais comment concevoir aussi qu'il se bornât au plaisir d'exercer son cœur par des sentimens tendres, sans marquer plus de chagrin et d'impatience de ne pouvoir obtenir le moindre retour[52] ?

Ces doutes ne m'empêchoient pas de le voir avec d'autant moins de peine que la comparaison que je faisois de son sort au mien me sembloit toujours flatteuse pour les dispositions où je m'entretenois secrettement. Mais je fus moins tranquille après une autre découverte que je ne dus point à mes propres soins, et qui précipita celle de plusieurs intrigues qui ont jetté beaucoup d'amertume dans la suite de ma vie. Il y avoit environ six semaines que je faisois ma demeure à Oru, et qu'étant témoin sans cesse de ce qui se passoit dans ma maison, j'étois charmé de la paix et du contentement que j'y voyois règner. Synèse étoit constamment avec Théophé ; mais je ne la quittois pas plus que lui. Je n'avois rien remarqué dans leur liaison qui blessât l'opinion que j'avois qu'ils étoient du même sang, ou plutôt n'aiant pas le moindre doute qu'ils ne fussent enfans du même père, il n'avoit pu me tomber dans l'esprit aucune défiance de leur familiarité. Synèse, que je traitois avec la tendresse qu'on a pour un fils, et qui s'en rendoit digne en effet par la douceur de son caractère, vint un jour me trouver seul dans mon appartement. Après m'avoir tenu quelques discours indifférens, il tomba sans affectation sur la difficulté que son père faisoit de reconnoitre Théophé, et prenant un langage qui me parut nouveau dans sa bouche, il me dit que malgré le plaisir qu'il trouvoit à se croire une sœur si aimable, il n'avoit pu se persuader sincèrement qu'il fût son frère. Mon attention étant excitée par une déclaration à laquelle je m'attendois si peu, je lui laissai tout le tems de continuer. La confession du misérable qui avoit été exécuté par la sentence du cadi suffisoit, me dit-il, pour autoriser le refus de son père. Quel intérêt un homme qui se voyoit menacé du supplice auroit-il eu à dissimuler de qui Théophé était fille ; et n'étoit-il pas clair qu'après avoir protesté que celle de Condoidi étoit morte avec sa mère, il n'avoit changé de langage que pour gagner le juge par une offre infame, ou pour obtenir le délai de son châtiment ? Il n'en étoit pas plus vraisemblable, ajouta Synèse, qu'une personne aussi accomplie que Théophé fût la fille de ce scélérat ; mais elle ne pouvoit être non plus celle de Paniota Condoidi, et mille circonstances qu'il se souvenoit d'avoir entendu raconter dans sa famille, ne lui avoient jamais permis de s'en flatter sérieusement.

Quoiqu'il ne manquât rien en apparence à la sincérité de Synèse, un discours amené par lui-même, et si contraire à l'inclination que je lui avois toujours vue pour Théophé, me fit naitre des soupçons extraordinaires. Je lui connoissois assez d'esprit pour être capable de quelque déguisement, et le proverbe du sélictar sur la bonne-foi des Grecs n'étoit pas sorti de ma mémoire [53]. Je conclus tout d'un coup qu'il étoit arrivé quelque changement que j'ignorois dans le cœur de Synèse, et que soit haine, soit amour, il ne voyoit plus Théophé du même œil. Il ne me parut pas fort à craindre, après cette ouverture, d'être la dupe d'un homme de son âge. Et prenant le parti au contraire de lui faire découvrir ses dispositions, sans qu'il s'en apperçût, je feignis d'entrer, plus facilement peut-être qu'il ne s'y attendoit, dans les difficultés qu'il venoit de m'expliquer. Je n'ai pas plus de certitude que vous, lui dis-je, de la naissance de Théophé, et je pense après tout que s'il y a quelque témoignage à desirer là-dessus, c'est celui de votre famille. Ainsi dès que vous vous accorderez tous à ne la pas reconnoitre, il ne lui conviendroit pas d'insister un moment sur ses prétentions. Cette réponse lui causa une satisfaction que je n'eus pas de peine à démêler. Mais lorsqu'il se préparoit sans doute à confirmer ce qu'il m'avoit dit par quelque nouvelle preuve, j'ajoutai : si vous êtes aussi persuadé que vous le paroissez qu'elle n'est pas votre sœur, non-seulement je ne veux plus que vous lui donniez ce nom, mais je serois fâché que vous vous trouvassiez dans la nécessité de vivre plus longtems avec elle. Vous retournerez ce soir à Constantinople. Ce discours le jetta dans un embarras que je pénétrai encore plus aisément que je n'avois démêlé sa joie. Je ne lui laissai pas le tems de se reconnoitre : Comme vous avez dû comprendre, ajoutai-je, que c'est la considération que j'ai pour elle qui m'a porté à vous recevoir chez moi, vous devez prévoir que je ne vous garderai pas longtems, lorsque je n'ai plus cette raison de vous y retenir. Ainsi je vais donner ordre qu'on vous reconduise ce soir chez votre père.

J'avois dit tout ce que je croyois capable de me faire

voir quelque jour dans le cœur de Synèse. Je finis, sans paroître trop occupé de la contrainte où je le voyois ; et pour combler la mesure, je lui recommandai de faire honnêtement ses adieux à Théophé, puisqu'il y avoit peu d'apparence qu'il la revît jamais. Après avoir changé vingt fois de couleur, et s'être déconcerté jusqu'à me faire pitié, il reprit timidement la parole pour me protester que ses doutes sur la naissance de sa sœur ne diminueroient ni l'estime ni la tendresse qu'il avoit pour elle ; qu'il la regardoit au contraire comme la plus aimable personne de son sexe, et qu'il se croyoit trop heureux de la liberté qu'il avoit eue de vivre avec elle ; qu'il ne perdroit jamais ces sentimens ; qu'il vouloit se faire une étude de les lui marquer toute sa vie, et que s'il pouvoit joindre la satisfaction de lui plaire à l'honneur qu'il avoit de m'appartenir, il n'y avoit point de condition contre laquelle il voulût changer la sienne. Je l'interrompis. Non-seulement je crus lire dans le fond de son cœur, mais cette chaleur qui ne me permettoit pas de me tromper sur ses sentimens, me fit naitre une autre défiance qui mit beaucoup de trouble dans tous les miens. Frère ou non, me dis-je à moi-même, si ce jeune-homme est amoureux de Théophé, s'il a trompé jusqu'à présent mes yeux, qui me répondra que Théophé n'ait pas conçu pour lui la même passion, et qu'elle n'ait pas eu autant d'adresse pour la déguiser ? Qui sait même si ce n'est pas de concert qu'ils cherchent à se défaire d'un lien incommode qui les empêche peut-être de se livrer à leur penchant[54] ? Cette idée, que toutes les circonstances étoient propres à fortifier, me jetta dans un accablement de chagrin dont je n'aurois pas réussi mieux que Synèse à déguiser les apparences. Allez, lui dis-je, j'ai besoin d'être seul, et je vous reverrai tantôt. Il sortit. Mais dans le mouvement qui m'agitoit, j'eus soin d'observer s'il ne se rendoit pas directement chez Théophé, comme s'il y avoit eu quelque chose à conclurre de l'empressement que je lui aurois supposé à lui aller rendre compte de notre conversation. Je le vis entrer tristement dans le jardin, où je ne doutai point qu'il n'allât se livrer à la douleur d'avoir si mal réussi dans son entreprise ; mais son trouble devoit être extrème, s'il surpassoit le mien.

Mon prémier soin fut de faire appeller Bema, dont je ne doutois point que les observations ne pussent me procurer quelques lumières. Elle affecta de ne rien comprendre à mes questions, et je me persuadai à la fin qu'aiant toujours été dans l'opinion que Synèse étoit frère de Théophé, elle ne s'étoit point apperçue de leur liaison, parce que ses défiances ne s'étoient pas tournées de ce côté-là. Je résolus de m'expliquer avec Théophé, et de m'y prendre aussi adroitement que j'avois fait avec Synèse. Comme j'étois sûr qu'il n'avoit pu la voir depuis qu'il m'avoit quitté, je la pressentis d'abord sur le dessein où j'étois de le rendre à sa famille. Elle en marqua beaucoup d'étonnement ; mais lorsque j'eus ajouté que la seule raison du dégoût que je prenois pour lui étoit la difficulté qu'il faisoit de la reconnoitre plus longtems pour sa sœur, elle ne put s'empêcher de me laisser voir beaucoup de chagrin. Qu'il y a peu de fond, me dit-elle, à faire sur les apparences des hommes ! Jamais il ne m'a marqué tant d'estime et d'amitié que ces derniers jours. Cette plainte me parut si naturelle, et les réfléxions qu'elle y joignoit sur son sort sentoient si peu l'artifice, que revenant tout d'un coup de mes soupçons je passai aussi-tôt à l'extrémité de la confiance. Je suis porté à croire, lui dis-je, que vous lui avez inspiré de l'amour. Il est importuné d'un titre qui ne s'accorde point avec ses sentimens. Théophé m'interrompit par des exclamations si vives que je n'eus pas besoin d'autre preuve pour me confirmer dans l'opinion que je prenois d'elle. Que m'apprenez-vous ? Quoi ? me dit-elle, vous lui croyez pour moi d'autres sentimens que ceux de l'amitié fraternelle ? A quoi m'avez-vous exposée ? Et me racontant avec une naïveté surprenante tout ce qui s'étoit passé entre elle et lui, elle me fit un détail dont chaque mot me fit trembler. Sous le nom de frère, Synèse avoit obtenu d'elle des caresses et des faveurs qui avoient dû rendre sa situation délicieuse en qualité d'amant. Il avoit eu l'adresse de lui persuader que c'étoit un usage établi entre les frères et les sœurs de se donner mille témoignages d'une tendresse innocente, et sur ce principe il l'avoit accoutumée non-seulement à vivre avec lui dans la plus étroite familiarité, mais à souffrir qu'il satisfît continuellement sa passion *par l'usage qu'il faisoit de ses charmes. Ses mains, sa bouche, son sein même avoient été comme le domaine de l'amoureux Synèse[55]. Je tirai successivement tous ces aveux de Théophé, et je ne me rassurai sur d'autres craintes que par la sincérité même avec laquelle je lui entendois avouer tout ce qu'elle regrettoit d'avoir accordé. Mes projets de sagesse ne purent me défendre du plus amer sentiment que j'eusse encore éprouvé. Ah ! Théophé, lui dis-je, vous n'avez pas pitié du mal que vous me causez. Je me fais une violence mortelle pour vous laisser maitresse de votre cœur ; mais si vous l'accordez à un autre, votre dureté causera ma mort.

Il ne m'étoit jamais arrivé de lui parler avec cette ouverture. Elle en fut frappée elle-même jusqu'à rougir. Et baissant ses yeux, vous ne me rendrez point coupable, me dit-elle, d'une faute qui ne peut être attribuée qu'à mon ignorance ; et si vous avez de moi l'opinion que je veux mériter, vous ne me soupçonnerez jamais de faire pour un autre ce que je n'ai pas fait pour vous. Je ne répondis rien à ce discours. Ce sentiment douloureux qui m'occupoit encore me rendoit rêveur et taciturne. Je ne voyois rien d'ailleurs dans la réponse de Théophé qui satisfît assez mes desirs pour m'applaudir de les avoir enfin déclarés. Qu'avois-je à espérer si elle demeuroit ferme dans ses idées de vertu, et que me convenoit-il de prétendre si elle les avoit oubliées en faveur de Synèse ? Cette réfléxion, ou plutôt l'indifférence que je croyois voir dans sa réponse, renouvellant toute mon inquiétude, je la quittai, d'un air moins tendre que chagrin, pour aller commencer par me délivrer de Synèse.

Il étoit revenu du jardin ; et lorsque je donnai ordre qu'on l'appellât, j'appris qu'il étoit dans mon appartement. Mais je reçus en même tems des avis de Constantinople qui me jettérent dans des alarmes beaucoup plus sérieuses pour quelques-uns de mes meilleurs amis. On me faisoit savoir par un exprès que l'aga des janissaires[56] avoit été arrêté la veille, sur quelques soupçons qui ne regardoient pas moins que la vie du Grand-Seigneur, et qu'on craignoit le même sort pour le sélictar et le *bostangi bachi[57], qui passoient pour ses meilleurs amis[58]. Mon secrétaire, de qui je recevois ces nouvelles, y joignoit ses propres conjectures. Dans le dégré de puissance et d'autorité dont le bostangi bachi jouïssoit au serrail du Grand-Seigneur, il doutoit, m'écrivoit-il, qu'on osât rien entreprendre contre sa personne ; mais il n'en étoit que plus persuadé qu'on n'épargneroit pas ses amis, parmi lesquels le sélictar, Chériber, Dély Azet, Mahmouth Prelga, Montel Olizun, et plusieurs autres seigneurs avec lesquels j'étois lié comme lui, tenoient le prémier rang. Il me demandoit là-dessus si je n'entreprendrois rien en leur faveur, ou si je ne pensois pas du moins à leur offrir quelque secours particulier contre le péril qui les menaçoit. La seule entreprise que j'eusse à former pour leur être utile, consistoit dans les sollicitations que je pouvois faire auprès du grand-vizir[59] ; mais s'il étoit question d'un intérêt d'Etat, je prévoyois qu'elles ne seroient pas fort écoutées. Mon secours avoit un sens plus étendu. Outre les moyens de fuir que je pouvois leur procurer facilement, il m'étoit aisé de rendre à quelques-uns d'entre eux le même service que mon prédécesseur n'avoit pas fait difficulté de rendre à Mahomet Ostun, c'est-à-dire de les *recevoir secrettement chez moi jusqu'à la fin de l'orage[60] ; et dans un pays où les ressentimens se dissipent après leur prémière chaleur, le danger n'est jamais grand pour ceux qui savent d'abord l'éviter. Cependant les devoirs de mon emploi ne me laissant pas toujours la liberté de me livrer sans précaution aux mouvemens de l'amitié, je pris le parti de retourner promptement à Constantinople, pour m'assurer des événemens par mes propres yeux.

Mais, en lisant mes lettres, j'avois apperçu Synèse, qui étoit effectivement à m'attendre, et dont la contenance timide sembloit m'annoncer quelque nouvelle scène. Il prévint les reproches dont j'allois l'accabler. A peine m'eut-il vu finir ma lecture que se jettant à mes genoux, avec un air d'humiliation qui ne coûte pas beaucoup aux Grecs, il me conjura d'oublier tout ce qu'il m'avoit dit de la naissance de Théophé, et de lui permettre de vivre à Oru avec plus de disposition que jamais à la reconnoitre pour sa sœur. Il ne comprenoit pas, ajouta-t-il, par quel caprice il avoit pu douter un moment d'une vérité dont il sentoit le témoignage au fond de son cœur, et malgré l'injustice de son père il étoit résolu de soutenir publiquement que Théophé étoit sa sœur. Je n'eus pas de peine à pénétrer l'adresse du jeune Grec. N'aiant tiré aucun fruit de son artifice, il vouloit se conserver du moins les plaisirs dont il étoit en possession. Ils ne lui causoient pas beaucoup de remords, puisqu'il en avoit jouï si longtems avec cette tranquillité, et c'étoit apparemment pour les pousser plus loin qu'il avoit pensé à se délivrer de l'incommode qualité de frère. Mais il vit toutes ses espérances ruïnées par ma réponse. Sans lui reprocher son amour, je lui dis que la vérité étant indépendante de son consentement ou de son desaveu, ce n'étoit pas le discours qu'il m'avoit tenu, ni la légèreté avec laquelle je le voyois changer de langage, qui régleroit mes idées sur la naissance de sa sœur; mais que j'en tirois une conclusion plus infaillible pour la certitude de ses propres sentimens; qu'en-vain la bouche se rétractoit quand le cœur s'étoit expliqué; et que pour lui apprendre en un mot ce que je pensois de lui, je le regardois comme un lâche qui s'étoit reconnu pour le frère de Théophé, qui avoit desavoué ce titre, et qui s'offroit à le reprendre par des raisons beaucoup plus méprisables que celles de son père. J'avoue que c'étoit à mon ressentiment que j'accordois cette espèce d'injure. Ensuite lui défendant de répliquer, j'appellai un de mes gens, à qui je donnai ordre de le reconduire sur le champ à Constantinople. Je le quittai, sans faire attention à son chagrin ; et m'étant souvenu seulement de la permission que je lui avois donné de faire ses adieux à sa sœur, je la retractai, par une défense absolue de lui parler avant son départ.

Me reposant sur mes gens de l'exécution de mes ordres, je remontai aussi-tôt dans ma chaise, que j'avois fait préparer après avoir lu mes lettres, et j'allai prendre de nouvelles informations chez moi, avant que de rien entreprendre en faveur de mes amis. Le crime du chef des janissaires étoit d'avoir vu dans sa prison *Ahmet*, l'un des frères du sultan *Mustapha*. On soupçonnoit le bostangi bachi de lui avoir facilité cette visite, et l'on en vouloit tirer le secret de l'aga. Comme il étoit mal depuis quelque tems avec le grand-vizir, on ne doutoit point que ce ministre intéressé à sa perte ne le poussât sans ménagement ; et ce qui me causa le plus de chagrin fut d'apprendre que Chériber venoit d'être arrêté avec Dély Azet, par cette seule raison qu'ils avoient passé chez l'aga une partie du jour qui avoit précédé son crime. J'aurois volé sur le champ chez le grand-vizir, si je n'avois consulté que mon amitié pour Chériber. Mais n'espérant pas beaucoup d'effet d'une sollicitation vague, je crus servir mieux mon ami en voyant d'abord le sélictar avec qui je pouvois prendre des mesures plus justes. Je me rendis chez lui. Il en étoit sorti, et la tristesse que je vis règner dans sa maison me persuada qu'on y étoit fort alarmé de son absence. Un esclave, pour qui je lui connoissois de la confiance, vint me dire secrettement que son maitre étant parti avec beaucoup de précipitation à la prémière nouvelle qu'il avoit eue de l'enlèvement de Chériber, il ne doutoit pas que le malheur de son ami ne l'eût porté à se mettre à couvert par la fuite. Ma réponse fut qu'il ne devoit pas différer un moment cette précaution, s'il étoit encore à la prendre, et je ne fis pas difficulté de charger l'esclave de lui offrir de ma part une retraite dans ma maison d'Oru, à la seule condition qu'il s'y rendroit la nuit et sans suite. Outre l'exemple de mon prédécesseur, j'avois celui du bacha Réjanto, qui s'étoit fait une réputation immortelle pour avoir donné une retraite au prince *Démétrius Cantimir[61]. D'ailleurs, il n'étoit pas question de dérober un criminel au châtiment, mais de mettre un galant-homme en sureté contre d'injustes soupçons.

Cependant, comme je ne me trouvois pas plus avancé dans les services que je voulois rendre à mes amis, je pris le parti de voir quelques seigneurs turcs de qui je pouvois espérer du moins plus d'information. Le bruit commençoit à se répandre que l'aga des janissaires, après avoir fait sa confession au milieu des supplices, avoit déja perdu la vie par le cordon des muets[62]. On auguroit bien pour le sélictar du délai qu'on avoit apporté à le faire arrêter, et je n'entendis point qu'on lui attribuât d'autre crime que son amitié pour l'aga. Mais Chériber et Dély Azet me parurent si menacés par la voix publique, que dans l'inquiétude dont je fus pressé pour deux de mes meilleurs amis, je ne vis plus de considération qui fût capable de m'arrêter. Je me rendis chez le grand-vizir. Ce n'étoit point par des motifs recherchés que je prétendois faire écouter ma recommandation dans une affaire d'Etat. Je ne fis valoir que la tendresse de mon amitié, et prenant soin d'excepter le cas où mes deux amis se seroient chargés de quelque faute dont je ne les croyois pas capables, je conjurai le vizir d'accorder quelque chose à mes instances. Il m'écouta d'un air sérieux. Vous devez être persuadé, me dit-il, que la justice du Grand-Seigneur n'est pas aveugle, et qu'elle sait mettre de la distinction entre le crime et l'innocence. N'appréhendez rien pour vos amis, s'ils n'ont rien à se reprocher. Il ajouta que ma recommandation néanmoins ne seroit jamais sans poids à la Porte, et qu'il me promettoit que les deux bachas s'en ressentiroient. Mais éclatant de rire aussi-tôt, il me dit que le sélictar devoit la croire bien puissante, puisque la crainte lui avoit fait chercher un asyle dans ma maison. Je ne compris point le sens de cette plaisanterie. Il continua sur le même ton, en affectant même de louer mon embarras et mon silence, qu'il regardoit comme l'effet de ma discrétion. Mais lorsque je lui eus protesté dans les termes les plus clairs que j'ignorois où le sélictar s'étoit retiré, il m'apprit qu'aiant attaché des espions sur ses traces, il savoit qu'il s'étoit rendu la nuit précédente à ma maison d'Oru, avec si peu de suite qu'il ne paroissoit pas douteux que ce ne fût pour se tenir à couvert. Je ne le crois coupable de rien, ajouta-t-il, et je ne lui ferai pas un crime de ses anciennes liaisons avec l'aga des janissaires. Mais j'avois jugé à propos de le faire observer, et je ne suis point fâché qu'il ait eu assez de frayeur pour devenir un peu plus circonspect dans le choix de ses amis. Il me donna sa parole, après ce discours, qu'il ne lui causeroit aucun chagrin chez moi ; mais il me fit promettre de lui cacher ce qu'il m'apprenoit, pour laisser durer quelque tems son inquiétude.

Il ne me devint pas plus aisé de comprendre que le sélictar fût à Oru. J'en étois parti au milieu du jour. Quelle apparence qu'il y fût sans ma participation, et qu'il eût engagé mes domestiques à me faire un mystère de son arrivée ? Sa passion pour Théophé fut la prémière idée qui me vint à l'esprit. Ne penseroit-il pas moins à la sureté de sa vie qu'au succès de son amour ; et s'il étoit vrai, me dis-je à moi-même, qu'il fût caché dans ma maison depuis cette nuit, est-il vraisemblable qu'il n'y soit pas de concert avec Théophé ? Qu'on se forme l'idée qu'on voudra des sentimens que j'avois pour elle. Si l'on ne trouve point que je méritasse la qualité de son amant, qu'on me regarde comme son gardien ou comme son censeur ;

mais le moindre de ces titres suffisoit pour m'inspirer une vive alarme. Je ne pensai qu'à regagner Oru. Je demandai, en arrivant, au prémier domestique qui se présenta, où étoit le sélictar, et comment il se trouvoit chez moi sans ma connoissance. C'étoit celui que j'avois chargé de reconduire Synèse. Quoique je fusse surpris de le trouver de retour * si tôt, je conçus qu'il pouvoit l'être avec beaucoup de diligence ; et ce ne fut qu'après qu'il m'eut assuré que le sélictar n'étoit pas chez moi, que je lui demandai comment il s'étoit acquitté de mes ordres. Il est difficile qu'il n'eût pas laissé échapper quelque marque de confusion dans sa réponse ; mais n'aiant aucune raison de m'en défier, je ne m'arrêtai point à remarquer de quel air il me répondit qu'il avoit remis Synèse chez son père. Cependant j'étois également trompé sur l'une et l'autre question ; avec cette différence qu'il étoit de bonne-foi sur la prémière, et qu'en répondant à la seconde, il avoit employé le mensonge pour me cacher une trahison dont il étoit complice. En un mot, lorsque je demeurois persuadé que le sélictar n'étoit pas venu chez moi, et que Synèse en étoit parti, ils y étoient tous deux, et je l'ignorai pendant plusieurs jours.

Synèse avoit regardé l'ordre de son départ comme l'arrêt de sa mort. N'aiant point d'autre ressource que l'adresse pour se dispenser d'obéir, il avoit fait réfléxion que mes gens n'étoient point informés de mes motifs, et qu'il pouvoit espérer de les faire consentir à le laisser du moins à Oru jusqu'à mon retour. Ensuite craignant, comme il arrivoit, que je ne revinsse au moment qu'on m'attendroit le moins, il s'étoit réduit à gagner par un présent considérable le laquais sur qui je m'étois reposé du soin de le conduire. Je ne sai par quel prétexte il avoit coloré sa proposition ; mais après l'avoir mis dans ses intérêts il avoit feint de partir avec lui, et ils étoient rentrés tous deux quelques momens après. Synèse s'étoit renfermé dans sa chambre, et le laquais avoit reparu dans la maison au bout de quelques heures, comme s'il étoit arrivé de la ville après avoir exécuté sa commission.

L'avanture du sélictar étoit plus composée. On n'a point oublié que Bema étoit peu satisfaite de sa condition, et que soit qu'elle fût piquée que je parusse manquer de confiance pour elle, soit que sa vanité seule lui fît trouver qu'elle n'occupoit pas le rang qu'elle méritoit dans ma maison, elle me regardoit comme un étranger qui ne faisoit pas assez de cas de ses talens, et qu'elle ne pouvoit servir qu'à regret. Les visites du sélictar aiant été fréquentes, elle avoit trop de pénétration pour n'avoir pas découvert les vues qui l'amenoient. Son caractère, formé à l'intrigue par une longue expérience du serrail, trouva de quoi s'employer agréablement dans ce qui pouvoit servir à la venger. Elle s'étoit procuré l'occasion de parler au sélictar, et lui aiant offert ses services auprès de Théophé, elle étoit parvenue à lui persuader que son bonheur dépendoit d'elle. Les espérances qu'elle lui avoit données surpassoient beaucoup l'idée qu'elle en avoit elle-même ; car n'ignorant point les termes où j'en étois avec Théophé, elle ne pouvoit penser qu'il lui fût aisé d'en obtenir pour le sélictar ce qu'elle savoit qu'on ne m'avoit point accordé. Mais c'étoit sur cette connoissance même qu'elle se fondoit pour nourrir la foiblesse d'un amant. Après l'avoir confirmé dans l'opinion où il avoit toujours été que je n'avois aucune liaison de galanterie avec mon élève, elle s'étoit flattée de connoitre assez les inclinations et le tempérament d'une fille de cet âge pour répondre qu'elle ne résisteroit pas éternellement au goût du plaisir, et la prémière promesse qu'elle avoit faite étoit fondée sur l'espoir de ne pas trouver de résistance.

Il est vrai qu'attachée sans cesse autour de Théophé, et si habile d'ailleurs à gouverner son sexe, elle étoit plus redoutable dans cette entreprise que la chaleur même du tempérament sur laquelle toutes les espérances du sélictar étoient fondées. Cependant, quelque adresse qu'elle y eût employée, son projet devoit être peu avancé lorsque la disgrace de l'aga des janissaires avoit jetté la consternation dans l'esprit du sélictar. Toutes ses craintes n'aiant pu diminuer sa passion, il avoit pressé d'autant plus Bema que dans les incertitudes auxquelles il s'étoit d'abord livré, il avoit mis en délibération s'il ne devoit pas se sauver chez les chrétiens avec tout ce qu'il pourroit recueillir de sa fortune, et qu'il l'auroit sacrifiée volontiers toute entière pour être accompagné de Théophé dans sa fuite. Mais l'intriguante Bema, qui n'avoit osé lui promettre un succès si prompt, s'étoit hazardée à lui proposer une retraite près de sa maitresse. Ma maison étoit réglée suivant nos usages, c'est-à-dire que ne m'assujettissant pas même à celui des Turcs pour le logement des femmes, elles étoient distribuées indifféremment dans les chambres que mon maitre d'hôtel leur avoit assignées. Celle de Bema joignoit l'appartement de Théophé. Ce fut dans ce réduit qu'elle offrit au sélictar de lui donner un asyle. Elle lui en fit d'autant plus valoir la sureté qu'ignorant moi-même le service qu'on lui rendoit dans ma maison, il ne devoit pas craindre que je fisse céder l'amitié à la politique, et que d'un autre côté je ne pouvois manquer d'être fort satisfait, après le péril, d'avoir été de quelque utilité pour mon ami. Il est bien moins étrange que cette pensée fût venue à l'esprit d'une femme exercée dans toutes sortes d'intrigues, qu'il ne l'est qu'un homme du rang du sélictar puisse l'avoir approuvée. Aussi trouvai-je cet événement si extraordinaire, après en avoir découvert toutes les circonstances, que je le donnerois pour un exemple des plus hautes folies de l'amour, si ce motif n'avoit été secondé dans le sélictar par la crainte où il étoit pour sa vie.

Mais je puis ajouter que la fierté des Turcs est la prémière chose qui disparoit dans l'adversité. Comme toute leur grandeur est empruntée de celle de leur maitre, dont ils font profession d'être les esclaves, il ne leur en reste rien à la moindre disgrace ; et dans la plupart, les motifs d'orgueil sont bien foibles quand ils sont réduits au mérite personnel. Cependant je connoissois d'assez bonnes qualités au sélictar pour le croire redoutable en amour, sur-tout près d'une femme élevée dans le même pays, et dont le goût par conséquent ne pouvoit être blessé de ce que nous trouverions dégoûtant dans un Turc. Je ne parlai point à Théophé des idées qui m'avoient ramené * de Constantinople. Au contraire, me voyant d'autant plus libre avec elle que je me trouvois comme déchargé du fardeau qui m'avoit pesé sur le cœur, je marquai dans notre entretien une satisfaction dont elle s'apperçut assez pour me demander ce qui causoit ma joie. C'étoit une occasion de lui répéter avec plus d'enjouement ce que je lui avois déclaré le matin d'un ton trop triste et trop langoureux. Mais autant qu'il étoit sûr qu'elle règnoit dans mon cœur, autant m'étoit-il encore incertain quel cours je devois laisser prendre à mes sentimens ; et me retrouvant l'esprit libre depuis que j'étois délivré de mes craintes, j'eus assez de force pour retenir le mouvement qui me portoit à l'entretenir de ma tendresse. Aujourd'hui qu'en réfléchissant sur le passé, je juge peut-être beaucoup mieux qu'alors quelles étoient mes dispositions, il me semble que ce que je desirois secrettement étoit que Théophé eût pris pour moi une partie de l'inclination que j'avois pour elle, ou du moins qu'elle m'en eût laissé voir quelques marques ; car j'étois encore porté à me flatter que j'avois plus de part que personne à son affection, mais retenu par mes principes d'honneur autant que par mes promesses, je n'aurois pas voulu devoir la conquête de son cœur à mes séductions ; et ce que je desirois d'elle, mon bonheur auroit été qu'elle eût paru le souhaiter comme moi[63].

Fin du prémier livre

LIVRE SECOND

Nous étions dans la plus belle saison de l'année. Mon jardin réunissant tout ce qu'on peut s'imaginer d'agréable dans une campagne, je proposai à Théophé d'y prendre l'air après souper. Nous fimes quelques tours dans les plus belles allées. L'obscurité n'étoit pas si profonde que je ne crusse avoir apperçu dans divers enfoncemens la figure d'un homme. Je me figurai que c'étoit mon ombre, ou quelqu'un de mes domestiques[64]. Dans un autre endroit, j'entendis le mouvement de quelque feuillage, et mon esprit ne se tournant point à la défiance, je m'imaginai que c'étoit le vent. Il s'étoit refroidi tout d'un coup. Le mouvement que j'avois entendu me parut un signe d'orage, et je pressai Théophé de s'avancer vers un cabinet de verdure où nous pouvions nous mettre à couvert. Bema nous suivoit avec une autre esclave de son sexe. Nous nous assimes quelques momens, et je crus entendre le bruit d'une marche lente à peu de distance du cabinet. J'appellai Bema, à qui je fis une question indifférente pour m'assurer seulement de l'éloignement où elle étoit de moi. Elle n'étoit pas du côté où j'avois entendu marcher. Je commençai alors à soupçonner que nous étions écoutés, et ne voulant point causer de frayeur à Théophé, je me levai sous quelque prétexte pour découvrir qui étoit capable de cette indiscrétion. Il ne me tomba point encore dans l'esprit que ce pût être un autre qu'un de mes domestiques. Mais n'aiant apperçu personne, je rejoignis tranquillement Théophé. La nuit commençoit à s'avancer. Nous retournames à son appartement sans avoir fait d'autre rencontre.

Cependant, comme je ne pouvois m'ôter de l'imagination que j'avois entendu quelqu'un autour de nous, et qu'il me paroissoit important de punir cette hardiesse dans mes domestiques, je résolus, en quittant Théophé, de m'arrêter quelque tems à la porte du jardin, qui n'étoit pas éloignée de son appartement. Ma pensée étoit d'y surprendre moi-même le curieux qui nous avoit suivis, lorsqu'il lui prendroit envie de se retirer. Cette porte étoit une grille de fer, par laquelle il falloit passer nécessairement ; je n'y fus pas longtems sans distinguer dans les ténèbres un homme qui venoit vers moi ; mais il m'apperçut aussi, quoiqu'il lui fût impossible de me reconnoitre, et retournant sur ses pas, il ne pensa qu'à regagner le bois d'où il sortoit. Mon impatience me fit marcher sur ses traces. Je levai même la voix, pour lui faire entendre qui j'étois, et je lui ordonnai d'arrêter. Mon ordre ne fut point écouté. Le ressentiment que j'en eus fut si vif que, prenant un autre parti pour m'éclaircir sur le champ, je rentrai chez moi, et je donnai ordre qu'on appellât tout ce que j'avois de domestiques à Oru. Le nombre n'en étoit pas infini. J'en avois sept, qui parurent au même moment. Ma confusion augmenta jusqu'à me faire cacher le motif qui m'avoit porté à les assembler, et le sélictar me revenant à l'esprit avec tous les soupçons qui pouvoient accompagner cette idée, je fus indigné d'une trahison dont je ne crus pas qu'il me fût permis de douter. Il me parut clair qu'il s'étoit logé dans quelque maison du voisinage, d'où il se flattoit de s'introduire chez moi pendant la nuit. Mais étoit-ce de l'aveu de Théophé ? Ce doute qui s'éleva aussi-tôt dans mon esprit me jetta dans une mortelle amertume. J'aurois donné ordre à tous mes gens de descendre au jardin, si je n'eusse été retenu par une autre pensée, qui me fit prendre une résolution toute différente. Il me parut beaucoup plus important d'approfondir les intentions du sélictar que de l'arrêter. Ce fut à moi-même que je réservai ce soin. Je renvoyai tous mes gens, sans en excepter mon valet de chambre, et retournant à la porte du jardin, je m'y cachai avec plus de soin que je n'avois fait la prémière fois, dans l'espérance d'y voir revenir le sélictar avant la fin de la nuit. Mais j'eus encore le chagrin de m'être fatigué fort inutilement.

Il étoit rentré pendant que je faisois assembler mes gens. Bema, qui l'avoit conduit elle-même au jardin, s'étoit défiée de mes soupçons, et quittant sa maitresse sous quelque prétexte, elle l'avoit rappellé assez promptement pour le dérober à mes recherches. Je passai tout le jour suivant dans un chagrin que je ne pus déguiser. Je ne vis pas même Théophé, et l'inquiétude qu'elle me fit marquer le soir pour ma santé me parut une perfidie dont je cherchois déja le moyen de me venger. Pour augmenter mon trouble, je reçus avis à la fin du jour que la vie du bacha Chériber étoit dans le dernier danger, et que ses amis, qui savoient déja la démarche que j'avois faite en sa faveur, me conjuroient de revoir le grand-vizir pour renouveller mes sollicitations. Quel contretems, à l'entrée d'une nuit où j'étois résolu de recommencer ma garde à la porte de mon jardin, et où je me repaissois déja de la confusion dont je voulois couvrir le sélictar ! Cependant, il n'y avoit point à balancer entre l'intérêt d'une passion et celui du devoir. Le seul tempérament qui pouvoit se concilier avec l'un et l'autre étoit de faire assez promptement le voyage de Constantinople pour être de retour avant que la nuit fût trop avancée. Mais en pesant l'emploi de * tous les momens, ma plus grande diligence ne pouvoit me rendre chez moi avant minuit ; et qui me répondoit qu'on n'abuseroit point de mon absence ?

J'en vins ainsi par dégrés à me faire un reproche d'avoir rejetté les conseils de Bema ; et dans l'extrémité pressante où j'étois, je ne vis point d'autre ressource que d'y recourir du moins dans cette occasion. Je la fis appeller. Bema, lui dis-je, des affaires indispensables m'appellent à Constantinople. Je ne puis abandonner Théophé à elle-même, et je sens la nécessité d'avoir près d'elle une gouvernante aussi fidèle que vous. Prenez-en, sinon le titre, du moins l'autorité jusqu'à mon retour. Je vous confie le soin de sa santé et de sa conduite. Jamais on ne s'est livré si follement à la perfidie. Cependant, cette misérable m'a confessé, dans un moment où les circonstances la forçoient d'être sincère, que si je n'eusse point borné sa commission, et qu'au-lieu de lui en faire envisager la fin à mon retour, je lui eusse donné l'espérance de conserver toute sa vie le même ascendant dans ma maison, elle auroit rompu tous ses engagemens avec le sélictar pour me servir fidèlement.

Je partis extrèmement soulagé ; mais mon voyage fut inutile à mes deux amis. J'appris en arrivant chez moi que le grand-vizir y avoit envoyé deux fois un de ses principaux officiers, qui avoit marqué beaucoup de regret de ne me pas rencontrer, et quelques bruits qui avoient commencé à se répandre sourdement me firent mal augurer du sort des deux bachas. Cette nouvelle, jointe à ce qu'on m'apprenoit du grand-vizir, ne me permit pas de prendre un moment de repos. Je me rendis chez ce ministre, quoiqu'il ne fût pas moins de dix heures, et prenant pour prétexte l'impatience que j'avois de savoir ce qu'il desiroit de moi, je le fis presser, au serrail même où je m'étois fait assurer qu'il étoit, de m'accorder un moment d'entretien. Il ne me le fit pas trop attendre ; mais il abrégea ma visite et mes plaintes par le soin qu'il eut de prévenir mon discours. Je n'ai pas voulu, me dit-il, que vous pussiez m'accuser d'avoir manqué d'égard pour votre recommandation ; et si mon officier vous eût trouvé chez vous, il étoit chargé de vous apprendre que le Grand-Seigneur n'a pu se dispenser d'exercer sa justice sur les deux bachas. Ils étoient coupables.

Quelque intérêt que j'eusse pris à leur justification, il ne me restoit rien à opposer contre une déclaration si formelle. Mais en confessant que les crimes d'Etat ne méritent point d'indulgence, je demandai au grand-vizir si celui de Chériber et d'Azet étoit un mystère que je ne dusse pas pénétrer. Il me répondit que leur crime et leur supplice seroient publiés le lendemain, et que c'étoit m'accorder une faveur légère que de me les apprendre quelques heures * plus tôt. Aurisan Muley, aga des janissaires, irrité depuis longtems contre la cour, qui avoit entrepris de diminuer son autorité, s'étoit proposé de mettre sur le trône le prince Ahmet, second frère du sultan, qu'il avoit élevé dans son enfance, et qui s'étoit fait renfermer depuis quelques mois dans une étroite prison, pour quelques railleries auxquelles il s'étoit échappé contre son frère. Il avoit fallu s'assurer des dispositions de ce prince, et former des intelligences avec lui dans sa prison. L'aga y étoit parvenu avec une adresse dont les ressorts n'étoient pas encore connus, et c'étoit le seul embarras qui restât au ministre. En cédant à la force des tourmens qui lui avoient arraché la confession de son crime, il avoit gardé une fidélité inviolable à ses amis, et le vizir m'avoua lui-même qu'il ne pouvoit lui refuser son admiration ; mais ses étroites liaisons avec Chériber et Dély Azet, qui avoient été successivement les deux derniers bachas d'Egypte, avoient fait prendre au divan[65] le parti de les faire arrêter. Ils possédoient tous deux d'immenses richesses, et leur crédit étoit encore si puissant dans l'Egypte, qu'on n'avoit pas douté qu'ils ne fussent les principaux fondemens de l'entreprise de l'aga. En effet, la crainte d'une cruelle torture, dont ils n'avoient pu soutenir l'approche à leur âge, les avoit forcés d'avouer qu'ils étoient entrés dans la conspiration ; et que le projet formé entre les conjurés étoit de passer en Egypte avec Ahmet, si l'on ne réussissoit point à l'établir tout d'un coup sur le trône. Cet aveu n'avoit point empêché qu'on ne leur eût fait souffrir divers tourmens, pour tirer d'eux le nom de tous leurs complices, et pour s'assurer particulièrement si le bostangi bachi et le sélictar étoient coupables. Mais soit qu'ils l'ignorassent en effet, soit qu'ils se fussent piqués de la même constance que l'aga, ils avoient persisté jusqu'à la mort à ne les charger d'aucune trahison. Quatre heures *plus tôt, me dit le grand-vizir, vous les auriez trouvés étendus dans mon anti-chambre, car c'est avec moi qu'ils ont eu leur dernier entretien, et l'ordre du Grand-Seigneur étoit qu'ils fussent exécutés en me quittant[66].

Quelque saisissement que je ressentisse d'une catastrophe si récente, un reste d'amitié pour le sélictar me fit demander au ministre s'il étoit assez justifié pour se montrer sans crainte. Ecoutez, me dit-il, je l'aime et je suis fort éloigné de le chagriner mal à propos; mais comme sa fuite a fait naitre de fâcheuses préventions au conseil, je souhaite qu'il ne reparoisse point sans avoir fait répandre quelque bruit qui explique le mystère de son absence. Et puisqu'il a pris le parti de se retirer chez vous, gardez-le, ajouta-t-il, jusqu'à ce que je vous fasse avertir. La confiance du vizir me parut une nouvelle faveur dont je le remerciai; mais ignorant en effet que le sélictar fût chez moi, je me crus intéressé à lui faire perdre l'opinion où il étoit, et je lui protestai si naturellement que ne faisant que d'arriver d'Oru, où j'avois passé la nuit précédente et tout le jour, j'étois sûr qu'on n'y avoit pas vu le sélictar, qu'il aima mieux croire que ses espions l'avoient trompé que de douter un moment de ma bonne-foi.

Mon voyage se trouvant fort abrégé par un si malheureux dénouement, j'eus une joie sensible de pouvoir regagner Oru avant la fin de la nuit, et je comptai d'y être assez tôt pour surprendre le sélictar dans mon jardin. Je roulois déja les moyens de ne le pas manquer. Mais étant retourné à ma maison de Constantinople, j'y trouvai mon valet de chambre qui m'attendoit avec la dernière impatience, et qui me pria de l'écouter aussi-tôt à l'écart. J'arrive, me dit-il, avec des nouvelles qui vous causeront autant d'étonnement que de chagrin. Synèse est mourant d'une blessure qu'il a reçue du sélictar. Théophé est réduite au même état par la frayeur. Bema est une misérable, que je crois la source de tout le trouble, et que j'ai fait renfermer par précaution jusqu'à votre arrivée. Je crois votre présence nécessaire à Oru, continua-t-il, ne fût-ce que pour prévenir le dessein du sélictar, qui ne peut être éloigné de votre maison, et qui est capable d'y revenir avec assez de forces pour s'y rendre le maitre. Les regrets qu'il a marqués de sa violence me paroissent fort suspects. Seul comme il étoit, je l'aurois fait arrêter lui-même, si je n'avois appréhendé de vous déplaire. Cependant, ajouta mon valet, le soin que j'ai eu de mettre le reste de vos gens en état de défense doit vous rendre tranquille contre ses entreprises.

Un *événement si imprévu ne me permettant guères de l'être, je partis sur le champ, avec la précaution de me faire accompagner de quatre domestiques bien armés. Le trouble où je trouvai encore ceux d'Oru me rendit témoignage qu'on ne m'avoit rien exagéré. Ils faisoient la garde à ma porte, avec une douzaine de fusils qui me servoient à la chasse. Je leur demandai des nouvelles de Théophé et de Synèse, dont je ne comprenois point encore l'avanture. Ils ignoroient comme moi qu'il n'eût pas quitté ma maison, et personne ne sachant comment le sélictar s'y étoit introduit, cette scène devenoit plaisante par les précautions qu'ils prenoient pour l'empêcher d'y rentrer pendant qu'il n'en étoit pas sorti. Cependant m'en étant fait expliquer plus soigneusement les circonstances, j'appris d'eux tout ce qu'ils en avoient pu découvrir. Les cris de Synèse les avoient attirés dans l'appartement de Théophé, où ils avoient trouvé ce jeune-homme aux prises avec le sélictar, et déja blessé d'un coup de poignard qui mettoit sa vie en danger. Bema sembloit prendre parti contre lui, et pressoit le sélictar de le punir. Ils les avoient séparés.

Le sélictar s'étoit dérobé avec beaucoup d'adresse, et Synèse étoit demeuré baigné dans son sang, tandis que Théophé tremblante et presque évanouie conjuroit mes domestiques de ne pas perdre un moment pour me faire avertir[67].

Ce soin qu'elle avoit eu de penser à moi me toucha jusqu'à me faire passer aussi-tôt dans son appartement. Je fus encore plus rassuré par les marques de joie qu'elle fit éclater en me voyant paroître. Je m'approchai de son lit. Elle saisit ma main, qu'elle serra dans les siennes. Ciel ! me dit-elle, avec le mouvement d'un cœur qui paroissoit soulagé, de quelles horreurs ai-je été témoin pendant votre absence ! Vous m'auriez trouvé morte d'effroi, si vous aviez tardé plus longtems. Le ton dont ces quatre mots furent prononcés me parut si naturel et si tendre, que sentant évanouïr non-seulement tous mes soupçons, mais jusqu'à l'attention que je devois aux circonstances, je fus tenté de me livrer à la prémière douceur qui eût encore flatté ma tendresse. Cependant je renfermai toute ma joie dans mon cœur, et me contentant de baiser les mains de Théophé, apprenez-moi donc, lui dis-je avec un transport dont je ne pus empêcher qu'il ne se communiquât quelque chose à mes expressions, ce que je dois penser des horreurs dont vous vous plaignez. Apprenez-moi comment vous pouvez vous en plaindre, lorsqu'elles se sont passées dans votre chambre. Que faisoit ici le sélictar ? Qu'y faisoit Synèse ? Tous mes gens l'ignorent. Serez-vous sincère à me faire ce récit ?

Voilà les craintes, me dit-elle, qui m'ont le plus effrayée. J'ai prévu que ne trouvant que de l'obscurité dans ce que vous apprendriez ici, vous auriez peine à m'exempter de quelques soupçons ; mais j'atteste le Ciel que je ne vois pas plus clair que vous dans ce qui vient d'arriver. A peine étiez-vous parti, continua-t-elle, que n'aiant pensé qu'à me retirer, Bema m'est venue tenir de longs discours auxquels j'ai prêté peu d'attention. Elle m'a raillée du goût que j'ai pour la lecture et pour les autres exercices qui font mon occupation. Elle m'a parlé de tendresse, et de la douceur qu'on trouve à mon âge dans les plaisirs de l'amour. Cent histoires de galanterie qu'elle m'a racontées m'ont paru comme autant de reproches qu'elle me faisoit de ne pas suivre de si agréables exemples. Elle a sondé mes sentimens par diverses questions ; et cet empressement, que je ne lui avois jamais vu, commençant à me devenir importun, j'ai d'autant plus souffert de la nécessité où j'étois de l'écouter, qu'elle m'avoit fait entendre que vous lui aviez donné quelque empire sur moi, et qu'elle ne prétendoit l'employer qu'à me rendre heureuse. Enfin m'aiant quittée, après m'avoir mise au lit, il s'étoit passé à peine un instant lorsque j'ai entendu doucement ouvrir ma porte... J'ai reconnu Synèse à la lumière de ma bougie. Sa vue m'a causé plus de surprise que de frayeur ; cependant tout ce que vous m'avez raconté étant revenu à ma mémoire, j'aurois témoigné de l'inquiétude, s'il ne m'étoit tombé dans l'esprit pour expliquer sa visite, que vous aviez pu lui pardonner en arrivant à Constantinople, et que vous me l'aviez peut-être renvoyé avec quelques ordres dont vous l'aviez chargé pour moi. J'ai souffert qu'il se soit approché. Il m'a commencé un discours qui ne contenoit que des plaintes de son sort, et que j'ai interrompu lorsqu'il m'a paru certain qu'il n'étoit point ici de votre part. Entre mille témoignages de douleur il s'est jetté à genoux devant mon lit avec beaucoup d'agitation. C'est dans ce moment que Bema est entrée avec le sélictar ; ne me demandez plus ce que l'augmentation de mon trouble ne m'a pas permis de remarquer distinctement. J'ai entendu les cris de Bema, qui reprochoit sa témérité à Synèse, et qui excitoit le sélictar à l'en punir. Ils avoient tous deux des armes. Synèse menacé s'est mis en état de se défendre. Mais aiant été blessé par le sélictar, il l'a saisi au corps, et je voyois les deux poignards briller en l'air dans les efforts qu'ils faisoient tous deux pour se porter des coups et pour les repousser. Le bruit de leur combat, plutôt que mes cris, car ma frayeur les rendoit trop foibles pour se faire entendre, a fait venir vos domestiques ; et tout ce que j'en ai pu recueillir depuis ce moment, est qu'on étoit parti à ma prière pour aller presser votre retour.

Son innocence étoit si claire dans ce récit, que regrettant de l'avoir soupçonnée, je m'efforçai au contraire de la délivrer d'un reste de frayeur qui paroissoit encore dans ses yeux. Et peut-être qu'au milieu de mes vives protestations d'attachement, dont je crus remarquer qu'elle s'attendrissoit, j'aurois emporté insensiblement ce que j'avois renoncé à lui demander, si mes propres résolutions ne m'eussent soutenu contre l'émotion de mes sens. Mais mon système étoit formé ; et je crois que dans les sentimens auxquels j'étois revenu pour elle, j'aurois été fâché de lui trouver une facilité qui auroit diminué quelque chose de mon estime.

Cependant ne laissant rien échapper de ce qui étoit capable de flatter mon cœur, je tirai assez de satisfaction de cette rencontre pour regarder les obscurités qui me restoient encore à pénétrer comme des événemens qui commençoient à me toucher moins, et que j'allois examiner avec un esprit plus libre. Souvenez-vous, dis-je à Théophé, pour lui faire connoitre une partie de mes espérances, que vous m'avez laissé entrevoir aujourd'hui ce que je me flatte de découvrir quelque jour plus parfaitement. Elle parut incertaine du sens de ce discours. Je m'explique assez, repris-je ; et je me persuadai en effet, en la quittant, qu'elle avoit feint de ne pas m'entendre. Je me fis amener aussi-tôt Bema. Cette artificieuse esclave espéra pendant quelques momens de me tromper par des impostures. Elle entreprit de me persuader que c'étoit le hazard qui avoit amené chez moi le sélictar à l'entrée de la nuit, et que s'étant apperçue au moment qu'elle l'avoit rencontré que Synèse étoit dans l'appartement de Théophé, son zèle pour l'honneur de ma maison, l'avoit portée à prier ce seigneur de punir l'insulte que je recevois de ce jeune téméraire. L'aiant vu disparoître avant qu'elle eût été arrêtée, elle se flattoit encore que * s'il n'avoit pas quitté tout à fait ma maison il auroit regagné secrettement son asyle, et que dans l'une ou l'autre supposition elle auroit le tems de le prévenir sur ce qu'elle inventoit pour sa défense. Mais je n'avois pas été si longtems en Turquie sans savoir les droits qu'un maitre a sur ses esclaves, et ne voyant aucune apparence que le sélictar se fût retiré furtivement s'il étoit venu dans ma maison avec des vues innocentes, je résolus d'employer les voies les plus rigoureuses pour éclaircir la vérité. Les raisons que mon valet de chambre avoit eues d'arrêter Bema devoient faire sur moi autant d'impression du moins que sur lui. En un mot je parlai de supplices à mon esclave, et le ton qu'elle me vit prendre lui faisant croire cette menace sérieuse, elle me confessa en tremblant le fond de son intrigue.

Lorsque j'eus achevé de m'assurer que le sélictar n'avoit vu Théophé que dans les circonstances de cette nuit, je trouvai dans son avanture plus de sujet de le railler de sa mauvaise fortune que de m'offenser du séjour qu'il avoit fait dans ma maison. Bema dissipa même jusqu'aux moindres traces de mon ressentiment en m'apprenant les principales raisons qui l'avoient porté à m'en faire un mystère. Mais ce qui rendoit mon ami plus excusable ne suffisant pas pour la justifier, je me réservai à examiner le châtiment qu'elle méritoit pour avoir trahi ma confiance ; et ce fut alors qu'elle prit le prophète à témoin que je n'aurois jamais eu de reproche à lui faire si je ne m'étois reposé sur elle à demi. Cette franchise diminua beaucoup ma colère. Il restoit à savoir d'elle ce que le sélictar pouvoit être devenu. Elle ne balança point à me répondre qu'elle le croyoit retourné dans sa chambre ; et pour m'en éclaircir, elle me dit qu'il suffisoit de voir si la porte étoit fermée. Ne pouvant douter qu'il n'y fût à cette marque, la seule vengeance que je pensai à tirer de lui, fut de l'y laisser jusqu'à ce que la faim le pressât d'en sortir, et de mettre mon valet de chambre en garde à la porte, pour le recevoir au moment qu'il seroit forcé de se montrer. Bema, que je laissai dans sa prison, ne pouvoit troubler la satisfaction que je me promis de cette scène.

A l'égard de Synèse, elle n'avoit eu aucun éclaircissement à me donner, puisque personne n'avoit été plus trompé qu'elle en le surprenant dans l'appartement de Théophé. Mais il me causoit si peu d'inquiétude, qu'apprenant que sa blessure étoit effectivement très dangereuse, j'ordonnai qu'on en prît soin, et je remis à le voir lorsqu'il commenceroit à se rétablir. Qu'il ne fût point sorti de chez moi, ou qu'il y fût revenu après son départ, c'étoit l'infidélité d'un de mes gens, qui n'étoit point assez importante pour m'en faire hâter beaucoup la punition. Et dès que je me croyois sûr de la sagesse de Théophé, il m'étoit si indifférent qu'elle fût aimée de ce jeune Grec, que je prévis au contraire qu'elle en pourroit tirer quelque avantage du côté de son père. Cette réfléxion ne s'étoit pas présentée d'abord à moi; mais en y pensant, depuis le dernier entretien que j'avois eu avec lui, j'avois conçu que si sa passion se soutenoit dans la même ardeur, elle me donneroit occasion de mettre son père à de nouvelles épreuves en feignant de vouloir le marier avec Théophé. Si le seigneur Condoidi n'avoit pas perdu tout sentiment d'honneur et de religion avec ceux de la nature, il me paroissoit impossible qu'il ne s'opposât point à ce mariage incestueux; et dans un pays ou les droits des pères ont fort peu d'étendue, je pouvois le réduire à cette seule objection pour l'empêcher.

Ainsi des incidens qui m'avoient causé tant de vives alarmes n'eurent point de suites plus fâcheuses que la blessure de Synèse et le châtiment de quelques domestiques. Je me défis de Bema, quelques jours après, avec cette circonstance humiliante pour elle que je ne la fis vendre que la moitié de ce qu'elle m'avoit coûté. C'est une sorte de punition qui ne convient qu'aux personnes riches, qui ont en même tems assez de bonté pour ne pas traiter avec trop de rigueur une esclave coupable ; mais pour peu que ces misérables aient de sentiment, ils en sont d'autant plus touchés, qu'en perdant un certain prix qu'ils ont à leurs propres yeux, ils se croyent rabaissés, si l'on peut dire que cela soit possible, au-dessous même de leur triste condition. J'ai su néanmoins que s'étant recommandée ensuite au sélictar, Bema avoit obtenu de la reconnoissance de ce seigneur qu'il l'achetât pour son serrail.

Pour lui, je n'eus pas le plaisir que j'avois espéré de le voir céder à la soif ou à la faim. Dès la même nuit, comprenant par le long délai de sa confidente qu'elle étoit retenue malgré elle, et qu'il alloit se trouver dans un cruel embarras sans son secours, il prit le parti de ne pas attendre le jour pour sortir de sa retraite, et connoissant ma maison, il se flatta de s'échapper facilement à la faveur des ténèbres. Il tomba dans les bras de mon valet de chambre, qui occupoit déja son poste. J'exposois ce fidèle garçon à périr peut-être d'un coup de poignard ; mais s'en étant défié lui-même, il eut soin de prendre un ton assez doux pour faire entendre tout d'un coup au sélictar qu'il n'avoit à craindre aucune violence, et que je ne lui préparois que des caresses et des services. Il se laissa conduire avec quelques marques de défiance. J'étois au lit. Je me levai avec empressement, et feignant beaucoup de surprise : Quoi ? c'est le sélictar, m'écriai-je ; eh ! par quel hazard... Il m'interrompit d'un air confus. Epargnez-moi, me dit-il, des railleries que je mérite. Vos reproches mêmes seront justes si vous ne les faites tomber que sur la visite nocturne que j'ai voulu rendre à Théophé ; mais dans l'usage que j'ai fait de mon poignard, je n'ai pensé qu'à vous servir, quoique le soin avec lequel vos gens ont arraché de mes mains le jeune-homme que j'ai blessé, me fasse juger que mon zèle s'est mépris ; et dans la liberté que j'ai prise de me retirer chez vous sans votre participation, vous ne devez voir que l'embarras d'un ami, qui en regardant votre maison comme un asyle, n'a pas voulu vous exposer au mécontentement de la Porte. Je l'interrompis à mon tour, pour l'assurer que je lui épargnois jusqu'aux justifications, et qu'à l'égard de Théophé même, je ne trouvois à condamner dans sa conduite que ce qui devoit le blesser lui-même, c'est-à-dire un procédé qui ne sembloit s'accorder avec la délicatesse qu'il avoit marquée jusqu'alors dans ses sentimens. Il passa condamnation sur ce reproche. L'occasion, me dit-il, a eu plus de force que ma vertu. Tout le reste de cet entretien fut tourné en badinage. Je l'assurai que le plus fâcheux effet de son avanture seroit d'être logé plus commodément et traité avec plus de soin que dans la chambre de Bema, sans en être plus exposé aux périls qui lui avoient fait prendre le parti de se cacher. Et lui racontant ce que j'avois appris du grand-vizir, je lui causai autant de satisfaction pour lui-même que de compassion pour le sort de l'aga des janissaires et des deux bachas. Cependant, il me protesta qu'il les plaignoit moins s'ils étoient coupables, et que loin d'être entré dans leur complot, il auroit été capable de rompre absolument avec eux, s'il les en eût soupçonnés. Il sembloit disposé à partir sur le champ, et il me parla de faire avertir deux esclaves qu'il avoit chargés d'attendre ses ordres dans le village voisin. Mais je lui expliquai les précautions avec lesquelles le grand-vizir souhaitoit qu'il se rapprochât de Constantinople. Entre plusieurs partis qu'il pouvoit embrasser, il se détermina par mon conseil à se rendre le lendemain à sa maison de campagne, comme s'il fût revenu de visiter les magazins et les arsénaux de la mer Noire. Je ne refusai pas même de l'accompagner, et pour lui faire connoitre, non-seulement que je ne conservois aucun ressentiment de ce qui s'étoit passé, mais que j'avois toujours de son caractère la même opinion qui m'avoit fait rechercher son amitié, je lui proposai de mettre Théophé de notre promenade.

A peine osoit-il se persuader que cette offre fût sincère ; mais j'étois de si bonne-foi, qu'aiant passé avec lui le reste de la nuit, je le conduisis moi-même à l'appartement de Théophé pour lui faire agréer notre proposition. L'impression qui me restoit du dernier entretien que j'avois eu avec elle me rendoit comme supérieur à toutes les foiblesses de la jalousie, et j'avois si bien connu que le sélictar ne parviendroit jamais à toucher son cœur, que je me faisois une espèce de triomphe des efforts qu'il alloit renouveller inutilement pour l'attendrir. D'ailleurs, quelque succès qui pût être réservé à mes sentimens, je voulois qu'il n'eût jamais à me reprocher d'avoir mis le moindre obstacle aux siens. Je lui devois cette complaisance après avoir contribué peut-être à les faire naitre par la facilité que j'avois eue d'abord à les approuver ; et s'il arrivoit que Théophé prît jamais ceux que je lui souhaitois pour moi, j'étais bien aise que mon ami perdît tout à fait l'espérance avant que de s'appercevoir que j'étois plus heureux que lui.

Si Théophé marqua quelque étonnement de notre projet, elle n'y fit point d'objection lorsqu'elle fut assurée que je devois être sans cesse avec elle, et qu'il n'étoit question que de m'accompagner. Je lui donnai une suite qui pût la faire paroître avec distinction chez le sélictar. Il m'avoit parlé de sa maison comme du centre de sa puissance et de ses plaisirs ; c'est-à-dire qu'avec tous les ornemens qui sont au goût des Turcs, il y avoit un serrail et une prodigieuse quantité d'esclaves. Je l'avois entendu vanter d'ailleurs comme le plus beau lieu qui fût aux environs de Constantinople. Il étoit à huit milles de ma maison. Nous n'y arrivames que le soir, et je fus privé ce jour-là du plaisir de la perspective, à laquelle il n'y a peut-être rien de comparable dans aucun autre lieu du monde. Mais le sélictar nous prodiguant aussi-tôt tout ce qu'il avoit recueilli de richesses et d'élégances dans l'intérieur des édifices, je fus obligé de convenir dès le prémier moment que je n'avois rien vu en France ni en

Italie qui surpassât un si beau spectacle. Je n'en promets point une description. Ces détails ont toujours de la langueur dans un livre[68] ; mais si je craignis un moment que je n'eusse bientôt quelque sujet de me repentir d'avoir engagé Théophé à ce voyage, ce fut lorsque le sélictar, après lui avoir fait admirer tant de magnificence, lui en offrit l'empire absolu, avec toutes les explications qu'il lui avoit déja proposées. J'eus peine à cacher la rougeur qui se répandit malgré moi sur mon visage. Je jettai les yeux sur Théophé, et j'attendis sa réponse avec un trouble dont elle m'a confessé depuis qu'elle s'étoit apperçue. En protestant au sélictar qu'elle sentoit le prix de ses offres, et qu'elle en avoit toute la reconnoissance qu'il avoit droit d'attendre, elle lui parla de ses sentimens comme du plus bizarre assemblage du monde, et le moins propre à lui faire trouver du goût dans les avantages qui flattent ordinairement la vanité des femmes. Quoique le ton dont elle accompagna sa réponse parût fort enjoué, elle nous dit des choses si justes et si sensées sur la sagesse et le bonheur, que j'admirai moi-même un discours auquel je m'attendois si peu et que je me demandai avec étonnement dans quelle source elle les avoit puisées. La conclusion qu'elle en tira fut que tout le reste de sa vie étoit destiné à la pratique des principes dont elle se confessoit redevable à mes instructions, et pour lesquels elle croyoit me devoir beaucoup plus de reconnoissance que pour sa liberté. L'embarras dont je n'avois pu me défendre passoit pendant ce tems-là sur le visage du sélictar. Il se plaignit amèrement de son sort ; et s'adressant à moi, il me conjura de lui communiquer une partie de ce pouvoir que Théophé attribuoit à mes discours. Je lui répondis, en badinant, que le desir qu'il me marquoit ne s'accordoit point avec ses propres vues, puisqu'en supposant ce qu'il paroissoit desirer, il serviroit lui-même à confirmer Théophé dans ses principes. Au fond, mon cœur nageoit dans la joie, et ne me déguisant plus mon bonheur, je le crus mieux établi par cette déclaration que par toutes les raisons que j'avois déja d'y prendre quelque confiance. Je dérobai un moment pour féliciter Théophé de la noblesse de ses sentimens, et je pris encore la réponse qu'elle me fit pour une nouvelle confirmation de mes espérances[69].

Le sélictar, aussi affligé que je me croyois heureux, ne laissoit pas de nous offrir avec le même soin tout ce qui pouvoit faire honneur à sa politesse et à la beauté de sa maison. Il nous ouvrit dès le même soir l'entrée de son serrail, et son dessein étoit peut-être encore de tenter Théophé par la vue d'un lieu charmant où elle pouvoit règner. Mais si elle y fut frappée de quelque chose, ce ne fut ni des richesses ni des agrémens qui s'y présentoient de toutes parts. Le souvenir de l'état d'où elle étoit sortie se renouvella si vivement dans sa mémoire que je la vis tomber dans une mélancolie profonde, qui ne la quitta point pendant plusieurs jours. Dès le lendemain, elle profita de la liberté que le sélictar nous accorda d'y retourner aussi souvent que nous le souhaiterions sans lui, pour y aller passer une partie du jour, et son occupation y fut de lier des entretiens avec les femmes dont la physionomie l'avoit le plus touchée. Le goût qu'elle y avoit paru prendre dans une si longue visite charma le sélictar, tandis que j'en ressentois peut-être quelque alarme. Mais la discrétion m'aiant empêché de la suivre, j'observai le moment qu'elle en sortit pour la rejoindre. L'air de tristesse qu'elle en rapportoit me fit supprimer mes reproches. Je lui demandai au contraire ce qui avoit mis ce changement dans son humeur. Elle me proposa de faire un tour de promenade au jardin, sans avoir répondu à cette question. Le silence qu'elle continua de garder commençoit à me surprendre, lorsqu'elle m'annonça enfin sa réponse par un profond soupir. Quelle variété dans les événemens de la vie ! me dit-elle avec le tour moral qu'elle donnoit naturellement à toutes ses réfléxions. Quel enchaînement de choses qui ne se ressemblent point, et qui ne paroissent pas faites pour se suivre ! Je viens de faire une découverte dont vous me voyez pénétrée et qui m'a fait naitre des idées que je veux vous communiquer. Mais il faut que je vous attendrisse auparavant par mon récit.

Un intérêt sensible, continua-t-elle, que je n'ai pu m'empêcher de prendre au sort de tant de malheureuses, et que vous trouverez pardonnable après mes propres infortunes, m'a fait interroger quelques esclaves du sélictar sur les avantures qui les ont conduites au serrail. La plupart sont des filles de Circassie ou des pays voisins, qui ont été élevées pour leur condition, et qui ne sentent point l'humiliation de leur sort [70]. Mais celle que je quitte à ce moment est une étrangère, dont la douceur et la modestie m'ont encore plus frappée que l'éclat de sa figure. Je l'ai prise à l'écart. J'ai loué sa beauté et sa jeunesse. Elle a reçu tristement mes flatteries, et rien ne m'a paru si surprenant que sa réponse : Hélas ! m'a-t-elle dit, loin de relever ces misérables avantages, si vous êtes capable de quelque pitié regardez-les comme un funeste présent du Ciel, qui me fait détester à tous momens la vie. Je lui ai promis plus que de la pitié, et lui apprenant que je pouvois devenir utile à sa consolation, je l'ai pressée de m'expliquer la cause d'un si étrange desespoir. Elle m'a raconté, après avoir répandu quelques larmes, qu'elle est née en Sicile, d'un père dont la superstition lui a coûté la liberté et l'honneur. Il étoit fils d'une mère extrèmement diffamée par son libertinage, et la même étoile lui avoit fait épouser une femme qui après l'avoir trompé longtems par des apparences de vertu s'étoit deshonorée à la fin par une dissolution ouverte. En aiant une fille, qui étoit l'esclave du sélictar, il avoit promis au Ciel de la former à la sagesse par une éducation si sévère qu'elle pût réparer l'honneur de sa famille. Il l'avoit fait renfermer dès ses prémières années dans un château qu'il avoit à la campagne, sous la conduite de deux femmes vieilles et vertueuses, auxquelles il avoit recommandé, en leur communiquant ses intentions, de ne pas faire connoitre à sa fille qu'elle fût distinguée par quelques avantages naturels, et de ne lui jamais parler de la beauté des femmes comme d'un bien qui méritât de l'attention. Avec ce soin et celui de l'élever dans la pratique continuelle de toutes les vertus, elles lui avoient fait mener jusqu'à l'âge de dix-sept ans une vie si innocente qu'il ne lui étoit jamais rien entré dans l'esprit et dans le cœur de contraire aux vues de son père. Elle s'étoit assez apperçue, dans le peu d'occasions qu'elle avoit eues de paroître avec ses deux gouvernantes, que les regards de quelques personnes qu'elle avoit vues s'étoient fixés sur elle, et qu'on marquoit quelque sentiment extraordinaire en la voyant. Mais n'aiant jamais fait usage d'un miroir, et l'attention continuelle des deux vieilles étant d'éloigner tout ce qui pouvoit lui faire tourner ses réfléxions sur elle-même, il ne lui étoit jamais venu le moindre soupçon de sa figure. Elle vivoit dans cette simplicité, lorsque ses gouvernantes aiant fait introduire un de ces marchands qui parcourent les campagnes avec leur charge de bijoux, le seul hazard lui avoit fait prendre une petite boîte qui servoit à renfermer un miroir. Son innocence avoit été jusqu'à s'imaginer que sa figure, qu'elle y avoit vue représentée, étoit un portrait attaché à la boîte, et n'aiant pu le considérer sans quelque plaisir, elle avoit donné le tems aux deux vieilles de s'en appercevoir. Le cri qu'elles avoient jetté, et les reproches qu'elles s'étoient empressées de lui faire, auroient suffi pour effacer cette idée si le marchand, qui avoit compris la cause de leurs plaintes, n'eût pris un moment pour s'approcher de la jeune Sicilienne, et ne lui eût donné secrettement un de ses miroirs, en lui apprenant le tort qu'on lui faisoit de l'en priver. Elle l'avoit reçu par un mouvement de timidité, plutôt que par le desir d'en faire un usage qu'elle ignoroit encore ; mais à peine s'étoit-elle trouvée seule, qu'elle n'avoit eu besoin que d'un moment pour l'apprendre. Quand elle n'auroit pas été capable de sentir par elle-même ce que la nature lui avoit accordé, la comparaison des deux vieilles qu'elle avoit sans cesse devant les yeux auroit suffi pour lui faire appercevoir combien la différence étoit à son avantage. Bientôt elle avoit trouvé tant de douceur à se considérer sans cesse, à ranger ses cheveux, et à mettre plus d'ordre dans sa parure, que sans savoir à quoi ces agrémens la rendoient propre, elle avoit commencé à juger que ce qui lui causoit tant de plaisir devoit infailliblement en causer aux autres [71].

Pendant ce tems-là, le marchand qui avoit été fort réjouï de son avanture prenoit plaisir à la raconter dans tous les lieux où il passoit. La description qu'il y joignoit des charmes de la jeune Sicilienne excita la curiosité et les desirs d'un chevalier de Malte qui venoit de prendre les derniers engagemens dans son ordre avec peu de disposition à les observer [72]. S'étant rendu dans le voisinage du château, il trouva le moyen de remettre secrettement à cette jeune personne un miroir, qui dans une boîte plus grande que celle du marchand contenoit vis-à-vis la glace le portrait d'un homme fort aimable, avec une lettre tendre et propre à l'instruire de tout ce qu'on avoit pris soin de lui cacher. Le portrait, qui étoit celui du chevalier, produisit l'effet pour lequel il étoit envoyé, et les instructions de la lettre devinrent si utiles qu'on s'en servit fort heureusement pour lever beaucoup d'obstacles. La jeune personne, à qui ses gouvernantes n'avoient jamais parlé des hommes que comme des instrumens dont il a plu au Ciel de se servir pour rendre les femmes propres à la propagation du genre humain, et qui l'avoient accoutumée d'avance à respecter la sainteté du mariage, se garda bien de prêter l'oreille aux tendresses du chevalier sans lui avoir demandé s'il pensoit à devenir son mari. Il n'épargna point les promesses lorsqu'il eut pénétré à quoi elles pouvoient lui servir, et faisant valoir quelques raisons d'intérêt pour tenir ses engagemens cachés, il parvint en peu de jours à tromper l'attente du père et la vigilance des deux gouvernantes. Ce commerce dura longtems sans aucun trouble. Mais quelques remords, joints à la crainte de l'avenir, rendirent la Sicilienne plus pressante sur l'exécution des promesses qu'elle avoit exigées. Il devint impossible au chevalier de déguiser plus longtems qu'il étoit engagé dans un état qui lui interdisoit le mariage. Les larmes et les plaintes firent leur rôle pendant quelques jours. Cependant on s'aimoit de bonne-foi. Le plus terrible de tous les maux auroit été de se quitter. On fit céder tous les autres à cette crainte, et pour prévenir des suites fâcheuses qui ne pouvoient être éloignées, on prit la résolution d'abandonner la Sicile et de se retirer dans quelque pays de la dépendance des Turcs. Les deux amans n'avoient rien à se reprocher, car étant nés tous deux pour une haute fortune, ils faisoient le même sacrifice à l'amour.

L'intention où ils étoient de se retirer volontairement chez les Turcs les auroit garantis de l'esclavage, s'ils eussent pu la prouver. Mais s'étant embarqués sur un vaisseau vénitien, dans le dessein de descendre en Dalmatie, d'où ils se flattoient de pénétrer facilement plus loin, ils eurent le malheur d'être pris à l'entrée du golphe[73] par quelques vaisseaux turcs qui cherchoient à chagriner l'Etat de Venise. L'explication de leur projet passa pour un artifice. Ils furent vendus séparément dans un port de la Morée, d'où la malheureuse Sicilienne fut conduite à Constantinople. Si c'étoit le comble de l'infortune que de se voir enlever son amant, quel nom devoit-elle donner à la situation où elle passa bientôt ! Ses larmes continuelles l'aiant un peu défigurée, les marchands de Constantinople ne distinguérent pas tout d'un coup ce qu'ils avoient à espérer de sa beauté. Une vieille femme, dont le discernement étoit plus sûr, employa une partie de son bien pour l'acheter, et se promit de le doubler en la revendant. Mais c'étoit ce qui pouvoit arriver de plus funeste à la Sicilienne. Dans les principes de modestie et de pudeur où elle avoit été élevée, les soins que cette odieuse maitresse prit d'elle, pour augmenter ses charmes et pour la rendre propre au goût des Turcs, furent pour elle autant de supplices qui lui auroient fait trouver la mort moins cruelle. Enfin, elle avoit été vendue pour une grosse somme au sélictar, qui lui avoit marqué d'abord beaucoup d'affection, mais qui l'avoit négligée après avoir rassasié ses desirs, par le dégoût qu'une profonde tristesse et des larmes continuelles n'avoient pu manquer de lui inspirer.

Les avantures de cette triste étrangère n'avoient causé que de la surprise à Théophé. Ce qui la pénétroit de compassion étoit de la voir dans un sort dont elle sentoit l'infamie, et de lui avoir découvert tant de honte et de douleur qu'elle n'avoit pu distinguer ce qui l'affligeoit le plus de la perte de son honneur ou de celle de son amant. J'étois si accoutumé à ces sortes d'événemens par les récits que j'entendois tous les jours, que je n'avois pas écouté le sien avec toutes les marques de pitié auxquelles elle s'étoit attendue. Vous ne paroissez pas sensible, me dit-elle, à ce que j'ai cru capable de vous toucher autant que moi. Vous ne trouvez donc pas que cette fille mérite l'intérêt que je prens à son malheur ? Je la trouve à plaindre, répondis-je, mais beaucoup moins que si elle ne s'étoit point attiré ses infortunes par une faute volontaire. Et c'est la différence, ajoutai-je, qu'il faut mettre entre les vôtres et les siennes. Peut-être êtes-vous l'unique exemple d'un malheur innocent dans le même genre, et la seule personne de votre sexe qui, après avoir été entrainée dans le précipice sans le connoitre, ait changé d'inclination au nom et à la prémière idée de la vertu. Et c'est ce qui vous rend si admirable à mes yeux, continuai-je avec transport, que je vous crois supérieure à toutes les femmes du monde. Théophé branla la tête, en souriant avec beaucoup de douceur ; et sans faire de réponse à ce qui la regardoit, elle insista sur les sentimens de la Sicilienne, qu'elle trouvoit digne que nous entreprissions quelque chose pour sa liberté. Il suffit que vous le desiriez, lui dis-je, pour m'en faire une loi, et je ne veux pas même que vous ayez cette obligation au sélictar. Il venoit nous joindre lorsque je m'engageois à lui en parler dès le même jour. Je ne remis pas plus loin ma prière. Et le tirant à l'écart, comme si j'en eusse voulu faire un mystère à Théophé, je lui demandai naturellement s'il étoit assez attaché à la Sicilienne pour trouver quelque peine à m'en faire le sacrifice. Elle est à vous dès ce moment, me dit-il ; et lorsque je lui parlai de prix, il rejetta mes instances comme autant d'injures. Je jugeai même à sa joie, qu'outre la satisfaction de m'obliger, il se flattoit que ce seroit pour moi un nouvel engagement à le servir près de Théophé ; sans compter que mon exemple pouvoit avoir quelque force pour la faire penser au plaisir. Mais en m'accordant la liberté d'ouvrir la porte du serrail à son esclave, il m'apprit une circonstance qu'elle avoit cachée à Théophé. Je l'ai crue d'abord, me dit-il, uniquement affligée de la perte de sa liberté, et je n'ai pas ménagé mes soins pour lui faire trouver de la consolation dans son sort ; mais le hazard m'a fait découvrir qu'elle est passionnée pour un jeune esclave de sa nation, qui a eu l'adresse de faire pénétrer une lettre dans mon serrail, et que j'ai négligé de punir par considération pour son maitre, qui est de mes amis. J'ignore l'origine de cette liaison, et je me suis borné à faire redoubler la diligence de mes gens, pour garantir ma maison de ce desordre. Mais j'en ai pris occasion de me refroidir pour ma Sicilienne, à qui j'avois reconnu d'ailleurs bien des charmes. Cet avis, que le sélictar crut devoir à l'amitié, auroit été une précaution fort juste, si j'eusse été rempli des sentimens qu'il m'attribuoit. Mais n'y prenant point d'autre intérêt que celui de plaire à Théophé, je m'imaginai au contraire avec joie que le jeune esclave dont le sélictar se plaignoit ne pouvoit être que le chevalier sicilien, et je prévis que je me trouverois bientôt obligé de le délivrer *aussi de ses chaînes. J'attendis néanmoins que je fusse seul avec Théophé pour lui apprendre que la Sicilienne étoit à nous. Elle fut si charmée de m'entendre ajouter que je croyois le chevalier peu éloigné, et que je me proposois de le rendre à son amante, qu'elle m'en remercia pour eux avec une ardeur extraordinaire. Comme je rapportois tout à mes vues, je ne doutai point que cette tendre part qu'elle prenoit au bonheur de deux amans ne fût encore une marque que son cœur étoit devenu sensible, et j'en tirai pour moi des augures que je crus mieux fondés que ceux du sélictar.

La Sicilienne se nommoit *Maria Rezati*, et le nom qu'elle avoit pris ou qu'on lui avoit donné dans l'esclavage étoit *Molene*. Je ne jugeai point à propos qu'elle fût informée de ce que j'avois fait pour elle avant le jour de notre départ. Je conseillai seulement à Théophé de lui annoncer en général un bonheur qu'elle n'espéroit pas. Les nouvelles que le sélictar reçut de Constantinople aiant achevé de le rassurer, je me trouvai rappellé à la ville par mes propres affaires, et je proposai à Théophé de retourner à Oru. Mais outre le chagrin que j'eus de ne pouvoir ôter au sélictar l'envie de nous accompagner à notre retour, j'eus à soutenir une scène embarrassante en quittant avec lui sa maison. Le chevalier sicilien, qui étoit esclave en effet dans le voisinage, avoit assez de liberté pour dérober pendant le jour aux exercices de sa condition quelques heures qu'il employoit à observer les murs du sélictar. Le péril auquel il avoit été exposé par la trahison d'un autre esclave l'avoit si peu refroidi qu'il avoit tenté mille fois de se faire d'autres ouvertures avec le même danger. Nous partions vers le milieu du jour, dans une grande calèche que j'avois pour la campagne. Il étoit à vingt pas de la porte, d'où il vit sortir quelques-uns de mes gens, qui étoient à cheval, et qui se rassembloient pour m'attendre. L'habit françois l'aiant frappé, il leur demanda dans notre langue, qu'il parloit assez facilement, à qui ils appartenoient. Je ne sai quel projet il auroit pu former sur leur réponse ; mais à peine l'avoit-il reçue, que voyant avancer ma voiture dans laquelle j'étois avec le sélictar et les deux dames, il reconnut aisément sa maitresse. Rien ne fut capable de modérer son transport. Il se jetta à ma portière, où il demeura suspendu malgré la marche ardente de six puissans chevaux, en me nommant par mon nom et me conjurant de lui accorder un moment pour s'expliquer. Son agitation lui avoit fait perdre haleine, et dans les efforts qu'il faisoit pour se soutenir et pour se faire entendre, on l'auroit pris pour un furieux qui rouloit quelque dessein funeste. Nous ne nous appercevions pas que Maria Rezati, ou Molene, étoit évanouie à notre côté. Mais les gens du sélictar, qui suivoient avec ses équipages, apperçevant un esclave qui paroissoit *manquer de respect pour leur maitre et pour moi, accoururent impérieusement et le forcérent avec violence de quitter ma portière. Un soupçon qui m'étoit venu de la vérité me faisoit crier au postillon d'arrêter. Il retint enfin ses chevaux. Je modérai les gens du sélictar, qui continuoient de maltraiter le jeune esclave, et je donnai ordre qu'on le fît approcher. Le sélictar ne comprenoit rien à cette scène, ni à l'attention que j'y donnois. Mais les explications du chevalier lui apportérent bientôt les lumières que j'avois déja. Ce malheureux jeune-homme se fit assez de violence pour reprendre la respiration qui lui manquoit, et prenant sans affectation l'air qui convenoit à sa naissance, il m'adressa un discours que je m'efforcerois en-vain de rendre aussi touchant qu'il me le parut dans sa bouche. Après m'avoir fait en peu de mots son histoire et celle de sa maitresse, il s'apperçut au moment qu'il vouloit me la faire connoitre, qu'elle étoit sans mouvement auprès de moi. Ah! vous la voyez, s'écria-t-il en s'interrompant avec un nouveau trouble, elle se meurt, prenez soin d'elle. Hélas! elle se meurt, reprit-il encore, et vous ne la secourez pas!

Il n'étoit pas difficile de lui faire rappeller ses esprits. La joie ne sert qu'à ranimer les forces quand elle ne les a point étouffées dès le prémier moment[74].

Elle se tourna vers Théophé : C'est lui, s'écria-t-elle, ah ! c'est le chevalier ; c'est lui-même. Je n'avois pas besoin de cette confirmation pour m'apprendre ce que j'en devois croire. Après avoir fait une réponse consolante au jeune esclave, je demandai au sélictar s'il étoit assez bien avec son maitre pour me garantir que son absence n'auroit pas de mauvaises suites. Il m'assura que c'étoit un de ses meilleurs amis ; et par une politesse que j'admirai en Turquie, lorsque je lui eus déclaré le desir que j'avois d'emmener le chevalier à Oru, il dépêcha un de ses gens pour prier son ami, qui étoit un officier général, de trouver bon qu'il usât pendant quelques jours de son esclave. Je prévois, me dit-il après avoir donné cet ordre, que vous m'emploierez à quelque chose de plus ; mais en vous prévenant par l'offre de mes services, je vous assure que ce qui me sera refusé par Nady Emir [75] ne peut être accordé à personne. Nous avions des chevaux de main. J'en fis donner un au chevalier, qui ne se possédoit point dans les mouvemens de sa joie. Cependant il en sut modérer les témoignages, et sentant à quoi l'obligeoient encore son habit et sa situation, il s'abstint également et de s'approcher de sa maitresse et de prendre un autre ton que celui qui convenoit à sa mauvaise fortune.

Je ne pus éviter, pendant le reste de la route, de confesser au sélictar que c'étoit le desir de rendre service à ces malheureux amans qui m'avoit porté à lui demander la liberté de Molene, et j'acceptai l'offre qu'il me faisoit de son entremise pour obtenir de Nady Emir celle du jeune chevalier. Théophé acheva d'échauffer son zèle en marquant qu'elle y prenoit un vif intérêt. Nous arrivames à Oru. Le chevalier se déroba pendant que nous descendions de notre voiture ; mais il me fit prier un moment après de souffrir qu'il me vît seul, et la grace qu'il me demanda à genoux, en me donnant le nom de son père et de son sauveur, fut de permettre qu'il prît aussi-tôt un autre habit. Quoique le moindre travestissement soit un crime pour un esclave, je ne le crus pas dangereux pour lui dans les circonstances. Il parut quelques momens après dans un état qui changea autant ses manières que sa figure; et sachant déja que sa maitresse étoit libre, ou qu'elle n'avoit plus d'autre maitre que moi, il me demanda la permission de l'embrasser. Cette scène nous attendrit encore. Je renouvellai au sélictar la prière que je lui avoit faite en sa faveur, et quoique je n'eusse point de liaison particulière avec Nady Emir, j'aurois assez compté sur la considération où j'étois parmi les Turcs pour me flatter de réussir moi-même auprès de lui.

L'obstination que le sélictar avoit eue à vouloir nous accompagner me forçoit de contenir des sentimens auxquels je confesse enfin qu'il étoit impossible de rien ajouter. Avec la certitude d'une sagesse constante dans l'aimable Théophé, je me croyois celle d'avoir triomphé de son cœur, et j'étois résolu de m'expliquer si ouvertement avec elle qu'elle n'eût plus à combattre sa timidité, que je regardois desormais comme le seul obstacle qui l'arrêtât. Mais je voulois être libre pour une si grande entreprise. Le sélictar avoit compté que nous retournerions ensemble à Constantinople. J'exagérai l'importance des affaires qui m'y rappelloient, pour le faire consentir à précipiter notre départ. Le chevalier fut de notre voyage. Outre les raisons qui regardoient sa liberté, j'en avois une autre de ne le pas laisser à Oru dans mon absence; ou du moins, j'avois à me déterminer sur une difficulté qui me causoit quelque embarras. Comme il y avoit peu d'apparence qu'il pensât à retourner en Sicile avec sa maitresse, et qu'il étoit encore moins vraisemblable qu'il pût se retrouver avec elle sans retomber dans toutes les familiarités de l'amour, j'examinois s'il étoit convenable de souffrir chez moi un commerce si libre. Mes principes n'étoient pas plus sévères que ceux de la galanterie ordinaire, et je ne prétendois pas faire un crime à ces deux amans de se rendre aussi heureux que j'aurois souhaité de l'être avec Théophé; mais si la chaleur de l'âge fait quelquefois oublier les loix de la religion, on conserve pour frein l'honnêteté morale[76], et je n'étois pas moins lié par la bienséance, qui m'imposoit mille devoirs dans mon emploi. Ce scrupule m'auroit fait prendre des résolutions chagrinantes pour le chevalier, s'il ne m'en eût délivré en arrivant à Constantinople. Il me déclara qu'après le service que j'allois lui rendre, son dessein étoit de se rendre en Sicile, non-seulement pour se mettre en état de restituer ce qu'il m'en coûteroit pour sa liberté, mais dans le dessein de pressentir s'il n'y avoit point d'espérance de se faire relever de ses vœux. Son malheur avoit servi à murir ses sentimens. Il considéroit que Maria Rezati étoit une fille unique, dont il avoit ruïné la conduite et la fortune. Avec mille qualités qu'il ne cessoit pas d'aimer, et dont l'idée même du serrail ne le dégoûtoit pas, elle avoit assez de bien pour borner son ambition. Toutes ces réfléxions, qu'il me communiqua avec beaucoup de tranquillité et de sagesse, le déterminoient à ne rien épargner pour se procurer la liberté de l'épouser.

Je louai ses intentions, quoique j'y prévisse des difficultés dont il ne paroissoit pas s'effrayer. Le sélictar vit sur le champ Nady Emir, qui étoit revenu à la ville. Il en obtint le chevalier aussi facilement qu'il s'en étoit flatté. Mais quoique sa générosité le portât encore à me le rendre sans condition, je me servis de la certitude que j'avois d'être remboursé moi-même pour le faire consentir à recevoir mille séquins qu'il avoit payés à Nady. Après la connoissance que le jeune Sicilien m'avoit donnée de ses sentimens, je ne balançai point à le renvoyer près de sa maitresse. Il ne se proposoit que de lui faire ses adieux, et dans l'ardeur qu'il avoit d'entreprendre un voyage dont il se promettoit tout son bonheur, j'obtins à peine qu'il prît quelques jours de repos à Oru. Cependant, je l'y retrouvai deux jours après, et mon étonnement fut extrème, au prémier moment de mon arrivée, d'apprendre qu'il avoit changé de résolution. Je n'approfondis pas tout d'un coup ce mystère, et je lui demandai seulement quelles vues il substituoit à celles qu'il avoit abandonnées. Il me dit qu'après beaucoup de nouvelles réfléxions sur la difficulté de réussir dans son prémier dessein, et sur les risques qu'il alloit courir d'être chagriné ou par son Ordre ou par les *Rezatis, il étoit revenu à l'ancienne pensée qu'il avoit eue de s'établir en Turquie; qu'il avoit quelques ouvertures agréables du côté de la Morée[77], et qu'il n'en épouseroit pas moins sa maitresse, parce que renonçant à la qualité de chevalier de Malte, il ne se croyoit pas obligé de remplir les devoirs d'un état dont il abandonnoit tous les avantages; enfin, que n'aiant point touché une somme considérable qu'il avoit prise en lettres de change pour Raguse[78], et qu'il avoit laissée en nature à un banquier de Messine, il comptoit de se trouver assez riche pour me remettre la somme que j'avois payée au sélictar, et pour mener une vie simple dans le pays où il vouloit fixer son établissement. Il ajouta que sa maitresse étoit fille d'un père fort riche, qui ne vivroit pas toujours, et que ne pouvant perdre les droits que la nature lui donnoit à cet héritage, elle en retireroit tôt ou tard plus qu'ils ne desiroient l'un et l'autre pour rendre leur vie fort aisée, et pour laisser quelque chose à leurs enfans, s'il plaisoit au Ciel de leur en accorder.

Un système né si vite me parut trop bien concerté pour ne pas soupçonner qu'il venoit de quelque incident extraordinaire. Je ne me serois jamais défié néanmoins qu'il vînt de Synèse. Le chevalier n'avoit pu passer deux jours à Oru sans apprendre que ce jeune Grec y étoit avec une blessure dangereuse. Il l'avoit vu par politesse, et l'aiant trouvé aimable, il s'étoit lié tout d'un coup avec lui jusqu'à lui raconter ses avantures. L'embarras où le mettoient ses projets de mariage avoit fait naitre à Synèse cet admirable plan, dans lequel il s'étoit flatté de pouvoir trouver ses propres avantages. Il avoit offert une retraite au chevalier dans les terres de son père, et lui découvrant à son tour les tourmens de son cœur, ils étoient venus de confidence en confidence à se promettre que Théophé par tendresse ou par intérêt se laisseroit engager à les suivre. On étoit bien éloigné d'avoir obtenu son consentement, et Synèse avoit prévenu son ami sur la délicatesse de cette négociation ; on se flattoit qu'avec le secours de Maria Rezati, qui étoit entrée ardemment dans ce glorieux projet, on lui feroit entendre que soit qu'elle fût fille de Paniota Condoidi, soit qu'elle prît des sentimens d'amour pour Synèse, elle n'avoit rien à souhaiter de plus heureux pour une fille du même pays.

Quoique le chevalier m'eût laissé quelque défiance, elle se tournoit si peu vers Synèse et sur mes propres intérêts, que ne voulant pas pénétrer plus loin qu'il ne souhaitoit dans les siens, je ne fis pas la moindre objection contre son dessein. Le prix de votre liberté, lui dis-je, n'est pas ce qui vous doit causer de l'inquiétude, et je ne regretterois pas une plus grosse somme, si elle pouvoit contribuer à votre bonheur. Cependant je m'imaginai que le fond de cette nouvelle intrigue ne seroit point échappé à Théophé. Je brûlois d'ailleurs du desir de la revoir. C'étoit une impatience si vive que les trois jours que j'avois été obligé de passer à la ville m'avoient paru d'une mortelle * longueur ; et qu'en faisant quelquefois une réfléxion sérieuse sur l'état de mon cœur, j'avois quelque confusion de lui avoir laissé prendre sur moi tant d'ascendant. Mais étant convenu avec moi-même de me livrer à une passion dont j'espérois toute la douceur de ma vie, j'écartois tout ce qui auroit pu diminuer la force d'un sentiment si délicieux.

J'entrai dans l'appartement de Théophé avec la résolution de n'en pas sortir sans avoir fait un traité solide avec elle. J'y trouvai Maria Rezati. Affreuse contrainte ! Elles s'étoient liées par une vive affection, et la Sicilienne, n'aiant pu s'imaginer qu'elle eût un autre attachement pour moi que celui de l'amour, avoit déja hazardé quelques sollicitations sur le bonheur d'un commerce aussi tranquille qu'elle se figuroit le nôtre. Ce langage avait déplu à Théophé. A peine eut-elle reçu mes prémières politesses, que s'adressant à sa compagne : Dans l'erreur où vous êtes, lui dit-elle, vous serez étonnée d'apprendre de Monsieur que je ne dois rien à son amour, et que m'aiant comblée de bienfaits, je n'en ai l'obligation qu'à sa générosité. Elles paroissoient attendre toutes deux ma réponse. Je pénétrai mal le sujet de leur entretien ; et ne suivant que la vérité de mes sentimens, je répondis qu'en effet la beauté ne m'aiant jamais inspiré d'amour, je n'avois consulté que les mouvemens de mon admiration dans les prémiers services que je lui avois rendus ; mais il faut si peu de tems pour vous connoitre, repris-je en lui jettant un regard passionné, et quand on a découvert ce que vous valez, il est si nécessaire de vous dévouer toute sa tendresse... Théophé, qui sentit où ce discours m'alloit conduire, l'interrompit adroitement. Je me flatte à la vérité, me dit-elle, que vos propres faveurs ont pu vous faire prendre pour moi quelque amitié ; et c'est un bien que je trouve si précieux qu'il me tiendra lieu éternellement de fortune et de plaisir. Elle changea aussi-tôt d'entretien. Je demeurai dans une incertitude qui mit un changement beaucoup plus étrange dans mon humeur. Mais ne pouvant supporter longtems la violence de cette situation, je pris un parti qui paroîtra puérile à tout autre qu'un amant.

J'entrai seul dans le cabinet de Théophé, et ne sentant que trop combien mes espérances étoient reculées, je me servis d'une plume pour ne pas remettre plus loin ce que je prévoyois que ma langue n'auroit pas la force d'exprimer dans des circonstances qui venoient de me remplir de crainte et d'amertume. J'écrivis en peu de lignes tout ce qu'un cœur pénétré d'estime et d'amour peut employer de plus vif et de plus touchant pour persuader sa tendresse ; et quoiqu'il n'y eût rien d'obscur dans mes termes, je répétois en finissant, pour comble de clarté, que je ne parlois pas d'amitié, qui étoit un sentiment trop froid pour les transports de mon cœur, et que je me dévouois pour toute ma vie à l'amour. J'ajoutois néanmoins qu'aiant su le régler jusqu'alors avec une modération dont on me devoit le témoignage, je voulois qu'il dépendît encore de la volonté de ce que j'aimois ; et que n'aspirant qu'au retour du sien, je lui abandonnois le choix des marques.

Je revins d'un air plus tranquille, après m'être soulagé par cette ouverture[79], et je priai froidement Théophé de passer seule dans son cabinet. Elle y demeura quelques instans. Reparoissant ensuite avec une contenance fort sérieuse, elle me supplia de retourner au lieu d'où elle sortoit. Au dessous de mon écrit, j'en trouvai un de sa main. Il étoit si court, et d'un tour si extraordinaire, qu'il n'a pu me sortir de la mémoire. Une misérable, me disoit-elle, qui avoit appris de moi le nom d'honneur et de vertu, et qui n'étoit pas encore parvenue à connoitre celui de son père, l'esclave du gouverneur de Patras et de Chériber, ne se sentoit propre à inspirer que de la pitié ; ainsi, elle ne pouvoit se reconnoitre dans l'objet de mes autres sentimens. Il m'échappa une exclamation fort vive en lisant cette étrange réponse. La crainte qu'il ne me fût arrivé quelque accident la fit accourir à la porte du cabinet. J'étendis les bras vers elle, pour l'inviter à venir recevoir mes explications ; mais quoiqu'elle remarquât ce mouvement passionné, elle retourna vers sa compagne, après s'être assurée qu'elle n'avoit rien à craindre pour ma santé. Je demeurai en proie aux plus violentes agitations. Cependant ne pouvant abandonner mes espérances, je repris la plume pour effacer l'horrible portrait qu'elle avoit fait d'elle-même, et j'en fis un qui la représentoit au contraire avec toutes les perfections dont la nature l'avoit ornée. Voilà ce que j'aime, ajoutai-je, et les traits en sont si bien gravés dans mon cœur, qu'il n'est pas capable de s'y méprendre. Je me levai, je passai près d'elle, et je lui proposai encore de retourner dans le cabinet. Elle sourit, et elle me pria de lui donner plus de tems pour examiner ce que j'y avois laissé.

Cette réponse me consola. Je me retirai néanmoins pour aller dissiper le reste de mon trouble. Il me paroissoit si étonnant à moi-même que j'eusse besoin de tant de précautions pour expliquer mes sentimens à une fille que j'avois tirée des bras d'un Turc, et qui dans les prémiers jours de sa liberté se seroit peut-être crue trop heureuse de passer tout d'un coup dans les miens, qu'au milieu même de la tendresse dont je prenois plaisir à m'enyvrer, je me reprochois une timidité qui ne convenoit ni à mon âge ni à mon expérience. Mais outre quelques remords secrets dont je ne pouvois me défendre en me souvenant des maximes de sagesse que j'avois expliquées mille fois à Théophé, et la crainte de me rendre méprisable à ses propres yeux par une passion dont le but ne pouvoit être après tout que la ruïne des sentimens de vertu que j'avois contribué à lui inspirer, il faudroit que je pusse donner une juste idée de sa personne pour faire concevoir qu'une figure qui n'étoit propre qu'à jetter des flammes dans un cœur[80], devenoit par cette raison même la plus capable d'imposer de la crainte et du respect, lorsqu'au-lieu d'y trouver la facilité que tant de charmes faisoient desirer et que tant de graces sembloient promettre, on étoit non-seulement arrêté par la crainte de déplaire, qui est un sentiment ordinaire à l'amour, mais comme repoussé par la décence, l'honnêteté, par l'air et le langage de toutes les vertus, qu'on ne s'attendoit point à trouver sous des apparences si séduisantes. Vingt fois, dans les principes de droiture et d'honneur qui m'étoient naturels, je pensai encore à me faire violence pour laisser un cours libre aux vertueuses inclinations de Théophé ; mais emporté par une passion que mon silence et ma modération mêmes avoient continuellement fortifiée, je revenois à promettre au Ciel de me contenir dans les bornes que je m'étois imposées, et je croyois donner beaucoup à la sagesse en me soutenant dans la résolution de ne demander à Théophé que ce qu'elle seroit portée volontairement à m'accorder[81]. Je passai assez tranquillement le reste du jour dans l'attente de cette nouvelle réponse qu'elle avoit voulu se donner le tems de méditer, et je ne cherchai point l'occasion de lui parler sans témoins. Elle parut l'éviter aussi. Je remarquai même dans ses yeux un embarras que je n'y avois jamais apperçu.

Le lendemain à mon lever, un des esclaves qui la servoient m'apporta une lettre cachetée soigneusement. Quel fut mon empressement à la lire ! Mais dans quel abattement tombai-je aussi-tôt en y trouvant une condamnation absolue, qui sembloit m'ôter jusqu'aux moindres fondemens d'espérance. Cette lettre terrible, que Théophé avoit passé toute la nuit à composer, auroit mérité d'être rapportée ici toute entière si des raisons qui viendront à la suite, et que je ne rappellerai pas sans douleur et sans honte, ne me l'avoient fait déchirer dans un affreux dépit. Mais les prémiers sentimens qu'elle me causa ne furent que de la tristesse et de la consternation. Théophé m'y retraçoit toutes les circonstances de son histoire, c'est-à-dire ses malheurs, ses fautes et mes bienfaits. Et raisonnant sur cette exposition avec plus de force et de justesse que je n'en ai jamais vu dans nos meilleurs livres, elle concluoit qu'il ne convenoit, ni à elle qui avoit à réparer autant de desordres que d'infortunes, de s'engager dans une passion qui n'étoit propre qu'à les renouveller ; ni à moi, qui avois été son maitre dans la vertu, d'abuser du juste empire que j'avois sur elle, et du penchant même qu'elle se sentoit à m'aimer, pour détruire des sentimens qu'elle devoit à mes conseils autant qu'à ses efforts. Si jamais néanmoins elle devenoit capable d'oublier des devoirs dont elle commençoit à connoitre l'étendue, elle protestoit que j'étois le seul qui pût la faire tomber dans cette foiblesse. Mais au nom de cet aveu même, qu'elle donnoit à l'inclination de son cœur, elle me conjuroit de ne pas renouveller des déclarations et des soins dont elle sentoit le danger ; ou si sa présence étoit aussi contraire à mon repos qu'elle croyoit s'en être apperçue, elle me demandoit la liberté de suivre son ancien projet, qui avoit été de se retirer dans quelque lieu tranquille des pays chrétiens, pour n'avoir pas à se reprocher de nuire au bonheur d'un maitre et d'un père à qui le moindre sacrifice qu'elle devoit étoit celui de sa propre satisfaction.

J'abrège les idées mêmes qui me sont restées de cette lettre, parce que je desespérerois de leur rendre toute la grace et la force qu'elles avoient dans leur expression naturelle. A l'âge où je suis en écrivant ces mémoires, je dois l'avouer avec confusion, ce ne fut pas du côté favorable à la vertu que je pris d'abord tant de réfléxions sensées. N'y voyant au contraire que la ruïne de tous mes desirs, je m'abandonnai au regret d'avoir prêté contre moi de si fortes armes à une fille de dix-sept ans. Etoit-ce à moi, me disois-je amèrement, à faire le prédicateur et le catéchiste ? Quel ridicule pour un homme de mon état et de mon âge ! Il falloit donc être sûr de trouver dans mes maximes le remède dont j'ai besoin pour moi-même. Il falloit être persuadé de tout ce que j'ai prêché, pour en faire ma propre règle. N'est-il pas misérable que livré comme je le suis aux plaisirs des sens, j'aye entrepris de rendre une fille chaste et vertueuse ? Ah ! j'en suis bien puni. Et portant encore plus loin le déréglement de mes idées, je me rappellois toute ma conduite, pour me justifier en quelque sorte de la folie dont je m'accusois. Mais est-ce ma faute, ajoutai-je ? Que lui ai-je donc appris de si propre à lui inspirer cette rigoureuse vertu ? Je lui ai représenté l'infamie de l'amour tel qu'on l'exerce en Turquie, cette facilité des femmes à se livrer aux desirs des hommes, cette grossièreté dans l'usage des plaisirs, cette ignorance de tout ce qu'on appelle goût et sentiment ; mais ai-je jamais pensé à lui donner de l'éloignement pour un amour honnête, pour un commerce réglé, qui est le plus doux de tous les biens et le plus grand avantage qu'une femme puisse tirer de sa beauté ? C'est elle qui se trompe et qui m'a mal entendu. Je veux l'en avertir ; mon honneur m'y oblige. Il seroit trop ridicule pour un homme du monde d'avoir engagé une fille de ce mérite dans des maximes qui ne conviennent qu'au cloître.

Loin de revenir aisément de ces prémières idées, il me tomba dans l'esprit que ma principale faute étoit d'avoir mis entre les mains de Théophé quelques ouvrages de morale dont les principes, comme il arrive dans la plupart des livres, étoient portés à la rigueur, et pouvoient avoir été pris trop à la lettre par une fille qui les avoit médités pour la prémière fois. Depuis qu'elle commençoit à savoir assez notre langue pour lire nos auteurs, je lui avois donné les *Essais* de Nicole, par la seule raison que la voyant portée naturellement à penser et à réfléchir, j'avois voulu lui faire connoitre un homme qui raisonne continuellement. Elle en faisoit sa lecture assidue. *La Logique de Port-Royal* étoit un autre livre que j'avois cru propre à lui former le jugement [82]. Elle l'avoit lu avec la même application et le même goût. Je m'imaginai que des ouvrages de cette nature avoient pu causer plus de mal que de bien dans une imagination vive, et qu'en un mot ils n'avoient fait que lui gâter l'esprit. Cette pensée rendit un peu de calme au mien, par la facilité que j'avois de lui procurer d'autres livres dont j'espérois bientôt un effet tout opposé. Ma bibliothèque étoit fournie dans toutes sortes de genres. Ce n'étoit pas des livres dissolus que je lui destinois, mais nos bons romans, nos poësies, nos ouvrages de théâtre, quelques livres même de morale, dont les auteurs ont été de bonne composition avec les desirs du cœur et les usages du monde [83], me parurent capables de ramener Théophé à des principes moins farouches ; et je tirai tant de consolation de mon dessein, que j'eus la force de composer mon visage et mes sentimens en reparoissant à sa vue. L'occasion se présenta de lui parler à l'écart. Je ne pus me dispenser de lui marquer quelque chagrin de sa lettre, mais il fut modéré ; et lui témoignant plus d'admiration pour sa vertu que de regret de me voir rebuté, je ne parlai de sa résistance à mes soins que comme d'un motif pour me porter moi-même à combattre ma passion.

Je fis tomber aussi-tôt mon discours sur le progrès de ses exercices, et lui vantant quelques livres nouveaux que j'avois reçus de France, je lui promis de les lui envoyer dans l'après-midi. Elle fut bien éloignée de la modération où j'affectai de me contenir. Sa joie s'exprima par des transports. Elle prit ma main qu'elle serra contre ses lèvres. Je retrouve donc mon père ! me dit-elle. Je retrouve ma fortune, mon bonheur, et tout ce que j'ai espéré en me livrant à sa généreuse amitié. Ah ! quel sort sera plus heureux que le mien ? Cette effusion de sentimens me toucha jusqu'au fond du cœur. Je ne pus y résister ; et la quittant sans ajouter un seul mot, je me retirai dans mon cabinet, où je me livrai longtems au trouble qui prenoit l'ascendant sur toutes mes rèfléxions.

Qu'elle est sincère ! Qu'elle est naïve ! O ! Dieux, qu'elle est aimable ! Il m'échappa mille autres exclamations avant que de pouvoir mettre quelque ordre dans mes idées. Cependant c'étoit la vertu même qui avoit paru s'exprimer par sa bouche. Mes scrupules furent les prémiers mouvemens qui s'élevérent dans mon cœur. Je sacrifierai donc tant de mérite à une passion déréglée ! J'avois vis-à-vis de moi mes livres. Je jettai les yeux sur ceux que je m'étois proposé de donner à Théophé. C'étoit *Cléopatre, La Princesse de Clèves*, etc.[84]. Mais lui remplirai-je l'imagination de mille chimères dont il n'y a pas de fruit à recueillir pour sa raison ? En supposant qu'elle y prenne quelque sentiment tendre, serai-je bien satisfait de les devoir à des fictions, qui peuvent réveiller les sentiments de la nature dans un cœur naturellement disposé à la tendresse, mais qui ne feront pas le bonheur du mien, lorsque je ne les devrai qu'à mon artifice ? Je la connois. Elle retombera sur son Nicole, sur son *Art de penser,* et j'aurai le chagrin de voir l'illusion * plus tôt dissipée que je n'aurai jamais pu la faire naitre ; ou si elle est constante, je ne trouverai qu'un bonheur imparfait dans un amour que j'attribuerai sans cesse à des motifs où je n'aurai pas la moindre part.

Ce fut par des réfléxions de cette nature que je parvins insensiblement à calmer les mouvemens qui m'avoient agité. Essayons, repris-je plus tranquillement, jusqu'où la raison est capable de me conduire. J'ai deux difficultés à vaincre, et je dois me proposer l'une ou l'autre à combattre. Il faut ou surmonter ma passion ou triompher de la résistance de Théophé. De quel côté tournerai-je mes efforts ? N'est-il pas plus juste que je les tourne contre moi-même, et que je cherche à me procurer un repos qui assure en même tems celui de Théophé ? Son penchant la porte à m'aimer, dit-elle ; mais elle l'a réprimé. Qu'ai-je à prétendre de son amour ? Et si je cherche son intérêt et le mien, ne ferons-nous pas mieux l'un et l'autre de nous borner à la simple amitié ?

C'étoit dans le fond ce que je pouvois penser de plus sage ; mais je me flattois mal à propos d'être aussi maitre de mon cœur que de ma conduite. Si je renonçai sur le champ à l'envie d'employer d'autres voies que mes soins pour toucher le cœur de Théophé, et si je m'imposai des loix plus sévères que jamais dans la familiarité où je ne pouvois éviter de vivre avec elle, je n'en conservai pas moins le trait que je portois au fond du cœur. Ainsi la plus intéressante partie de ma vie, c'est-à-dire le détail intérieur de ma maison, alloit devenir pour moi un combat perpétuel. Je le sentis dès le prémier moment, et je me livrai aveuglément à cette espèce de supplice. Que j'étois éloigné néanmoins de prévoir les tourmens que je me préparois !

Synèse, que je n'avois pas encore vu depuis sa blessure, et qui commençoit à se rétablir, envoya pour la prémière fois un de mes gens, qui vint interrompre mes tristes méditations pour me faire ses excuses. Je l'avois négligé depuis son avanture, et ne me trouvant pas fort offensé de l'entreprise d'un amant, je m'étois contenté de donner ordre qu'on prît soin de lui, et qu'on le renvoyât chez son père après sa guérison. Mais la soumission qu'il me marquoit me disposa si bien pour lui, que m'étant informé plus particulièrement de sa santé, je me fis conduire à sa chambre, d'où l'on me dit qu'il ne pouvoit encore s'éloigner. Il seroit entré dans le sein de la terre, si elle s'étoit ouverte pour le cacher à mes regards. Je le rassurai par mes prémières expressions, et je le priai seulement de m'apprendre le fond de ses vues, dont j'ajoutai que je connaissois déja la meilleure partie. Cette demande étoit équivoque, quoique ma pensée ne se portât pas plus loin que la visite qu'il avoit rendue à Théophé. Je le vis trembler de saisissement, et son embarras me faisant naitre des soupçons qui ne s'étoient pas présentés à mon esprit, je l'augmentai en redoublant mes instances. Il fit un effort pour se lever, et lorsque je l'eus forcé de demeurer dans sa situation, il me conjura de prendre pitié d'un malheureux jeune-homme qui n'avoit jamais pensé à m'offenser. J'écoutois d'un air sévère. Il me dit qu'il étoit toujours prêt à reconnoitre Théophé pour sa sœur, et qu'il seroit plus ardent que ses frères à lui donner cette qualité lorsqu'il plairoit à son père de s'expliquer ; mais qu'à la vérité ne voyant point assez de certitude dans sa naissance pour s'arrêter à cette idée, il s'étoit livré à d'autres sentimens qui pouvoient devenir aussi avantageux à Théophé que la révélation de sa naissance et quelque légère partie de l'héritage de Condoidi ; en un mot qu'il lui offroit de l'épouser ; que malgré la loi de sa famille, qui assuroit toutes les terres de son père à l'ainé de ses frères, il n'étoit pas sans bien du côté de sa mère ; que dans cette disposition il n'avoit pas cru manquer de respect pour moi en différant quelques jours à retourner à Constantinople, pour trouver l'occasion de déclarer ses sentimens à Théophé ; qu'il osoit espérer au contraire que je daignerois les approuver ; qu'à l'égard des offres qu'il avoit faites au chevalier, il avoit toujours supposé qu'elles ne s'exécuteroient pas sans mon consentement. Et m'expliquant le projet de leur établissement dans la Morée, il se fit un mérite de me déclarer sincèrement tout ce qu'il craignoit que je n'eusse appris par une autre voie.

En examinant de sang-froid son discours et ses intentions, je le trouvai moins coupable que léger et imprudent de ne pas voir que dans l'opinion qu'il avoit eue lui-même de la naissance de Théophé, ses propositions de mariage demandoient absolument qu'une difficulté si importante fût parfaitement éclaircie. Je ne pouvois d'ailleurs lui faire un crime d'avoir entrepris de me ravir un cœur sur lequel il ignoroit mes prétentions. Ainsi loin de l'effrayer par des reproches, je me bornai à lui faire sentir la puérilité de son projet. Mais ce qu'il n'espéroit pas sans doute après cette réfléxion, je lui promis de faire une nouvelle tentative auprès de son père pour éclaircir la naissance de Théophé, et je l'exhortai à se rétablir promptement, pour se trouver en état de m'amener le seigneur Condoidi avec lequel je ne voulois m'expliquer qu'en sa présence. Cette promesse et l'air de bonté dont je pris soin de l'accompagner eurent plus d'effet pour sa guérison que tous les remèdes.

Je ne m'engageois à rien que je ne fusse résolu d'exécuter ; mais ce n'étoit pas lui que je pensois à servir, et toutes mes vues se rapportoient à l'avantage de Théophé. L'occasion ne pouvoit être plus favorable pour tenter Condoidi par la crainte du mariage de son fils. J'avois déja formé ce dessein, et je n'ose encore confesser ce que mon cœur osoit s'en promettre. Après quelques jours, que l'impatience de Synèse lui fit trouver trop longs, il vint m'avertir qu'il se croyoit assez rétabli pour retourner à la ville. Amenez-moi donc votre père, lui dis-je ; mais gardez-vous qu'il se défie des raisons qui me font souhaiter de le voir. Ils furent le soir à Oru. Je fis un accueil honnête au seigneur Condoidi, et passant tout d'un coup au motif que j'avois eu de lui renvoyer son fils : A quoi nous avez-vous exposés, lui dis-je, et si le hazard ne m'avoit fait découvrir les intentions de Synèse, de quoi nous alliez-vous rendre coupables ? Il est résolu d'épouser Théophé. Voyez si vous l'êtes de souffrir ce mariage. Le vieillard parut d'abord un peu déconcerté. Mais se remettant aussi-tôt, il me remercia d'avoir arrêté les téméraires inclinations de son fils. Je lui destine un parti, ajouta-t-il, qui conviendra mieux à sa fortune qu'une fille dont l'unique avantage est l'honneur que vous lui accordez de votre protection. J'insistai, en lui représentant qu'il ne seroit peut-être pas toujours le maitre de s'opposer à l'ardente passion d'un jeune-homme. Il me répondit froidement qu'il en avoit des moyens infaillibles, et faisant prendre un autre tour à notre conversation, le rusé Grec éluda pendant plus d'une heure tous les efforts que je fis pour l'y ramener. Enfin prenant congé de moi avec beaucoup de politesse, il donna ordre à son fils de le suivre, et ils reprirent tous deux le chemin de Constantinophe.

Ce fut plusieurs jours après, qu'étant étonné de n'avoir point entendu parler de Synèse, la curiosité me fit envoyer un de mes gens à Constantinople, avec ordre de s'informer de l'état de sa blessure. Son père, qui sut qu'on venoit de ma part, me fit remercier de mon attention, et joignit malicieusement à cette politesse que je pouvois être desormais sans inquiétude pour le mariage de son fils, parce que l'aiant renvoyé dans la Morée, sous une bonne garde, il étoit sûr qu'il ne s'échapperoit point aisément du lieu où il avoit donné ordre qu'il fût enfermé. J'eus assez de bonté pour être sensible à cette rigueur. Théophé marqua la même compassion. Et comme je ne cachai cette nouvelle à personne, le chevalier, plus touché que je ne l'aurois cru du malheur de son ami, forma une résolution qu'il nous déguisa soigneusement. Sous prétexte de se rendre à Raguse, pour y toucher ses lettres de change, il entreprit de délivrer Synèse de sa prison, et les périls où l'amitié l'engagea feront prendre bientôt une idée fort noble de son caractère.

Je ne dissimulai point à Théophé les nouveaux efforts que j'avois faits pour toucher son père. Elle s'affligea du mauvais succès de mes soins, mais sans excès, et je fus charmé de lui entendre dire qu'avec les bontés que j'avois pour elle, on ne s'appercevroit jamais qu'elle manquât de père. Que n'aurois-je pas répondu à cette tendre marque de reconnoissance, si j'eusse laissé à mon cœur la liberté de s'exprimer? Mais, fidèle à mes résolutions, je me réduisis au langage de l'affection paternelle, et je l'assurai qu'elle me tiendroit toujours lieu de fille[85]. Un incident qui troubla dans le même tems Constantinople et tous les pays voisins, acheva de me faire connoitre combien j'étois cher à l'aimable Théophé. Il se répandit une fièvre contagieuse, contre laquelle on fut longtems sans pouvoir découvrir de remède. J'en fus attaqué. Mon prémier soin fut de me faire transporter dans un pavillon de mon jardin, où je ne voulus avoir auprès de moi que mon médecin et mon valet de chambre. Cette précaution, que je devois à la charité, en étoit d'ailleurs une de prudence, parce que je n'aurois pu délivrer ma maison de cette fâcheuse maladie, si elle s'étoit une fois communiquée à mes domestiques. Mais un ordre qui sembloit regarder particulièrement Théophé n'eut pas plus de pouvoir que la crainte pour l'empêcher de me suivre. Elle entra malgré mes gens dans le pavillon, et rien ne fut capable de refroidir un moment ses soins. Elle tomba malade elle-même. Mes instances, mes supplications, mes plaintes ne purent la faire consentir à se retirer. On lui dressa un lit dans mon antichambre, d'où toute la force de son mal ne l'empêcha point d'être continuellement attentive au mien.

De quels sentimens n'eus-je point le cœur pénétré après notre rétablissement! Le sélictar, qui avoit été informé de ma maladie, me rendit une visite d'amitié aussi-tôt qu'il crut le pouvoir sans indiscrétion. Son cœur n'étoit pas tranquille. Le tems qu'il avoit passé sans venir à Oru avoit été employé à combattre une passion dont il commençoit à sentir qu'il ne recueilleroit jamais aucun fruit. Mais il ne put apprendre de moi-même les tendres soins qu'elle avoit eus pour moi, sans marquer par son embarras et par sa rougeur une jalousie qu'il n'avoit point encore sentie. Il s'agita impatiemment pendant le reste de notre entretien. Et lorsque le tems vint de se retirer, il ne considéra point que la foiblesse de ma santé m'obligeoit de garder mon appartement ; il me pria de l'accompagner au jardin. Je ne me fis pas presser. Après avoir gardé le silence pendant quelques pas : J'ouvre les yeux, me dit-il d'un ton emporté et je rougis de les avoir fermés si longtems. Il est facile à un François, ajouta-t-il ironiquement, de faire une dupe d'un Turc.

J'avoue que ne m'étant attendu à rien moins qu'à cette brusque invective, et n'aiant pensé, dans la complaisance avec laquelle je m'étois loué des soins de Théophé, qu'à faire valoir la bonté naturelle de son caractère, je cherchai pendant quelques momens des expressions pour me défendre. Cependant, soit qu'un peu de modération naturelle me rendît capable de ne me pas laisser aveugler par mon ressentiment, soit que l'abattement de ma maladie fût favorable à ma raison, je fis au fier sélictar une réponse moins offensante que ferme et modeste. Les François (car je fais marcher, lui dis-je, l'intérêt de ma nation avant le mien) connoissent peu l'artifice, et cherchent de meilleures voies pour faire réussir ce qui les flatte. Pour moi, qui n'ai jamais pensé à vous fermer les yeux, je n'ai pas de regret qu'ils soient ouverts, et je vous avertis seulement qu'ils vous trompent s'ils vous font mal juger de mon amitié et de ma bonne-foi. Ce discours diminua l'emportement du sélictar, mais il ne refroidit point toute sa chaleur. Quoi ? me dit-il, vous ne m'avez pas dit que vous n'en étiez qu'aux termes de l'amitié avec Théophé, et que la générosité étoit le seul sentiment qui vous avoit intéressé pour elle ? Je l'interrompis sans émotion : Je ne vous ai pas trompé, si je vous ai tenu ce discours ; c'étoit mon prémier sentiment, lui dis-je, et je ne serois pas si content de mon cœur, s'il avoit commencé par un autre. Mais puisque vous me pressez de vous apprendre ce qui s'y passe, je vous avoue que j'aime Théophé, et que je n'ai pu me défendre mieux que vous contre ses charmes. Cependant je joins à cet aveu deux circonstances qui doivent vous remettre l'esprit : je n'avois pas ces sentimens pour elle lorsque je l'ai tirée du serrail de Chériber, et il ne me sert pas plus qu'à vous de les avoir conçus depuis. Voilà, repris-je avec moins de fierté que de politesse, ce que je crois capable de satisfaire un homme que j'estime et que j'aime.

Il se livroit pendant ce tems-là aux plus noires réfléxions, et rappellant tout ce qu'il avoit remarqué dans notre commerce depuis que j'avois reçu Théophé de ses mains, il n'auroit pas manqué de jetter le poison de son cœur sur les moindres observations qui lui auroient paru suspectes. Mais n'aiant à me reprocher que l'innocent témoignage que j'avois reçu du zèle de cette aimable fille, il conçut enfin que je ne m'en serois pas vanté avec tant d'imprudence si je m'en étois cru redevable à l'amour. Cette pensée ne lui rendit pas le repos et la joie ; mais calmant du moins ses noirs transports, elle le disposa à me quitter sans haine et sans colère. Vous n'aurez pas oublié, me dit-il en partant, que je vous ai offert le sacrifice de ma passion quand j'ai cru que l'amitié m'en faisoit un devoir. Nous verrons si j'ai bien compris vos principes, et quelle est cette différence que vous m'avez vantée entre vos mœurs et les nôtres. Il ne me laissa pas le tems de lui répondre.

Cette avanture me fit examiner de nouveau quels reproches j'avois à me faire du côté de l'amour ou de l'amitié. Le seul cas où j'aurois cru mériter ceux du sélictar auroit été celui d'un amour heureux, qui lui auroit fait craindre que ma concurrence n'eût diminué quelque chose de la tendresse qu'il auroit obtenue. Mais depuis que j'aimois Théophé, il ne m'étoit pas même entré dans l'esprit de me faire valoir aux dépens de mon rival. J'étois assuré par elle-même qu'elle étoit sans goût pour lui, et l'obstacle qu'il m'accusoit de ne pas respecter étoit précisément le seul que je n'avois pas à combattre. D'ailleurs, j'avois moi-même tant de plaintes à faire de mon sort, que m'en trouvant peut-être moins sensible à celui d'autrui, je pris le parti de rire de son chagrin pour soulager le mien. Je retournai vers Théophé dans cette disposition, et je lui demandai en badinant ce qu'elle pensoit du sélictar, qui m'accusoit d'être aimé d'elle, et qui me faisoit un crime d'un bonheur dont j'étois si éloigné. Maria Rezati, dont l'attachement croissoit tous les jours pour son amie, avoit acquis trop de lumières par ses avantures pour n'avoir pas reconnu tout d'un coup de quels sentimens j'étois rempli. Ne la quittant pas un moment, elle eut l'adresse de l'engager dans des ouvertures qui lui donnérent bientôt beaucoup d'influence sur toutes ses réfléxions. Elle lui représenta qu'elle ne connoissoit point assez les biens qu'elle négligeoit, et qu'une femme de son mérite pouvoit tirer des avantages extrèmes d'une passion aussi vive que la mienne. Enfin, s'efforçant d'élever ses espérances, elle lui fit considérer que je n'étois point marié ; que rien n'étoit si ordinaire dans les pays chrétiens que de voir une femme élevée à la fortune par un heureux mariage ; que dans la prévention favorable qui me faisoit regarder ses prémières avantures comme les fautes et les injustices de la fortune, je ne m'arrêterois vraisemblablement qu'à la conduite qu'elle avoit tenue depuis sa liberté, et qu'à la distance où j'étois de ma patrie, je ne prendrois conseil que de mon propre cœur. Elle lui répéta mille fois le même discours, avec une espèce d'impatience de le voir reçu trop froidement ; et n'aiant pu tirer d'elle que des réponses modestes, qui marquoient une ame revenue de l'ambition, elle lui protesta qu'indépendamment d'elle et par le seule zèle de l'amitié, elle alloit s'adresser à moi pour me disposer insensiblement à faire la fortune et le bonheur de son amie. En-vain

Théophé s'y opposa-t-elle par les plus fortes raisons ; sa résistance fut traitée de crainte et de foiblesse.

Il n'y eut rien d'égal à son embarras. Outre sa manière de penser, qui l'éloignoit extrèmement de toutes les vues de fortune et d'élévation, elle trembloit de l'opinion que j'allois prendre de sa vanité et de sa hardiesse. Après avoir renouvellé inutilement ses efforts pour faire changer de résolution à son amie, elle prit elle-même celle de me prévenir sur une négociation dont le moindre risque lui paroissoit être la perte de mon estime et de mon affection. Mais après avoir combattu longtems sa timidité, elle s'en laissa vaincre, et le seul expédient qui lui resta fut d'employer un *caloger*, chef d'une église grecque, qui étoit à deux milles d'Oru, avec lequel elle avoit formé quelque liaison[86]. Ce bon-homme se chargea volontiers de sa commission. Il me l'expliqua d'un ton badin ; et redoublant l'admiration qu'il avoit déja pour une fille si extraordinaire, il me demanda si je mettois beaucoup de différence entre cette vertueuse crainte et celle qui portoit un caloger modeste à se cacher pour fuir les dignités ecclésiastiques. Je ris de sa comparaison. Avec un peu plus d'expérience que lui de la vanité et de l'adresse des femmes, tout autre que Théophé m'auroit été suspecte, et j'aurois peut-être regardé cette apparence de modestie comme un tour fort bien imaginé pour me faire connoitre ses prétentions. Mais j'aurois fait le dernier outrage à mon aimable élève. Elle n'avoit pas besoin de cette précaution, dis-je au caloger, pour me faire bien juger des sentimens de son cœur, et dites-lui plus d'une fois que s'il m'étoit libre de suivre les miens, je ne tarderois guères à lui marquer toute la justice que je lui rends. C'étoit la seule réponse qui convînt à ma situation. Oserai-je confesser qu'elle étoit bien plus retenue que mes véritables desirs ?

Je ne manquai pas de tenir le même langage à Théophé, et je fus comme forcé de la poursuivre pour trouver l'occasion de l'entretenir sans témoins. Je m'étois retranché les visites que je lui rendois seule dans son appartement. Je ne lui proposois plus de promenade au jardin. Elle m'étoit devenue si redoutable que je n'approchois plus d'elle qu'en tremblant. Les plus doux momens de ma vie étoient néanmoins ceux que je passois à la voir. Je portois par-tout son idée, et j'avois honte quelquefois au milieu de mes plus graves occupations de ne pouvoir éloigner des souvenirs qui m'assiégeoient continuellement. La connoissance du caloger, qu'elle m'avoit procurée, m'engagea dans plusieurs promenades qui convenoient peut-être assez peu à la bienséance de mon emploi ; mais c'étoit assez que j'accompagnasse Théophé pour n'être sensible qu'au plaisir d'être avec elle. Cependant, je n'ai pu oublier les circonstances de la prémière visite que nous rendimes au caloger. Ce n'étoit à parler proprement qu'un curé, respectable par son âge et par la considération qu'il s'étoit attirée de tous les Grecs. Son revenu s'étoit multiplié par son économie, et les présens qu'il recevoit sans cesse des fidèles de sa communion suffisoient pour lui faire mener une vie douce et commode. L'ignorance dans laquelle il s'étoit entretenu jusqu'à l'âge de soixante-dix ans, n'empêchoit pas qu'il n'eût une bibliothèque, qu'il regardoit comme le principal ornement de sa maison. Ce fut dans ce lieu qu'il m'introduisit, par la haute idée que les Grecs ont du savoir des François. Mais lorsque je m'attendois à lui voir déployer ses richesses littéraires, je fus surpris d'entendre tomber sa prémière observation sur une vieille chaise qu'il nous fit remarquer dans un coin. Combien croiriez-vous, me dit-il, que cette pièce a passé d'années dans le même lieu ? Trente-cinq ans. Car il y en a trente-cinq que j'occupe mon emploi, et j'ai eu le plaisir de remarquer qu'on ne s'en est jamais servi. Il sembloit même qu'on eût respecté jusqu'à la poussière dont elle étoit couverte. Mais jettant en même tems les yeux sur les livres qui en étoient voisins, je m'apperçus qu'ils n'étoient pas moins poudreux. Cette remarque me fit naitre une idée plaisante, qui fut de mesurer l'épaisseur de la poussière qui étoit sur les livres et sur la chaise ; et la trouvant à peu près égale, j'offris au caloger de parier que depuis trente-cinq ans la chaise n'avoit pas été plus immobile que les livres. Il ne conçut pas aisément ma pensée, quoiqu'il eût fait une attention profonde à mon opération ; et il crut, en admirant mon savoir, que j'avois un talent extraordinaire pour découvrir la vérité.

Il avoit été marié trois fois, quoique les loix de l'église grecque interdisent les secondes noces aux ecclésiastiques [87]. La raison qu'il avoit fait valoir pour obtenir cette dispense étoit qu'il n'avoit point eu d'enfans des deux prémiers lits, et qu'une des fins du mariage étant de contribuer à la propagation de la société, il devoit prendre autant de nouvelles femmes qu'il en perdroit, pour remplir plus parfaitement le but d'une vocation légitime. Le concile grec s'étoit laissé persuader par un raisonnement si étrange, et le caloger, qui n'avoit pas communiqué plus de fécondité à sa troisième femme qu'aux deux prémières, s'affligeoit de n'avoir pas connu qu'il étoit si peu propre au mariage ou de n'en avoir pas mieux rempli les fonctions. Telle est la grossièreté des chefs d'une église assez nombreuse, quoiqu'elle le soit beaucoup moins qu'ils ne se le persuadent. J'ai remarqué tant de variétés dans leurs principes, qu'il ne sont guères unis que par la qualité de chrétiens, et par la facilité qu'ils ont mutuellement à supporter leurs erreurs.

Cependant Maria Rezati n'avoit pas oublié la promesse qu'elle avoit faite à Théophé ; et le soin qu'on avoit pris de m'avertir, me fit trouver beaucoup de plaisir à remarquer tous les dégrés d'adresse par lesquels une femme tend à son but. Mais je me lassai enfin d'un manège dont je découvrois trop aisément l'artifice, et prenant occasion de son entreprise pour faire connoitre à Théophé ce que je n'avois plus la hardiesse de lui dire moi-même, je la priai d'être aussi persuadée que son amie que mon cœur ne changeroit jamais d'inclination. C'est une promesse que j'ai tenue fidèlement. Ma raison me faisoit encore sentir que je devois m'y borner. Mais je ne connoissois pas tout ce que j'avois à craindre de ma foiblesse.

Il s'étoit passé environ six semaines depuis le départ du chevalier sicilien, lorsque Maria Rezati en reçut une lettre par laquelle il lui marquoit que son amitié pour Synèse Condoidi l'avoit fait triompher de mille difficultés, et que le jeune Grec, qui n'appréhendoit plus rien de la violence de son père depuis qu'il étoit assez libre pour espérer de s'en défendre, étoit toujours disposé à leur accorder une retraite dans une portion de l'héritage qui lui étoit venu de sa mère. Il ajoutoit qu'on se reposoit sur elle du soin d'engager Théophé à partager leur établissement, et que si elle ne l'avoit point encore fait entrer dans cette disposition, Synèse étoit résolu de retourner à Constantinople pour la solliciter lui-même d'accepter ses offres. On ne paroissoit pas inquiet sur mon consentement, et j'eus la satisfaction de penser qu'on portoit un jugement bien avantageux de mon commerce avec Théophé, puisqu'on me croyoit capable de la voir partir avec cette indifférence. Mais ils s'étoient bien gardés de marquer toutes leurs intentions dans leur lettre. En supposant qu'ils trouvassent quelque obstacle de la part de Théophé ou de la mienne, ils étoient résolus de ne ménager ni le courage ni l'adresse pour la tirer de mes mains.

L'essai qu'ils venoient d'en faire les animoit sans doute à de nouvelles entreprises. Ils n'étoient tranquilles à Acade que par l'indulgence du gouverneur, qui avoit fermé les yeux sur une témérité dont il étoit en droit de les punir. Synèse, renfermé par l'ordre de son père dans une vieille tour, qui composoit la meilleure partie de leur château, ignoroit quelle devoit être la durée de sa prison, et ne voyoit aucune apparence d'en sortir par ses propres efforts. Ses gardes n'étoient qu'un petit nombre de domestiques, qu'il n'auroit pas été difficile de corrompre si le chevalier eût été plus riche ; mais étant parti avec une somme médiocre, que je lui avois prêtée pour son voyage, il n'avoit point eu d'autre ressource pour délivrer son ami que l'adresse ou la force. Parlant mal la langue grecque et la turque, c'étoit un obstacle de plus, et je n'ai jamais compris comment il put le surmonter. Il auroit peut-être eu moins de hardiesse, s'il eût senti toutes les difficultés de son entreprise ; car la moitié des téméraires ne réussissent que pour avoir ignoré le danger. Il arriva seul à Acade. Il se logea dans le voisinage du château de Condoidi, qui en est à peu de distance. Son occupation pendant quelques jours fut de s'assurer du lieu où l'on avoit renfermé Synèse, et d'en examiner la disposition. Loin d'en pouvoir forcer la porte, il n'étoit pas même aisé d'en approcher. Mais à l'aide d'un fer, qu'il faisoit rougir dans un réchaud, il vint à bout dans l'espace d'une nuit de brûler le bout extérieur d'une épaisse solive qui traversoit la tour ; et soit qu'il eût commencé sur des lumières certaines, soit qu'il ne se laissât conduire qu'au hazard, il se trouva que l'endroit où il avoit appliqué son travail répondoit à la chambre de Synèse. Cette ouverture une fois commencée, rien ne lui devint si facile que d'écarter les pierres continguës, et de pénétrer toute l'épaisseur du mur. Son espérance étoit seulement de se faire entendre à son ami, car une nuit ne pouvoit suffire pour lui ouvrir un passage, et la lumière du jour l'auroit trahi si le desordre eût été trop grand. Mais s'étant fait reconnoitre de Synèse, il lui apprit dans quel dessein il étoit venu, et ce qu'il avoit fait jusqu'alors pour sa liberté. Ce fut par une délibération commune qu'ils convinrent de se voir toutes les nuits, et que Synèse, répétant aux gens qui le servoient tout ce qu'il avoit appris dans ces entretiens, se feroit la réputation d'avoir un génie familier qui lui rendoit compte de tout ce qui se passoit dans l'empire. En effet cette folle imagination se répandit bientôt, non-seulement à Acade, mais dans toutes les villes voisines, et les deux jeunes-gens se réjouïrent quelque tems de la crédulité du public.

Ils s'étoient imaginés avec raison qu'une nouveauté si extraordinaire exciteroit beaucoup de curiosité pour l'avanture de Synèse, et que la faveur des Turcs, qui sont extrèmement superstiuieux, serviroit à le délivrer. Mais quoique le gouverneur même d'Acade eût marqué de l'admiration pour ce qu'on lui racontoit, il ne parut pas plus disposé à blesser l'autorité paternelle en remettant un fils en liberté malgré son père. Ainsi le chevalier n'aiant tiré aucun fruit de l'artifice eut recours à la violence. Il trouva le moyen de faire passer une épée à Synèse, et s'étant lié avec quelques domestiques du château depuis le séjour qu'il faisoit dans le voisinage, il prit le tems qu'on le visitoit dans sa prison pour le seconder avec tant de vigueur que toute la maison de Condoidi attirée par le tumulte ne put empêcher leur fuite. Ils eurent l'imprudence de publier eux-mêmes leur avanture, sans considérer qu'ils risquoient doublement d'être punis, et pour avoir donné un air de religion aux lumières de Synèse, et pour avoir employé la voie des armes ; deux témérités qu'on pardonne rarement chez les Turcs. Mais le gouverneur d'Acade, informé des raisons qui avoient fait arrêter le jeune Grec, trouva la rigueur de son père excessive, et se disposa facilement à l'oubli d'une entreprise dont il fit honneur à l'amitié.

C'étoit au prémier moment de leur victoire que le chevalier avoit écrit à Maria Rezati. Il avoit ajouté qu'ils partoient ensemble pour Raguse, où Synèse avoit voulu accompagner son ami, et qu'ils prendroient d'autres mesures sur la réponse de Théophé, qu'ils comptoient de trouver à leur retour. Tous les termes de cette lettre étoient si mesurés que Maria ne fit pas difficulté de nous la communiquer. Cette franchise me persuada du moins que je n'avois pas de mauvaise intention à lui reprocher. Elle n'avoit pas attendu si longtems à s'ouvrir à Théophé ; ou plutôt elle avoit pressenti ses dispositions dès l'origine du projet, et ne lui aiant trouvé de goût que pour les pays chrétiens, elle avoit comme renoncé elle-même à ses espérances, après avoir appris la captivité de Synèse. Mais se voyant r'ouvrir des voies qu'elle avoit cru fermées, et jugeant par ma conduite, dont elle étoit continuellement témoin, que je laissois Théophé maîtresse d'elle-même, elle étoit fort éloignée en effet de vouloir me déplaire, ou de soupçonner qu'elle pût m'affliger en me communiquant la lettre du chevalier.

Cependant un mouvement de cœur, qui l'emporta tout d'un coup sur ma modération naturelle[88], me fit recevoir cette ouverture avec plus de ressentiment que je n'en devois marquer à une femme. Je traitai le projet d'établissement de partie de libertinage, qui répondoit fort bien à la fausse démarche où Maria Rezati s'étoit engagée en fuyant de la maison de son père, mais qui ne pouvoit être proposée sans honte à une fille aussi raisonnable que Théophé. J'allai jusqu'à donner le nom de trahison et d'ingratitude au plan qui s'en étoit formé dans ma maison. Je l'ai pardonné, lui dis-je, à Synèse, dont les vues me parurent alors aussi folles que celles dont son père l'a justement puni, et je ne voulus point augmenter par mes reproches le malheur qu'il s'étoit attiré dans ma maison. Mais je ne puis le passer facilement à une femme dont je devois attendre quelque reconnoissance et quelque attachement.

Si ces plaintes étoient trop dures, l'effet en fut aussi trop affreux. Elles inspirérent contre moi à Maria Rezati une haine qui ne convenoit point aux services que je lui avois rendus. Je sai que le reproche d'un bienfait passe pour une offense. Mais il n'étoit rien entré de trop humiliant dans mes termes, et j'ose ajouter que les excès de délicatesse n'appartenoient point à une femme qui sortoit d'un serrail, après avoir abandonné sa patrie avec un chevalier de Malte, et que je n'aurois pas dû souffrir, pour me rendre sincèrement justice, aussi longtems dans ma maison de Constantinople qu'à ma campagne. Théophé ne balança point à lui répondre de la manière la plus propre à calmer mon agitation. Il y avoit si peu d'apparence, lui dit-elle, à l'établissement dont on se flattoit, qu'elle étoit surprise qu'il pût être proposé sérieusement. Outre que la légèreté de deux jeunes-gens ne promettoit pas beaucoup de constance dans leurs entreprises, il ne falloit pas douter que le seigneur Condoidi ne troublât bientôt un projet formé sans sa participation. Pour elle à qui on faisoit la grace de l'y vouloir associer, elle ne comprenoit point à quel titre, et elle se sentoit autant d'éloignement pour celui que Synèse paroissoit lui offrir que d'indifférence pour celui que son père s'obstinoit à lui refuser. Ce discours me rendit plus tranquille. Cependant le même sentiment me faisant craindre que les conseils de Maria Rezati ne fissent plus d'impression dans mon absence, je résolus de lui procurer le moyen de rejoindre son amant. On m'apprit qu'il partoit, dans quelques jours, un vaisseau pour Lépante[89]. Je fis prier le capitaine de se charger d'une dame que ses affaires appelloient dans la Morée, et je lui donnai un de mes gens pour la conduire. Notre séparation se fit d'un air si contraint que je crus avoir peu de fond à faire desormais sur l'amitié de Maria Rezati. Théophé même, qui s'étoit beaucoup refroidie pour elle depuis différentes marques qu'elle avoit eues de son indiscrétion, la vit partir avec peu de regret. Mais nous n'en étions pas moins éloignés l'un et l'autre de nous attendre à des emportemens de haine[90].

Je goûtai plus de repos après son départ que je n'avois fait depuis longtems; et sans changer la conduite que j'étois résolu de tenir toute ma vie avec Théophé, la seule douceur de me voir plus libre auprès d'elle me tenoit lieu de tous les plaisirs que je n'osois plus espérer de l'amour. Le sélictar sembloit avoir renoncé à toutes ses prétentions. Il m'en avoit enfin coûté son amitié : car il ne s'étoit pas présenté à Oru depuis ma maladie, et si j'avois l'occasion de le voir dans les fréquens voyages que je faisois à Constantinople, je ne lui trouvois plus aucun reste de cette tendre chaleur avec laquelle il s'étoit toujours empressé de me saluer et de me prévenir par toutes sortes de politesses. Je ne mettois pas néanmoins de changement dans les miennes. Mais après m'avoir traité pendant quelques semaines avec cette froideur, il parut piqué de m'y voir si peu sensible, et j'appris qu'il s'étoit plaint fort amèrement de mon procédé. Je me crus alors obligé de lui demander quelque explication de ses plaintes. Cette conversation fut d'abord assez vive pour m'en faire appréhender des suites fâcheuses. Je me trouvois offensé d'un discours où j'avois su qu'il m'avoit peu ménagé, et je n'ignorois pas jusqu'où la modération et le silence sont compatibles avec l'honneur. Il desavoua néanmoins le récit qu'on m'avoit fait. Il me promit même de forcer celui dont il avoit reçu ce mauvais office à se rétracter avec éclat. Mais n'en étant pas plus traitable sur l'article de Théophé, il me reprocha avec toute la vivacité qu'il avoit eue à Oru d'avoir sacrifié sa tendresse à la mienne. J'étois satisfait sur mes propres plaintes. Ainsi reprenant toute l'inclination que j'avois à l'aimer, je m'efforçai de lui faire reprendre à lui-même l'ancienne opinion qu'il avoit eue de ma bonne-foi. Après lui avoir fait un nouvel aveu de mes sentimens pour Théophé, je lui protestai dans les termes qui font le plus d'impression sur un Turc, que non-seulement je n'étois pas plus heureux que lui, mais que je ne cherchois pas à l'être. Sa réponse n'auroit pas été plus prompte, si elle eût été méditée. Vous desirez du moins son bonheur ? me dit-il, en me regardant d'un œil fixe. Oui, répondis-je sans balancer. Eh bien, reprit-il, si elle est telle que vous l'avez reçue de moi lorsqu'elle est sortie du serrail de Chériber, je suis résolu de l'épouser. Je connois son père, continua-t-il ; j'ai obtenu de lui qu'il la reconnoitroit à cette condition ; il s'est laissé gagner par quelques promesses de fortune que je lui tiendrai fidèlement. Mais au moment que je me croyois déterminé à l'exécution d'un dessein que m'a coûté mille peines, je me suis trouvé combattu par de cruelles réfléxions que je n'ai pu surmonter. Vous m'avez inspiré trop de délicatesse. Vos conversations et vos maximes m'ont transformé en François. Je n'ai pu me résoudre à contraindre une femme dont j'ai cru le cœur possédé par un autre. Que n'ai-je pas souffert ! Cependant si votre honneur me garantit ce que je viens d'entendre, toutes mes résolutions renaissent. Vous savez nos usages. Je ferai ma femme de Théophé, avec tous les droits et toutes les distinctions que cette qualité lui assure.

Il y avoit peu de surprises qui pussent me paroître aussi terribles. Mon honneur que je venois d'engager, ma malheureuse passion qui subsistoit toujours, mille idées qui se changeoient aussi-tôt en pointes cruelles pour me tourmenter l'esprit et me déchirer le cœur, me firent ressentir en un moment plus d'amertume que je n'en avois éprouvé dans toute ma vie. Le sélictar s'apperçut de mon embarras. Ah ! s'écria-t-il, vous me laissez voir ce que je serois au desespoir de penser. C'étoit me faire entendre qu'il soupçonnoit ma droiture. Non, lui dis-je, vous ne devez pas m'offenser par vos défiances. Mais si je sai vos loix et vos usages, ne dois-je pas vous faire souvenir ou vous apprendre que Théophé est chrétienne ? Comment son père peut-il l'avoir oublié ? J'avoue qu'elle a été élevée dans vos pratiques, et depuis qu'elle est chez moi, j'ai marqué peu de curiosité pour savoir ce qu'elle pense en matière de religion ; mais elle est liée avec un caloger qu'elle reçoit souvent, et quoique je ne lui aye vu faire jusqu'à présent aucun exercice de vos principes ni des nôtres, je lui crois pour le christianisme l'inclination qu'elle doit tirer du sang, ou du moins de la connoissance qu'elle a toujours eue de sa patrie. Le sélictar, frappé de cette réfléxion, me répondit que Condoidi même la croyoit musulmane. Il ajouta d'autres raisons d'espérer que dans quelque religion qu'elle pût être, elle ne seroit pas plus difficile que la plupart des autres femmes, qui ne se font pas presser en Turquie pour

8

suivre la religion de leurs maitres ou de leurs maris[91]. J'eus le tems de me remettre pendant ce raisonnement, et comprenant que ce n'étoit pas de moi que devoient venir les objections, je lui dis enfin qu'il étoit inutile de se former des difficultés sur un fait qu'il pouvoit éclaircir dans la prémière visite qu'il feroit à Théophé. J'avois deux vues dans cette réponse : l'une d'éviter qu'il me chargeât de ses propositions ; l'autre de terminer promptement une nouvelle peine que la lenteur et le doute m'auroient rendue beaucoup plus sensible.

Il est certain qu'il ne m'étoit point encore tombé nettement dans l'esprit que Théophé pût jamais avoir d'autres liens avec moi que ceux de l'amour ; et supposé qu'elle se laissât aveugler par l'honneur de devenir une des prémières femmes de l'empire ottoman, je me sentois capable de sacrifier toute ma tendresse à sa fortune. J'aurois regardé d'un œil jaloux le bonheur du sélictar ; mais je ne l'aurois pas troublé, m'en eût-il coûté mille fois plus de violence ; et peut-être aurois-je contribué par mes propres soins à l'élévation d'une femme que j'aimois uniquement. Cependant, après avoir quitté le sélictar, qui me promit de me rejoindre le soir à Oru, je n'eus rien de si pressant que d'y retourner. Je ne pris point de détours pour découvrir par dégrés l'impression que j'allois faire sur Théophé. Mon cœur demandoit d'être soulagé à l'instant. Vous allez connoitre, lui dis-je, la nature de mes sentimens. Le sélictar pense à vous épouser, et loin de m'opposer à son dessein, j'applaudis à tout ce qui peut assurer votre fortune et votre bonheur. Elle reçut ce discours avec si peu d'émotion que je pénétrai tout d'un coup quelle alloit être sa réponse. Loin de contribuer à me rendre heureuse, vous me préparez d'autres chagrins, me dit-elle, par des offres dont je prévois que je ne me défendrai point sans offenser beaucoup le sélictar. Etoit-ce de vous, ajouta-t-elle, que je devois attendre une si odieuse proposition ? Vous n'avez pas pour moi toute l'amitié dont je * me suis flattée, ou j'ai réussi bien mal à vous persuader mes sentimens.

Trop charmé d'un reproche si obligeant, trop sensible à ce qu'il me paroissoit renfermer de favorable pour ma tendresse, j'insistai sur le dessein du sélictar par le seul plaisir d'entendre répéter ce qui m'avoit rempli le cœur de joie et d'admiration. Mais songez-vous, lui dis-je, que le sélictar est un des prémiers seigneurs de l'empire, que ses richesses sont immenses, que l'offre que vous écoutez avec froideur seroit reçue avidement de toutes les femmes du monde, et que c'est à ses pareils qu'on voit accorder tous les jours les sœurs et les filles du Grand-Seigneur ; enfin songez-vous que c'est un homme qui vous aime depuis longtems, qui joint beaucoup d'estime à l'amour, et qui se propose d'en user autrement avec vous que les Turcs ne font avec leurs femmes ? Elle m'interrompit. Je ne songe à rien, me dit-elle, parce que rien ne me touche que l'espérance de vivre tranquille sous la protection que vous m'accordez, et que je ne desire point d'autre bonheur. Après tant de promesses par lesquelles je m'étois engagé au silence, il ne m'étoit plus permis de marquer ma joie par des transports ; mais ce qui se passoit secrettement au fond de mon cœur surpassoit tout ce que j'ai rapporté jusqu'ici de mes sentimens.

Le sélictar ne manqua point de venir le soir à Oru. Il me demanda avec empressement si j'avois fait l'ouverture de son projet à Théophé. Je ne pus lui déguiser que j'avois hazardé quelques explications qui n'avoient pas été reçues aussi favorablement qu'il paroissoit le souhaiter. Mais peut-être serez-vous plus heureux, ajoutai-je, et je suis d'avis que vous ne différiez pas à vous expliquer vous-même. Il entroit une joie maligne dans ce conseil. Je brûlois non-seulement de voir finir ses importunités par un refus qui lui ôtât tout à fait l'espérance, mais encore plus de jouïr parfaitement de mon triomphe en voyant mon rival humilié à mes yeux. C'étoit le seul plaisir que j'eusse encore tiré de ma passion, et je ne m'y étois jamais livré avec tant de douceur. Je conduisis le sélictar à l'appartement de Théophé. Il lui déclara le sujet de sa visite. Aiant eu le tems de méditer sa réponse, elle prit soin de n'y rien mêler qui pût être mortifiant pour lui ; mais son refus me parut si décisif, et les raisons qu'elle en apporta furent exposées avec tant de force, que je ne doutai point qu'il n'en prît aussi-tôt la même opinion que moi. Aussi ne demanda-t-il point qu'elles lui fussent répétées. Il se leva sans répliquer un seul mot, et sortant avec moi d'un air moins affligé qu'irrité, il me dit plusieurs fois : L'auriez-vous cru ? Devois-je m'y attendre ? Et lorsqu'il fut prêt à partir, sans avoir voulu consentir à passer la nuit chez moi, il ajouta en m'embrassant : Demeurons amis. J'étois déterminé à faire une folie ; mais vous conviendrez que celle dont vous venez d'être témoin surpasse beaucoup la mienne. Son dépit éclata jusques dans sa chaise ; je lui vis lever les mains en me quittant, et les joindre avec un mouvement auquel je m'imaginai que la honte avoit autant de part que la douleur et l'étonnement. Malgré les sentimens que j'ai confessés, je l'aimois assez pour le plaindre, ou pour souhaiter du moins qu'une avanture si piquante pût servir à sa guérison.

Mais peut-être n'étoit-ce pas sur lui que j'aurois dû tourner ma compassion, si j'eusse prévu à quels nouveaux incidens je touchois, et ce que sa disgrace même devoit me causer de chagrin et d'humiliation. A peine fut-il parti, qu'étant retourné à l'appartement de Théophé, je la trouvai si satisfaite de son départ, qu'elle venoit d'apprendre au même moment, et son humeur naturellement vive et enjouée lui inspira tant d'agréables réfléxions sur la fortune qu'elle avoit refusée, que ne comprenant plus rien aux principes d'une femme capable de traiter avec ce mépris tout ce que le commun des hommes estime, je la suppliai, après l'avoir entendue quelques momens, de m'apprendre ce qu'elle prétendoit par une conduite et des sentimens qui me remplissoient tous les jours d'admiration. On se propose un but, lui dis-je, en la regardant d'un air que les sentimens mêmes dont j'étois agité sembloient rendre rêveur ; et plus les voies par lesquelles on veut marcher sont extraordinaires, plus le terme auquel on aspire doit être noble et relevé. J'ai la plus haute idée du vôtre, sans pouvoir néanmoins le découvrir. Vous ne manquez pas de confiance pour moi, ajoutai-je ; pourquoi m'avoir caché jusqu'à présent vos vues, et que n'accordez-vous du moins à l'amitié ce que je n'ose plus vous demander par d'autres motifs ? J'avois parlé d'un ton assez sérieux pour lui persuader que ce n'étoit pas la seule curiosité qui m'intéressoit à cette question, et quelque fidélité que j'eusse d'ailleurs à observer toutes mes promesses, elle avoit trop de pénétration pour ne pas remarquer continuellement que mon cœur n'en étoit pas plus tranquille. Cependant, sans changer le ton gai et léger dont elle s'étoit applaudie de la retraite du sélictar, elle me protesta que son unique but étoit celui qu'elle m'avoit déclaré mille fois et qu'elle étoit surprise de me voir oublier. Votre amitié et votre généreuse protection, me dit-elle, ont réparé dès le prémier moment tous les malheurs de ma fortune ; mais les regrets, l'application, les efforts de toute ma vie ne répareront jamais les desordres de ma conduite. Je suis indifférente pour tout ce qui ne sauroit servir à me rendre plus sage, parce que je ne connois plus d'autre bien que la sagesse, et que tous les jours je découvre de plus en plus que c'est le seul qui me manque.

Des réponses de cette nature m'auroient fait craindre encore que la lecture et la méditation ne lui eussent gâté l'esprit, si je n'eusse remarqué d'ailleurs une égalité admirable dans le fond de son caractère, une modération constante dans tous ses desirs, et toujours le même agrément dans ses discours et dans ses manières. C'est ici que je commencerois à rougir de ma foiblesse, si je n'avois préparé mes lecteurs à * la pardonner à une si belle cause. Je ne pus faire réfléxion sur tant de merveilleuses circonstances sans me sentir plus pénétré que jamais de tous les sentimens que j'avois tenus comme en respect depuis plusieurs mois, par la force de mes engagemens. Les offres d'un homme tel que le sélictar, et le refus dont j'avois été témoin, avoient tellement changé Théophé à mes yeux qu'elle me paroissoit revêtue de tous les titres qu'elle n'avoit point acceptés[92]. Ce n'étoit plus une esclave que j'avois rachetée, une inconnue qui ne pouvoit se faire avouer de son père, une fille malheureusement livrée à la débauche d'un serrail ; je ne voyois plus dans elle, avec toutes les qualités que j'adorois depuis si longtems, qu'une personne annoblie par la grandeur même qu'elle avoit méprisée et digne de plus d'élévation que la fortune ne pouvoit jamais lui en offrir. De cette disposition, qui ne fit qu'augmenter sans cesse par les réfléxions de plusieurs jours, je passai sans répugnance au dessein de l'épouser ; et ce qui devoit être surprenant pour moi-même après avoir passé près de deux ans sans oser m'arrêter un moment à cette pensée, je me familiarisai tout d'un coup avec mon projet jusqu'à ne m'occuper que des moyens de le faire réussir.

Ce n'étoit pas du côté de mon imagination que j'avois des obstacles à combattre, puisque je n'y trouvois plus rien qui ne favorisât mon penchant ; ni du côté de ma famille, qui n'avoit pas le pouvoir de s'y opposer, et qui dans l'éloignement où j'étois de ma patrie n'apprendroit ma résolution que longtems après qu'elle seroit exécutée. D'ailleurs, en me livrant à l'inclination de mon cœur, je n'oubliois pas ce que je devois à la bienséance ; et ne fût-ce que pour éviter la dépense et l'éclat, j'étois déja résolu de renfermer la fête de mon mariage dans l'enceinte de mes murs. Mais au milieu de la douceur que je trouvois à satisfaire mes plus chères inclinations, j'aurois souhaité que Théophé eût paru céder à ma tendresse par d'autres motifs que ceux que j'avois à lui proposer, et je sentois quelque regret d'avoir eu besoin de cette voie pour obtenir d'elle un peu d'amour. Quoique je me fusse flatté plus d'une fois d'avoir fait impression sur son cœur, il étoit triste pour le mien de n'en avoir jamais arraché le moindre aveu. Sans espérer de l'amener plus ouvertement à cette déclaration, je me promis du moins qu'en lui faisant envisager avec quelque obscurité ce que j'étois déterminé à faire pour elle, il seroit impossible que dans les mouvemens secrets de cette vive reconnoissance qu'elle m'avoit tant de fois exprimée, il ne lui échappât point quelques termes dont je croyois sentir que mon cœur pourroit se contenter, et qui me donneroient occasion de lui déclarer aussi-tôt moi-même de quoi l'amour me rendoit capable pour son bonheur et pour le mien. Dans toutes ces réfléxions, il ne me vint pas même à l'esprit que le refus qu'elle avoit fait au sélictar fût une raison de craindre le même sort ; et je pris encore plaisir à me persuader que si ce n'étoit pas absolument pour se conserver à moi qu'elle avoit rejetté une des prémières fortunes de l'empire, c'étoit du moins par une prévention si favorable pour notre nation qu'elle n'en seroit que plus disposée à recevoir de moi les mêmes offres.

Enfin, quelques jours s'étant passés dans cette espèce de préparation, j'avois fait choix, pour la décision de mon bonheur, d'un après-midi où rien ne pouvoit troubler l'entretien que je voulois avoir avec elle. J'entrois déja dans son appartement, lorsqu'une pensée que mes raisonnemens n'avoient pu servir à me faire rappeller, me glaça tout d'un coup le sang, et me fit retourner sur mes pas avec autant de trouble et de frayeur que j'avois apporté de tranquillité et de résolution. Je me souvins que le sélictar avoit pris du moins quelques mesures du côté de Condoidi pour assurer la naissance de Théophé, et je tremblai de la force d'une passion qui m'aveugloit jusqu'à me faire manquer à des bienséances dont un Turc ne s'étoit pas cru dispensé. Mais cette raison de m'alarmer ne fut pas la seule qui jettât la confusion dans toutes mes idées. Je considérai qu'autant qu'il étoit nécessaire de m'ouvrir à Condoidi, et de l'engager à faire pour moi ce qu'il avoit offert au sélictar, autant il m'alloit être difficile et humiliant de faire dépendre mes résolutions du caprice d'un homme que j'avois si peu ménagé. Que seroit-ce s'il alloit prendre plaisir à tirer vengeance et des sollicitations par lesquelles je l'avois importuné pour sa fille, et des chagrins qu'il me soupçonnoit de lui avoir causés à l'occasion de son fils ? Je ne voyois pas néanmoins deux partis à choisir, et ma surprise étoit qu'une condition si nécessaire eût pu m'échapper. Mais croira-t-on qu'après m'en être fait un juste reproche, et m'être occupé longtems à délibérer sur la voie que je devois prendre pour réparer mon imprudence, ma conclusion fut de retourner vers Théophé et d'exécuter ce que je m'étois cru obligé de suspendre par de si fortes raisons. Je ne ferai pas trop valoir les raisonnemens qui me rappellérent à cette résolution. Je ne persuaderois à personne que l'amour n'y eût pas plus de part que la prudence. Cependant il me sembla que des obstacles que je ne desespérois pas de vaincre ne devoient pas retarder une déclaration qui feroit enfin connoitre à Théophé toute l'ardeur de ma passion, et qui la disposeroit sans doute à favoriser mon entreprise, du moins par ses desirs. En lui apprenant que je lui destinois ma main, je ne prétendois pas lui dissimuler que le même jour que je voulois devenir son mari, je comptois lui rendre un père. Dois-je le dire ? Quelque succès que je pusse obtenir de la part de Condoidi et de la sienne, je me flattois qu'elle seroit assez touchée de la résolution que j'avois prise en sa faveur pour m'en tenir compte par ses sentimens, et pour m'accorder tôt ou tard sans conditions ce qu'elle verroit bien que je voulois mériter à toutes sortes de prix[93]. Mes réfléxions étoient en plus grand nombre, et n'étoient peut-être pas si nettes, lorsque je rentrai dans son appartement. Je ne lui laissai pas le tems de s'inquiéter de mon trouble. Je me hâtai de la prévenir, pour lui expliquer mes desseins, et l'aiant priée de m'écouter sans m'interrompre, je ne finis mon discours qu'après avoir exposé dans un fort long détail jusqu'au moindre de mes sentimens.

La chaleur qui m'avoit emporté à tant d'étranges démarches s'étoit non-seulement soutenue, mais comme augmentée pendant cette explication ; et la présence d'un objet si cher agissant encore plus vivement que toutes mes réfléxions, j'étois dans un état où rien n'étoit peut-être comparable à la force de mon amour et de mes desirs. Mais un coup d'œil que je jettai sur Théophé me plongea dans des frayeurs mille fois plus vives que celles qui m'avoient arrêté à la porte une heure auparavant. Au lieu des témoignages de reconnoissance et de joie que je m'attendois à voir éclater sur son visage, je n'y apperçus que les marques de la plus profonde tristesse et d'un mortel abbattement. Elle paroissoit pénétrée de tout ce qu'elle venoit d'entendre ; mais je ne voyois que trop que ce qui arrêtoit encore sa langue étoit un saisissement de surprise et de crainte plutôt qu'un transport d'admiration et d'amour. Enfin lorsque dans l'embarras où j'étois moi-même, j'allois lui marquer de l'inquiétude pour sa situation, elle se jetta à genoux devant moi, et ne pouvant plus retenir ses larmes, elle en versa une abondance qui lui ôta pendant quelques momens la liberté de parler. J'étois si vivement agité par mes propres mouvemens, que je me trouvai sans force pour la relever. Elle demeura malgré moi dans cette posture, et je fus contraint d'entendre un discours qui me perça mille fois le cœur. Je ne rapporterai pas ce que le souvenir de ses fautes, qui lui étoit toujours présent, lui fit prononcer d'injurieux et de méprisant pour elle-même ; mais après s'être représentée sous les plus odieuses couleurs, elle me conjura d'ouvrir les yeux sur ce tableau, et de ne pas souffrir plus longtems qu'une indigne passion m'aveuglât[94]. Elle me rappella ce que je devois à ma naissance, à mon rang, à l'honneur même et à la raison, dont j'avois servi moi-même à lui donner les prémières idées, et dont je lui avois appris si heureusement les maximes. Elle accusa la fortune de mettre le comble aux malheurs de sa vie, en la faisant servir non-seulement à ruïner le repos de son père et de son bienfaiteur, mais à corrompre les principes d'un cœur dont elle prétendoit que les vertus avoient été son unique modèle. Et quittant à la fin le ton de la douleur et des plaintes pour prendre celui des menaces les plus fermes, elle me protesta que si je ne renonçois point à des desirs qui blessoient également mon devoir et le sien, si je ne me réduisois point aux titres de son protecteur et de son ami, à ces chers et précieux titres auxquels elle demandoit encore au Ciel que j'en voulusse toujours joindre les sentimens, elle étoit résolue de quitter ma maison sans me dire adieu, et d'user de la liberté, de la vie, de tous les biens en un mot qu'elle confessoit me devoir, pour me fuir éternellement.

Après cette cruelle protestation, elle quitta la posture où elle étoit encore ; et me suppliant d'un ton plus modéré de lui pardonner quelques termes peu respectueux que la force de sa douleur *avoit pu lui arracher, elle me pria de trouver bon qu'elle allât cacher sa peine et se remettre de sa honte dans le cabinet voisin, d'où elle étoit résolue de ne sortir que pour s'éloigner tout à fait de moi, ou pour se livrer au plaisir de me retrouver tel que nous devions le souhaiter tous deux pour mon bonheur et le sien.

Elle passa effectivement dans le cabinet, et je n'eus pas même la hardiesse de faire le moindre effort pour la retenir. La voix, le mouvement, la récléxion, toutes mes facultés naturelles étoient comme suspendues par l'excès de mon étonnement et de ma confusion. Je me serois précipité dans un abîme, s'il s'en étoit ouvert un devant moi, et la seule idée de ma situation me paroissoit un tourment insupportable. J'y demeurai néanmoins fort longtems sans retrouver assez de force pour en sortir. Mais il falloit que cet état fût en effet bien violent, puisque le prémier domestique que je rencontrai fut alarmé de l'altération de mon visage, et que répandant aussi-tôt l'alarme dans ma maison, il attira autour de moi tous mes gens, qui s'empressérent de m'offrir les secours qu'ils croyoient nécessaires à ma santé[95]. Théophé même, avertie par le tumulte, oublia la résolution qu'elle avoit formée de ne pas sortir de son cabinet. Je la vis accourir avec inquiétude. Mais sa vue redoublant toutes mes peines, je feignis de ne l'avoir point apperçue. J'assurai mes gens qu'ils s'étoient alarmés sans raison, et je me hâtai de me renfermer dans mon appartement.

J'y passai plus de deux heures, qui ne furent pour moi qu'un instant. Que de réfléxions amères et que de violentes agitations ! Mais elles aboutirent enfin à me faire reprendre le parti dont je m'étois écarté. Je demeurai convaincu que le cœur de Théophé étoit à l'épreuve de tous les efforts des hommes, et soit caractère naturel, soit vertu acquise par ses études et par ses méditations, je la regardai comme une femme unique, dont la conduite et les principes devoient être proposés à l'imitation de son sexe et du nôtre. La confusion qui me restoit de son refus me devint facile à dissiper lorsque je me fus arrêté invariablement à cette résolution. Je voulus même me faire un mérite auprès d'elle d'être entré si promptement dans ses vues. Je la rejoignis dans son cabinet, et lui déclarant que je me rendois à la force de ses exemples, je lui promis de me borner aussi longtems qu'elle le souhaiteroit à la qualité du plus tendre et du plus ardent de ses amis. Que cette promesse étoit combattue néanmoins par les mouvemens de mon cœur, et que sa présence étoit propre à me faire rétracter ce que j'avois reconnu juste et indispensable dans un moment de solitude ! Si l'idée que j'ai à donner d'elle dans la suite de ces mémoires ne répond pas à celle qu'on en a dû prendre jusqu'ici sur des épreuves si glorieuses pour sa vertu, n'ai-je point à craindre que ce ne soit de mon témoignage qu'on se défie, et qu'on n'aime mieux me soupçonner de quelque noir sentiment de jalousie qui auroit été capable d'altérer mes propres dispositions, que de s'imaginer qu'une fille si confirmée dans la vertu ait pu perdre quelque chose de cette sagesse que j'ai pris plaisir jusqu'à présent à faire admirer[96] ? Quelque opinion qu'on en puisse prendre, je ne fais cette question que pour avoir occasion de répondre qu'on me trouvera aussi sincère dans mes doutes et dans mes soupçons que je l'ai été dans mes éloges, et qu'après avoir rapporté ingénument des faits qui m'ont jetté moi-même dans les dernières incertitudes, c'est au lecteur que j'en veux laisser le jugement.

Mais le nouveau traité que j'avois fait avec Théophé fut suivi d'un calme assez long, pendant lequel j'eus encore le plaisir de lui voir exercer toutes ses vertus. J'avois appris du guide que j'avois donné à Maria Rezati que cette inquiète Sicilienne avoit mal répondu à notre attente et sans doute à celle de son amant. Le capitaine du vaisseau sur lequel je l'avois fait embarquer pour la Morée, aiant pris une vive passion pour elle, l'avoit engagée à lui découvrir ses avantures et ses projets. Il s'étoit servi de cette connoissance pour lui représenter si vivement le tort qu'elle alloit se faire pour le reste de sa vie en rejoignant son chevalier, qu'il l'avoit fait consentir enfin à se laisser reconduire en Sicile, où il n'avoit pas douté qu'elle ne pût se réconcilier facilement avec sa famille. Il s'étoit bien promis d'en recueillir le principal fruit, par un mariage auquel il étoit aisé de prévoir qu'il trouveroit peu d'opposition ; et si je devois m'en rapporter au témoignage d'un domestique, il n'avoit point attendu qu'il fût débarqué à Messine pour s'en assurer les droits. Enfin s'étant présenté au père de sa belle, qui s'étoit cru trop heureux de retrouver sa fille et son héritière, il avoit obtenu, en se faisant connoitre pour un Italien fort bien né, la permission d'épouser Maria Rezati avant que le bruit de son retour se fût répandu ; et c'étoit pour elle en effet la seule manière de rentrer avec honneur dans sa patrie. Elle avoit voulu que le guide que je lui avois donné l'accompagnât jusques chez son père, pour achever apparemment de gagner ce bon vieillard en lui donnant cette preuve de l'intérêt que j'avois pris à sa fortune. Il n'étoit parti de Messine qu'après la célébration du mariage, et il m'apporta une lettre du seigneur Rezati qui contenoit des marques fort vives de sa reconnoissance.

Théophé en avoit reçu une aussi de Maria, et nous nous étions crus délivrés tous deux de cette avanture. Il s'étoit passé environ six semaines depuis le retour de mon valet, lorsqu'étant à Constantinople j'appris d'un autre de mes gens qui revenoit d'Oru que le chevalier y étoit arrivé la veille, et que les nouvelles que Théophé lui avoit communiquées l'avoient jetté dans un desespoir dont on appréhendoit les suites. Il me fit faire néanmoins des excuses de la liberté qu'il avoit prise de venir descendre chez moi, et il me prioit de trouver bon qu'il s'y arrêtât quelques jours. Je le fis assurer sur le champ que je l'y verrois volontiers, et je ne fus pas plutôt libre que l'impatience d'apprendre ses sentimens et ses desseins me fit quitter la ville. Je le trouvai dans toute la consternation qu'on m'avoit représentée. Il me reprocha même d'avoir causé son malheur par la liberté que j'avois laissée à sa maitresse de quitter ma maison sans l'en avoir informé, et[97] je pardonnai ses reproches à la douleur d'un amant. Mais en peu de jours mes consolations et mes avis le ramenérent à des idées plus justes. Je lui fis reconnoitre que le parti que sa maitresse avoit pris étoit ce qui pouvoit arriver de plus heureux pour elle et pour lui-même, et je le disposai à profiter des secours que je lui offris pour faire sa paix avec sa famille et son Ordre.

Etant devenu plus tranquille il nous raconta l'avanture de Synèse et la sienne, dont nous n'avions appris que les principales circonstances par sa lettre. Ils avoient fait ensemble le voyage de Raguse, et n'aiant point trouvé d'obstacles au payement des lettres de change, ils s'étoient mis en état d'exécuter avec assez d'ordre et de succès le projet de l'établissement. Mais ce qu'il eut peine à me confesser d'abord fut que Synèse étoit arrivé avec lui à Constantinople. La réponse de Maria Rezati, qu'ils avoient trouvée à leur retour de Raguse, leur aiant fait comprendre que Théophé ne les joindroit pas volontairement, ils étoient venus dans l'espérance de faire plus d'impression sur elle par leurs propres instances ; et le chevalier, sensible aux honnêtetés qu'il recevoit dans ma maison, ne me dissimula point que le dessein de Synèse étoit d'employer la violence au défaut des voies qui lui avoient mal réussi. Je trahis mon ami, me dit-il ; mais je suis sûr que vous n'userez pas de ma confidence pour lui nuire ; au-lieu qu'en vous cachant son dessein, je vous trahirois d'autant plus cruellement qu'il vous seroit impossible de prévenir le coup qui menace votre maison. Il ajouta que s'il s'étoit engagé à seconder Synèse, c'étoit que dans l'attente où il étoit de trouver chez moi sa maitresse, et de retourner avec elle en Morée, il lui avoit souhaité une compagne aussi aimable que Théophé, à laquelle il comptoit d'ailleurs que les agrémens de leur société feroient bientôt trouver à Acade plus de douceurs qu'elle ne s'y en promettoit. N'ignorant pas d'ailleurs les efforts que j'avois faits moi-même pour engager Condoidi à la reconnoitre, il s'étoit persuadé que je ne m'offenserois pas qu'on la fît entrer comme malgré elle dans une famille à laquelle je souhaitois de la voir rendue. Mais le projet de l'établissement se trouvant ruïné par le fond, il m'avertissoit des vues de Synèse, dans lesquelles il ne voyoit plus pour Théophé la même sureté ni les mêmes avantages.

Elle ne fut pas témoin de cette ouverture, et je priai le chevalier de ne l'informer de rien. Il me suffisoit d'être averti pour dissiper aisément l'entreprise de Synèse, et je jugeois bien d'ailleurs que perdant le secours du chevalier il lui resteroit aussi peu de facilité que de hardiesse. Je voulus néanmoins être instruit des moyens qu'ils s'étoient proposé d'employer. Ils devoient prendre quelque jour où je serois à la ville. Je laissois peu de monde à Oru. Connoissant tous deux ma maison, ils s'étoient flattés de s'y introduire aisément, et d'y trouver d'autant moins de résistance que Maria Rezati partant volontairement, ils pouvoient persuader à mes domestiques que si Théophé sembloit l'accompagner malgré elle, c'étoit néanmoins avec ma participation. J'ignore comment cette témérité leur auroit réussi. Mais je me délivrai de toutes sortes de craintes en faisant déclarer à Synèse que je connoissois son dessein, et que s'il le conservoit un moment, je lui promettois qu'il seroit puni avec plus de rigueur qu'il ne l'avoit été de son père. Le chevalier, qui n'avoit pas cessé de l'aimer, contribua aussi à lui faire abandonner des vues qu'ils avoient formées de concert. Cependant il ne put lui ôter du cœur une passion qui le précipita encore dans plus d'une folle entreprise.

Quel fond doit-on faire à cet âge sur les plus heureux caractères ! Ce même chevalier que je croyois enfin revenu à la raison, et qui continua effectivement, jusqu'à son départ, de mériter par sa conduite les égards que je ne cessai point d'avoir pour lui, ne retourna en Sicile que pour y retomber dans un desordre beaucoup moins excusable que celui dont il étoit sorti. J'employai mes plus fortes recommandations auprès du grand-maitre de Malte et du vice-roi de Naples pour lui procurer un accueil plus doux qu'il n'osoit l'espérer. Il reparut librement dans sa patrie, et sa * fuite y passa pour une erreur de jeunesse. Mais il ne put éviter d'y voir sa maitresse, ou plutôt il eut sans doute la foiblesse d'en chercher l'occasion. Leurs flammes se rallumérent. A peine s'étoit-il passé quatre mois depuis son départ, que Théophé me fit voir une lettre écrite de Constantinople, par laquelle il lui marquoit avec beaucoup de détours et d'expressions timides qu'il étoit revenu en Turquie avec sa maitresse, et que ne pouvant vivre l'un sans l'autre, ils avoient enfin renoncé pour jamais à leur patrie. Il se rendoit justice sur l'excès de sa folie ; mais quoiqu'il apportât pour excuse la violence d'une passion qu'il n'avoit pu vaincre[98], il sentoit, disoit-il, que la bienséance ne lui permettoit point de paroître devant moi sans avoir pressenti ma bonté, et il supplioit Théophé de la réveiller en sa faveur.

Je ne délibérai pas un moment sur ma réponse. Le cas étoit si différent du prémier, et je me trouvai si peu de disposition à recevoir un homme qui violoit mille devoirs à la fois dans ce nouvel enlèvement, que dictant moi-même la lettre de Théophé, je déclarai au chevalier et à la compagne de sa fuite qu'ils ne devoient espérer de moi ni faveurs ni protection. Ils avoient pris assez de mesures pour s'en pouvoir passer, et leur but en venant droit à Constantinople étoit bien moins de me voir que d'y rejoindre Synèse, à qui ils vouloient faire renaitre leur ancien projet. Cependant comme ils avoient repris celui d'y faire entrer Théophé, et que l'étroite liaison qu'ils avoient eue avec elle leur faisoit compter d'en être reçus avec joie, ils distinguérent fort bien que sa réponse avoit été dictée ; et loin de se rebuter d'un refus qu'ils n'attribuérent qu'à moi, à peine furent-ils certains que j'étois à la ville, qu'ils se rendirent tous deux à Oru. Théophé, dans le prémier embarras de cette visite, leur dit honnêtement qu'après avoir connu mes intentions, il ne lui étoit pas permis de consulter si son penchant lui faisoit souhaiter de les voir, et qu'elle les supplioit de ne pas l'exposer au danger de me déplaire. Ils la pressérent si instamment de les entendre, et le terme qu'ils lui demandérent fut si court, que ne pouvant employer la violence pour s'en défaire, elle fut forcée d'avoir pour eux la complaisance qu'ils exigeoient.

Leur plan étoit dressé, et la lettre par laquelle le chevalier avoit tenté de se r'ouvrir quelque accès chez moi n'avoit été que l'effet d'un remords, à la veille d'une nouvelle entreprise dont l'honneur lui faisoit un scrupule. Quoique je ne lui eusse jamais expliqué ce que je pensois de ses anciennes idées d'établissement dans la Morée, et que je me fusse encore moins ouvert sur l'intérêt que j'y avois pris en découvrant qu'on y vouloit engager Théophé, il concevoit bien qu'elle n'auroit pas été traitée chez moi avec tant de soins et de distinctions si je ne l'y eusse pas vue avec plaisir, et qu'il ne pouvoit la séduire ou l'enlever secrettement sans m'offenser. Il auroit donc souhaité de me faire approuver son dessein, pour l'agrément de sa maitresse autant que pour l'intérêt de son ami, et quoique j'eusse refusé de le voir, il ne desespéroit pas encore de me le faire goûter après avoir obtenu le consentement de Théophé. Aussi n'épargna-t-il rien pour lui faire envisager autant d'utilité que de plaisir à se lier avec sa société. Mais elle n'avoit pas besoin de secours pour résister à des instances si badines.

Je m'occupois dans ce tems-là des préparatifs d'une fête qui a fait beaucoup de bruit dans toute l'Europe[99]. Les difficultés que j'avois rencontrées plusieurs fois dans les fonctions de mon ministère n'avoient point empêché que je n'eusse toujours vécu fort honnêtement avec le grand-vizir Calaïli, et j'ose dire que la vigueur avec laquelle j'avois soutenu les privilèges de mon emploi et l'honneur de ma nation, * n'avoit servi qu'à m'attirer de la considération parmi les Turcs. La fête du roi s'approchant, je pensois à la célébrer avec plus d'éclat qu'elle ne l'avoit été jusqu'alors. L'illumination devoit être magnifique, et ma maison de Constantinople, qui étoit dans le fauxbourg de Galata[100], étoit déja remplie de toute l'artillerie que j'avois trouvée sur les vaisseaux de notre nation. Comme ces réjouïssances éclatantes ne peuvent s'exécuter sans une expresse permission, je l'avois demandée au grand-vizir, qui me l'avoit accordée avec beaucoup de politesse. Mais la veille même du jour que j'avois choisi, et lorsque satisfait de mes soins j'étois retourné à Oru pour me délasser la nuit suivante et pour ramener avec moi, le lendemain, Théophé, que je voulois avoir à ma fête, j'y appris deux nouvelles qui troublérent ma joie. L'une, en arrivant : ce fut le détail de la visite du chevalier et des efforts qu'il avoit faits pour engager Théophé à le suivre. Apprenant en même tems qu'il étoit plus uni que jamais avec Synèse, je portai mes défiances beaucoup plus loin qu'elle, et je ne doutai presque point que sur son refus et sur le mien ils ne fussent capables de renouveller tous les desseins dont le chevalier m'avoit fait l'aveu lui-même. Cependant j'en fus d'autant moins alarmé que devant la conduire le lendemain à Constantinople, j'avois tout le tems de prendre des mesures à l'avenir pour lui faire un asyle sûr de ma maison d'Oru.

Mais lorsque je m'entretenois le soir avec elle de toutes les circonstances qu'elle m'avoit racontées, je reçus avis de mon secrétaire que le grand-vizir Calaïli venoit d'être déposé, et qu'on lui avoit donné pour successeur Choruli, homme d'un caractère hautain avec lequel je n'avois jamais eu de liaison [101]. Je conçus tout d'un coup quel alloit être mon embarras. Ce nouveau ministre pouvoit arrêter ma fête, ne fût-ce que par le caprice qui porte ordinairement ses pareils à changer l'ordre qu'ils trouvent établi, et à révoquer toutes les permissions accordées par leurs prédécesseurs. Ma prémière pensée fut de feindre que j'ignorois ce changement, et de suivre les arrangemens que j'avois pris en vertu du **ferman* de Calaïli [102]. Cependant les différends, dont j'étois sorti avec honneur, m'obligeant peut-être à garder plus de ménagemens dans ma conduite, je pris enfin le parti de faire demander une autre permission au nouveau vizir, et je dépêchai un homme exprès pour l'obtenir. On le trouva si occupé des prémiers embarras de son élévation, qu'il fut impossible à mon secrétaire de se procurer un moment d'audience. Je n'appris que le lendemain qu'on n'avoit pu lui parler. Mon impatience augmentant, je me déterminai à me présenter moi-même à sa porte. Il étoit au **galibe divan* [103], d'où il ne devoit sortir que pour la procession solennelle qui est en usage dans ces changemens. Je perdis l'espérance de le voir. Tous mes préparatifs étoient faits. Je revins à l'idée que j'avois eue d'abord, que la permission de Calaïli pouvoit me suffire, et je commençai mon illumination à l'entrée de la nuit.

On ne manqua point d'en avertir le vizir. Il en marqua beaucoup de ressentiment, et sur le champ il m'envoya un de ses officiers, pour me demander quel étoit mon dessein, et de quel droit j'avois formé une entreprise de cette nature sans sa participation. Je répondis civilement qu'aiant obtenu depuis deux jours l'agrément de Calaïli, je n'avois pas cru que j'eusse besoin d'un nouveau ferman, et que j'avois d'ailleurs non-seulement envoyé plusieurs fois, mais été moi-même chez lui pour le faire renouveller. L'officier, qui avoit apparemment ses ordres, me déclara que la volonté du vizir étoit que j'interrompisse aussi-tôt ma fête, sans quoi il prendroit des voies violentes pour m'y forcer. Cette menace m'échauffa le sang. Ma réponse ne fut pas moins vive, et lorsque l'officier irrité à son tour eut ajouté que si je faisois quelque résistance, l'ordre étoit déja donné de faire avancer un détachement de janissaires pour abbaisser ma présomption, je ne ménageai plus mes termes : Rapportez à votre maitre, lui dis-je, qu'un procédé tel que le sien est digne du dernier mépris, et que je ne sai point trembler lorsqu'il est question de l'honneur de mon roi. S'il en vient à l'extrémité dont vous me menacez, ma résolution n'est pas de me défendre contre des ennemis qui m'accableront par le nombre ; mais je fais apporter dans cette salle toute la poudre que j'ai ici en abondance, et j'y mets le feu moi-même pour faire sauter ma maison avec moi et tous mes convives. C'est à mon maitre après cela que j'abandonnerai le soin de me venger [104].

L'officier se retira ; mais le bruit de cette avanture répandit aussi-tôt la consternation parmi tous les François que j'avois assemblés pour ma fête. J'étois moi-même dans un transport de colère qui m'auroit rendu capable assurément d'exécuter les idées qui m'étoient venues à l'esprit. Et ne voulant point surtout qu'il parût dans ma conduite le moindre air de crainte, je donnai ordre qu'on fît sur le champ une décharge de toute mon artillerie, qui étoit composée de plus de cinquante pièces de canon. Mes gens ne m'obéirent qu'en tremblant. Mon secrétaire, plus alarmé que tous les autres, crut me rendre un bon office en allant éteindre une partie des flambeaux et des lampions, c'est-à-dire en prenant soin d'en éteindre quelques-uns à différentes distances, pour être en état de répondre qu'on exécutoit l'ordre du vizir. Je ne m'en apperçus point tout d'un coup ; mais la fuite d'une partie de mes convives, qui craignoient sans doute que je n'en vinsse à l'extrémité dont j'avois menacé l'envoyé du ministre, redoubla l'agitation où j'étois. Je traitai de lâches et de traitres ceux que mes efforts ne purent arrêter ; et remarquant bientôt que l'éclat de mon illumination diminuoit, j'entrai dans une nouvelle fureur, en apprenant la timide précaution de mon secrétaire. J'étois dans cette espèce de transport lorsque j'entendis les cris d'une femme qui m'appelloit à son secours. Je ne doutai point que ce ne fût déja le détachement des janissaires qui commençoit à insulter mes gens, et ne voulant rien entreprendre sans certitude, je courus vers le lieu d'où les cris partoient, accompagné de quelques amis fidèles. Mais qu'apperçus-je ? Synèse et le chevalier, secondés de deux Grecs, enlevoient Théophé, qu'ils avoient eu l'adresse d'attirer à l'écart, et s'efforçoient de lui fermer la bouche d'un mouchoir pour étouffer ses cris. Il n'étoit pas besoin de toute la chaleur qui m'animoit déja pour faire monter ma fureur au comble [105]. Main-basse sur ces perfides, dis-je à mes compagnons. Je fus trop bien obéi. On se jetta sur les quatre ravisseurs, qui firent mine néanmoins de se défendre. Les deux Grecs, aiant moins d'adresse ou de résolution, tombérent sous les prémiers coups. Le chevalier fut blessé, et Synèse, à qui il ne restoit plus d'espérance, nous rendit son épée. Je l'aurois peut-être fait arrêter, et dans le prémier moment il n'auroit pas été traité avec indulgence si l'on n'étoit venu m'avertir que le vizir, appaisé par les apparences de soumission dont il étoit redevable à mon secrétaire, avoit contremandé ses troupes, et s'étoit déclaré satisfait. La pitié trouva place aisément dans mon cœur, lorsque la colère en fut sortie. Il falloit même quelques précautions pour cacher la mort des deux Grecs. Je renvoyai Synèse, en lui faisant beaucoup valoir ma bonté, et je donnai ordre que le chevalier fût pansé soigneusement. N'aiant heureusement que des chrétiens dans ma maison, tout le monde s'y crut intéressé à tenir cette avanture ensevelie.

Cependant la mienne fut suivie de quelques autres événemens qui n'ont rapport à cet ouvrage que par l'occasion qu'ils donnérent à mon retour dans ma patrie [106]. A peine eus-je reçu les ordres du roi, que je pensai à la conduite que j'allois tenir avec Théophé. Je l'aimois trop pour mettre en balance si je devois lui proposer de me suivre ; mais je n'osois me promettre qu'elle y voulût consentir. Ainsi mon embarras ne roulant que sur ses dispositions, je pris de longs détours pour les pénétrer. Elle m'en épargna une partie, par le doute qu'elle marqua elle-même si je lui permettrois de l'accompagner. Je me levai avec transport, et lui engageant ma parole qu'elle me trouveroit toujours les sentimens qu'elle me connoissoit pour elle, je lui laissai le choix des conditions qu'il lui plairoit de m'imposer. Elle me les expliqua naturellement : mon amitié, à laquelle tous les biens, me dit-elle obligeamment, lui paroissoient attachés, et la liberté de vivre comme elle avoit vécu chez moi jusqu'alors. Je lui jurai d'être fidèle à les observer. Mais je lui fis approuver qu'avant notre départ je tentasse l'insensible Condoidi par de nouveaux efforts. Elle prévit qu'ils seroient inutiles. En effet, quoique je me fusse flatté contre son opinion qu'il deviendroit plus traitable en lui voyant quitter pour jamais la Turquie, je ne pus rien obtenir de ce vieillard endurci, qui se figura au contraire que le prétexte de mon départ étoit un artifice que j'employois pour le tromper. Synèse, que je n'avois pas vu, non plus que le chevalier, depuis leur téméraire entreprise, n'eut pas plutôt appris qu'elle m'accompagnoit en France, que surmontant toutes ses craintes, il vint me supplier de permettre du moins qu'il fît ses derniers adieux à sa sœur. Cette qualité que le rusé Grec affecta de lui donner, et l'air de tendresse qu'il sut mettre dans ses instances, me déterminérent non-seulement à souffrir qu'il la vît sur le champ, mais à lui accorder plusieurs fois la même faveur jusqu'à notre départ. Les mesures que j'avois prises à la campagne et à la ville ne me laissoient rien à craindre pour la sureté de ma maison, et je connoissois trop bien Théophé pour me défier d'elle. Cette facilité fit naitre néanmoins de nouvelles espérances à Synèse. Il ne lui eut pas rendu quatre visites que demandant la liberté de m'entretenir, il se jetta à mes pieds pour me conjurer de reprendre pour lui mes anciens sentimens de bonté ; et prenant le Ciel à témoin qu'il regarderoit pendant toute sa vie Théophé comme sa sœur, il me proposa de le prendre avec moi, et de lui servir de père comme à elle. La nature de sa prière, ses larmes, et la bonne opinion que j'avois toujours eue de son caractère, m'auroient porté infailliblement à le satisfaire, si j'eusse pu me persuader que ce n'étoit pas l'amour qui se déguisoit sous de trompeuses apparences. Je ne lui fis point de réponse positive. Je voulus consulter Théophé, que je soupçonnai d'être d'intelligence avec lui, et de s'être laissée toucher par la force du sang ou par ses pleurs. Mais elle me répondit, sans balancer, qu'autant qu'elle m'eût sollicité pour obtenir cette grace si elle étoit parvenue à quelque certitude d'être sa sœur, autant elle me supplioit de ne pas l'exposer à l'embarras perpétuel de ne savoir quelles manières elle devoit prendre avec un jeune-homme qui avoit pour elle des sentimens trop passionnés, s'il n'étoit pas son frère. Ainsi le triste Synèse fut réduit aux consolations qu'il trouva sans doute dans l'amitié du chevalier, et j'ai ignoré leur fortune depuis notre séparation.

Quelques semaines qui s'écoulérent entre l'ordre du roi et mon départ, furent employées par Théophé à des occupations qui me fourniroient la matière d'un volume, si je cherchois à grossir ces mémoires. Ses réfléxions lui avoient fait sentir autant que son expérience que le plus horrible de tous les malheurs pour une personne de son sexe étoit l'esclavage ; et depuis qu'elle étoit à Oru, elle n'avoit pas perdu une seule occasion de s'informer quels étoient les serrails les mieux remplis, et les seigneurs les plus avides de cette sorte de richesses. A l'aide de quelques * marchands d'esclaves, qui sont aussi connus à Constantinople que nos plus célèbres maquignons le sont ici, elle avoit découvert plusieurs filles malheureuses, grecques ou étrangères, qui se trouvoient engagées malgré elles dans cette triste condition, et son espérance avoit toujours été de faire jouer quelque ressort pour les en délivrer. Elle avoit bien compris que je ne pouvois demander successivement ces sortes de graces à tous les seigneurs turcs, et sa discrétion l'avoit empêchée d'un autre côté de me proposer trop souvent d'y employer mon revenu. Mais se voyant à la veille de partir, elle eut moins de timidité. Elle commença par se défaire de toutes les pierreries qu'elle avoit reçues de Chériber, et de plusieurs présens considérables que je lui avois fait accepter. Après m'avoir confessé qu'elle les avoit convertis en argent, elle m'apprit l'usage qu'elle vouloit faire de cette somme, et elle me pressa par les plus tendres motifs de la charité d'y joindre quelque partie de mon superflu. Je me dérobai dix-mille francs que j'avois eu dessein de faire servir à l'achat de diverses curiosités du Levant. La curiosité ne m'a jamais porté à m'informer ce que Théophé y avoit mis du sien ; mais je vis bientôt chez moi plusieurs filles extrèmement aimables, dont elle n'avoit pu rompre les chaines pour des sommes médiocres, et si l'on y joint la dépense qu'elle fut obligée de faire pour les renvoyer dans leur patrie, on ne doutera point que ses libéralités n'eussent beaucoup surpassé les miennes. Je me fis pendant quelques jours un amusement fort agréable d'écouter les avantures de cette troupe charmante, et j'ai eu soin de les écrire presque aussi-tôt, pour n'avoir rien à craindre de l'infidélité de ma mémoire.

Enfin nous quittames le port de Constantinople sur un vaisseau marseillois. Le capitaine m'avoit prévenu sur la nécessité où il étoit de relâcher pour quelques semaines à Livourne, et je n'avois pas été fâché de trouver l'occasion de voir ce port célèbre[107]. Théophé donna des marques sensibles de joie en touchant le rivage d'Italie. L'*incognito* que mille raisons m'obligeoient de garder m'aiant fait laisser toute ma suite à bord, je me logeai dans une auberge, où je ne refusai pas de manger dans la compagnie de quelques honnêtes gens qui s'y trouvoient. Théophé passa pour ma fille, et moi pour un homme ordinaire qui revenoit de Constantinople avec sa famille. Dès le prémier repas que nous fimes avec les autres voyageurs, je vis l'attention d'un jeune François, âgé d'environ vingt-cinq ans, fort occupé des charmes de Théophé, et ses soins continuellement tournés à se faire distinguer d'elle par ses flatteries et ses politesses. Sa figure aussi prévenante que ses manières, et le tour de sa conversation, me le firent prendre pour un homme de qualité qui voyageoit sans se faire connoitre, quoique le nom de comte de M.Q. qu'il se faisoit donner ne me réveillât point l'idée d'une maison connue. Il me combla de civilités, parce qu'il me crut le père de Théophé. Je ne vis d'abord dans ses empressemens que la galanterie ordinaire aux François, et pendant les promenades que je fis les jours suivans dans la ville, il ne me vint pas même à l'esprit qu'il y eût quelque risque à laisser Théophé seule, avec une femme de sa nation qui la servoit.

Cependant en moins de huit jours je m'apperçus qu'il s'étoit fait quelque changement dans son humeur. La seule fatigue du voyage aiant pu lui causer quelque altération, cette remarque me causa peu d'inquiétude ; je lui demandai néanmoins si elle avoit quelque sujet de tristesse ou de plainte. Elle me répondit qu'elle ne connoissoit rien qui pût la chagriner ; mais cette réponse se fit avec un air d'embarras qui m'auroit fait ouvrir les yeux tout d'un coup, si j'avois été capable de quelque défiance. D'ailleurs j'ignorois que le comte de M... passât à l'entretenir tout le tems que j'employois à visiter les curiosités de la ville. Nous fumes quinze jours à Livourne sans que le moindre incident eût pu servir à me faire veiller de plus près sur ce qui se passoit autour de moi. Si je revenois avant l'heure du repas, je trouvois Théophé seule, par le soin que le comte avoit de se retirer à mon arrivée. Je continuois de lui trouver l'air plus sombre et plus contraint, mais ne voyant aucune autre marque de l'altération que j'avois appréhendée pour sa santé, je croyois assez combattre ces apparences de mélancolie en lui promettant qu'elle trouveroit plus d'agrément en France que dans une auberge d'Italie.

Il est certain que je lui voyois à table plus de familiarité qu'une connoissance passagère ne devoit lui en donner avec le comte. Ils paroissoient s'entendre par un clin d'œil ou par un sourire. Leurs regards se rencontroient souvent, et les politesses du comte étoient reçues d'un autre air qu'elles ne l'avoient été les prémiers jours. Cependant comme il auroit fallu des miracles pour me tourner l'esprit à la défiance après de si longues preuves de la sagesse et de l'insensibilité même de Théophé, je trouvois mille raisons de l'excuser. Elle avoit assez de goût naturel pour avoir reconnu dans les manières nobles du comte la différence de notre politesse et de celle des Turcs. Elle étudioit le comte comme un modèle. Ces excuses que je me portois naturellement à lui prêter étoient d'autant plus vraisemblables que je m'étois apperçu mille fois qu'elle m'avoit étudié moi-même, et que sans trouver en moi autant d'élégance et de finesse que dans le comte, elle en avoit tiré une utilité sensible pour l'imitation de nos manières. Il se passa encore plus de huit jours avant que j'eusse laissé prendre naissance au moindre soupçon, et je n'ai jamais pénétré quelle auroit pu être la fin de ce commerce secret, si le hazard ne m'eût un jour ramené dans un moment où j'étois si peu attendu, qu'entrant subitement dans la chambre de Théophé, je surpris le comte à ses genoux. La vue d'un serpent, qui m'auroit soufflé son poison, n'eût pas répandu plus de trouble et de consternation dans tous mes sens. Je me retirai assez heureusement pour m'assurer que je n'avois point été apperçu. Mais retenu malgré moi-même à la porte par mes craintes, par mes soupçons, par mes noirs transports, je cherchai à redoubler le desespoir qui me rongeoit le cœur en observant tout ce qui pouvoit me faire trouver Théophé plus coupable. A la vérité, je ne découvris rien dont la modestie fût blessée. Cependant je demeurai jusqu'à l'heure du dîner dans le poste où j'étois, m'agitant avec autant d'impatience que si j'eusse souhaité de voir ou d'entendre ce que j'appréhendois le plus mortellement.

Quelle raison avois-je d'être jaloux ? Quel engagement Théophé avoit-elle avec moi ? Que m'avoit-elle fait espérer ? Que m'avoit-elle promis ? Au contraire, n'avois-je pas renoncé à toutes sortes de prétentions sur son cœur, et la liberté de suivre ses inclinations, n'étoit-elle pas l'un des deux articles que je lui avois accordés ? J'en convenois avec moi-même ; mais il me paroissoit cruel que ce cœur que je n'avois pu attendrir l'eût été si facilement par un autre. En supposant qu'elle pût devenir capable d'une foiblesse, j'aurois souhaité que ce n'eût point été comme au hazard, et sur le prémier coup d'œil d'un inconnu. Ou pour découvrir tout le fond de mes sentimens, j'étois piqué que ces apparences de sagesse que j'avois respectées, se fussent * si tôt démenties. Je rougissois même d'avoir été la dupe de ces belles maximes qui m'avoient été répétées tant de fois avec tant d'affectation, et je me reprochois moins ma bonté que ma crédulité et ma foiblesse.

Avec beaucoup de confusion et de dépit, il se mêla tant de malignité dans ces réfléxions, que loin d'interpréter favorablement la retenue où j'avois vu le comte auprès d'elle, je me sentis porté à croire que c'étoit le repos d'un amant satisfait, qui ne *manquoit peut-être d'empressement que parce qu'il avoit déja obtenu tout ce qui pouvoit piquer ses desirs. Quels nouveaux transports cette pensée ne me fit-elle point éprouver ! Mais j'avois assez d'empire sur mes mouvemens extérieurs pour ne rien entreprendre témérairement. Dans le dessein que je formai de surprendre la cruelle Théophé au milieu de ses plaisirs, je me ménageai un entretien avec sa suivante, moins pour lui faire des ouvertures que je ne voulois pas risquer légèrement, que pour tirer d'elle-même celles que sa simplicité laisseroit échapper ; c'étoit une Grecque, que j'avois substituée à Bema, et qui s'étoit engagée volontairement à mon service. Mais soit qu'elle eût plus d'attachement pour la maitresse que je lui avois donnée que pour moi-même, soit qu'elle fût trompée comme moi par l'adresse du comte et de Théophé[108], je n'appris d'elle que leurs fréquentes entrevues, dont il ne me parut pas même qu'elle cherchât à me faire un mystère.

Je me gardai bien de m'éloigner de notre logement, et feignant qu'une incommodité m'y retenoit malgré moi, je ne quittai point Théophé pendant le reste du jour. Le comte nous fit demander dans l'après-midi la liberté de nous tenir compagnie. Loin de m'y opposer, je fus charmé qu'il vînt s'offrir à mes observations, et pendant plus de quatre heures tous ses discours et ses mouvemens en firent l'unique sujet. Il ne se trahit par aucune indiscrétion ; mais je remarquai avec quelle adresse il fit entrer dans notre entretien tout ce qui pouvoit augmenter l'inclination que je supposois pour lui à Théophé. Il nous raconta quelques-unes de ses avantures galantes, où la tendresse et la constance étoient toujours des vertus par lesquelles il s'étoit signalé. Soit vérité ou fiction, il avoit aimé uniquement une dame romaine, qui lui avoit fait acheter d'abord assez cher la conquête de son cœur, mais qui n'avoit pas plutôt connu le fond de son caractère, que se livrant à lui sans réserve, elle n'avoit plus mis de bornes à sa tendresse. C'étoit cette avanture qui l'avoit arrêté depuis deux ans en Italie, et qui lui auroit fait oublier éternellement sa patrie, si le plus horrible de tous les malheurs n'eût rompu malgré lui une si belle chaine. Après avoir jouï longtems de ses amours dans une parfaite tranquillité, le mari de sa maitresse s'étoit apperçu de leur commerce. Il leur avoit fait avaler dans un repas le même poison. La jeune dame en étoit morte ; et pour lui, la force de son tempérament l'avoit sauvé ; mais ne s'étant rétabli que pour apprendre la mort de ce qu'il aimoit, sa douleur l'avoit replongé tout d'un coup dans un état plus dangereux que celui dont il sortoit. Desespéré qu'elle n'eût pas néanmoins plus d'effet que le poison, il avoit cherché la mort par une voie moins criminelle que s'il se l'étoit donnée de sa propre main, mais qu'il avoit crue presque aussi certaine. Il s'étoit présenté au mari dont il avoit mérité la haine, et lui aiant reproché mille fois sa barbarie, il lui avoit offert, en lui découvrant son estomac, la victime qui lui étoit échappée. Il prenoit le Ciel à témoin qu'il avoit cru sa mort infaillible et qu'il l'auroit supportée volontiers. Mais ce cruel mari, le raillant de son transport, lui avoit répondu froidement que loin de penser davantage à lui donner la mort, il voyoit avec joie qu'il ne pouvoit être mieux vengé qu'en lui laissant la vie, et qu'il se réjouïssoit sincèrement qu'il se fût sauvé d'un poison qui auroit trop tôt fini ses peines. Il avoit mené depuis ce tems-là une vie déplorable, errant dans toutes les villes d'Italie, pour effacer des images qui faisoient de sa situation un supplice perpétuel, et cherchant à réparer les pertes de son cœur dans le commerce de tout ce qu'il avoit trouvé de femmes aimables. Mais il étoit arrivé à

Livourne sans avoir senti le moindre changement dans un cœur que la tristesse avoit toujours défendu contre l'amour[109].

C'étoit assez faire entendre que ce miracle étoit réservé à Théophé. Je ne m'étois point apperçu néanmoins de cette profonde mélancolie, qui devoit être encore sensible à notre arrivée, si ce n'étoit que depuis ce tems-là qu'il en étoit guéri. Mais l'attention avec laquelle je vis Théophé prêter l'oreille à toutes ces fables ne me permit point de douter qu'elles ne fissent sur elle toute l'impression qu'il desiroit. Le soir arriva. Je l'attendois avec impatience pour éclaircir des soupçons beaucoup plus terribles. La chambre de Théophé étoit voisine de la mienne. Je me levai aussitôt que mon valet de chambre m'eut mis au lit, et je cherchai quelque endroit d'où je pusse découvrir tout ce qui s'approcheroit de notre appartement.

Cependant je sentois un remords cruel de l'outrage que je faisois à l'aimable Théophé ; et dans l'agitation de mille sentimens qui combattoient en sa faveur, je me demandois si mes noires défiances étoient assez bien fondées pour autoriser des observations si injurieuses. La nuit se passa toute entière sans qu'il se présentât rien qui pût blesser mes yeux. Je m'approchai même plusieurs fois de la porte. J'y prêtai curieusement l'oreille. Le moindre bruit réveilloit mes soupçons, et je fus tenté sur un léger mouvement que je crus entendre de frapper brusquement pour me faire ouvrir. Enfin, j'allois me retirer au lever du soleil, lorsque la porte de Théophé s'ouvrit. Un frisson mortel me glaça le sang tout d'un coup ; c'étoit elle-même qui sortoit avec sa suivante. Cette diligence à se lever me causa d'abord un autre trouble ; mais je me souvins qu'elle m'avoit averti plusieurs fois que dans la chaleur excessive où nous étions, elle alloit prendre l'air au jardin, qui donnoit sur la mer. Je la suivis des yeux, et je ne fus rassuré qu'après lui avoir vu prendre ce chemin.

Il semblera que je devois être satisfait de l'emploi

que j'avois fait de la nuit, et qu'après une épreuve de cette nature, il ne me restoit qu'à m'aller livrer au sommeil, dont je me sentois un extrème besoin. Cependant mon cœur n'étoit qu'à demi soulagé. Le mouvement que j'avois entendu dans la chambre me laissoit encore des doutes. La clef étoit restée à la porte. J'y entrai, dans l'espérance de trouver quelque vestige de ce qui m'avoit alarmé. C'étoit peut-être une chaise ou un rideau que Théophé avoit elle-même remué. Mais en portant un œil curieux dans toutes les parties de la chambre, j'apperçus une petite porte qui donnoit sur un escalier dérobé, et que je n'avois point encore eu l'occasion de remarquer. Toutes mes agitations se renouvellérent à cette vue. Voilà le chemin du comte, m'écriai-je douloureusement. Voilà la source de ma honte ; et celle de ton crime, misérable Théophé ! Je ne pourrois donner qu'une foible idée de l'ardeur avec laquelle j'examinai tous les passages, pour m'assurer où l'escalier pouvoit conduire. Il conduisoit dans une cour écartée, et la porte qui étoit au pied paroissoit fermée soigneusement. Mais ne pouvoit-elle pas avoir été ouverte pendant la nuit ? Il me vint à l'esprit que si j'avois des lumières certaines à espérer, c'étoit au lit même de Théophé, qui étoit encore en desordre. Je saisis avidement cette pensée. Je m'en rapprochai avec un redoublement de crainte, comme si j'eusse touché à des éclaircissemens qui emportoient la dernière conviction. J'observai jusqu'aux moindres circonstances, la figure du lit, l'état des draps et des couvertures. J'allai jusqu'à mesurer la place qui suffisoit à Théophé, et à chercher si rien ne paroissoit foulé hors des bornes que je donnois à sa taille. Je n'aurois pu m'y tromper ; et quoique je fisse réfléxion que dans une grande chaleur elle pouvoit s'être agitée pendant le sommeil, il me sembloit que rien n'étoit capable de me faire méconnoitre ses traces. Cette étude, qui dura longtems, produisit un effet que j'étois fort éloigné de prévoir. N'aiant rien découvert qui n'eût servi par dégrés à me rendre plus tranquille, la vue du lieu où ma chère Théophé venoit de reposer, sa forme que j'y voyois imprimée, un reste de chaleur que j'y trouvois encore, les esprits qui s'étoient exhalés d'elle par une douce transpiration, m'attendrirent jusqu'à me faire baiser mille fois tous les endroits qu'elle avoit touchés. Fatigué comme j'étois d'avoir veillé toute la nuit, je m'oubliai si entièrement dans cette agréable occupation, que le sommeil s'étant emparé de mes sens, je demeurai profondément endormi dans la place même qu'elle avoit occupée[110].

Elle étoit pendant ce tems-là au jardin, où il n'étoit pas surprenant qu'elle eût trouvé le comte, parce que c'étoit un usage comme établi dans la maison d'aller prendre l'air de la mer avant la chaleur du jour. Il s'y rendoit même diverses personnes du voisinage, ce qui lui donnoit l'air d'une promenade publique. Le hazard voulut que le même jour le capitaine d'un vaisseau françois qui étoit entré la veille au port s'y trouvât avec quelques passagers qu'il ramenoit de Naples. La vue de Théophé, qu'il étoit difficile de regarder sans admiration, attira ces étrangers autour d'elle, et le comte, qui reconnut le capitaine pour un François, le prévint par quelques politesses qui facilitérent leur liaison. Il apprit de lui non-seulement ce qui regardoit ses propres affaires, mais une partie des miennes, c'est-à-dire que le capitaine, qui avoit vu notre vaisseau en arrivant au port, s'étoit informé de quelques matelots qui s'étoient trouvés sur les ponts, d'où ils venoient et qui ils amenoient avec eux ; et ces gens grossiers à qui je n'avois pas pris soin de recommander le silence en quittant leur bord, m'avoient fait connoitre par l'emploi que je venois d'occuper. Le comte entendant parler de moi sous ce titre fut extrèmement surpris d'avoir ignoré que je fusse à Livourne, quoiqu'il parût par le discours du capitaine que j'y devois être depuis plusieurs jours. En rappellant toutes ses idées, il ne douta point que je ne fusse celui qu'on nommoit, et que je n'eusse souhaité par quelque raison de demeurer inconnu. Mais ne pouvant modérer le prémier mouvement qui lui fit tourner ses réfléxions sur Théophé, il lui marqua quelque confusion de ne lui avoir pas rendu avec plus de soin ce qu'il croyoit devoir à ma fille. Mais ce qui m'a toujours persuadé, sans l'avoir mieux connu, qu'il n'étoit pas d'une naissance commune, c'est que formant sur les lumières qu'il venoit de recevoir un dessein qui ne lui étoit point encore entré dans l'esprit, il résolut d'offrir sa main à Théophé, dans la supposition que j'étois son père. Ce projet, qu'il chercha l'occasion de lui faire goûter avant que de sortir du jardin, rendit leur promenade beaucoup plus longue ; de sorte que la matinée étoit fort avancée lorsque lui aiant donné la main pour la conduire, il la remit dans son appartement.

Elle avoit reçu sa proposition avec tout l'embarras qu'on peut s'imaginer, et comprenant tout d'un coup qu'elle ne la devoit qu'à la fausse opinion qu'il avoit de sa naissance, elle s'étoit défendue par des excuses vagues dont il n'avoit pas pénétré le sens. Cependant n'en étant pas moins ferme dans sa résolution, il lui dit en entrant chez elle qu'il ne laisseroit point passer le jour sans me faire l'ouverture de ses sentimens ; et si quelque chose a pu me faire juger favorablement de leur commerce, c'est autant la facilité qu'il eut à le rompre après la scène que je vais rapporter, que le desir qu'il avoit eu de se lier sérieusement à elle par le nœud du mariage. J'étois encore dans la posture où le sommeil m'avoit saisi, c'est-à-dire couvert à la vérité d'une robbe de chambre, mais couché dans le lit de Théophé ; et le bruit qu'on avoit fait en ouvrant la porte m'aiant subitement réveillé, j'avois entendu les dernières paroles du comte. Je me serois bien gardé de paroître, et malgré le chagrin que j'avois de me voir surpris, j'aurois profité de ma situation pour entendre la suite de leur entretien. Mais les rideaux du lit étant ouverts, le comte fut le prémier qui jetta les yeux sur moi. Il n'eut pas de peine à distinguer que j'étois un homme. Que vois-je ? dit-il avec le dernier étonne-

HISTOIRE

D'UNE

GRECQUE MODERNE.

Par Mr. l'Abbé PREVOST,

Aumônier de Son Alteſſe Séréniſſime Monſeigneur le Prince de Conty.

PREMIERE PARTIE.

A AMSTERDAM,

Chez *JEAN CATUFFE.*

M. DCC. XLI.

Page de titre de l'edition Catuffe (1741).
Brown University Library

Héliogravure Dujardin

MADEMOISELLE AÏSSÉ
In the collection of the Comtesse de Bonneval

Portrait de Mademoiselle Aïssé.

Le Seliktar-Agassi,
ou porte épée du Grand Seigneur.
B.
7.

Un sélictar, dessin tiré du
Recueil de cent estampes de Ferriol (1714).

Détail d'une scène de harem tirée des *Voyages du Sr. A. de la Motraye* (1727).

ment. Théophé qui m'apperçut presque aussi-tôt, jetta un cri auquel la frayeur eut autant de part que la confusion. J'aurois tenté inutilement de me dérober. La seule ressource qui s'offrit à mon esprit fut de me faire un effort pour composer mon visage à la joie, et de tourner en badinage une avanture à laquelle je ne pouvois donner une meilleur face. J'ai trouvé votre porte ouverte, dis-je à Théophé, et n'aiant pu goûter un moment de repos cette nuit, je me suis imaginé que votre lit seroit plus favorable au sommeil que le mien. Elle avoit jetté d'abord un cri de honte et d'embarras, mais ne trouvant rien dans ses réfléxions qui pût lui servir à expliquer une avanture si peu convenable aux termes où je vivois avec elle, son silence exprimoit son incertitude et son trouble. D'un autre côté le comte, qui crut pénétrer tout d'un coup ce qu'il n'avoit pas même soupçonné, me fit des excuses d'une indiscrétion qu'il se reprocha comme un crime ; et m'assurant qu'il me respectoit trop pour troubler mes plaisirs, il prit congé de moi dans des termes auxquels je remarquai facilement que je ne lui étois plus inconnu.

Je demeurai seul avec Théophé. Malgré l'effort que j'avois fait pour affecter une contenance riante, il me fut difficile de ne pas retomber dans un embarras qui étoit beaucoup augmenté par le sien. Je ne vis point d'autre voie pour sortir de cette contrainte, que de lui avouer ouvertement les défiances que j'avois de sa conduite ; d'autant plus que les promesses que j'avois entendues de la bouche du comte étoient un nouveau sujet d'inquiétude sur lequel je brûlois de recevoir des explications. Son visage devint aussi pâle en écoutant mes prémiers reproches qu'il s'y étoit répandu de rougeur lorsqu'elle m'avoit apperçu sur son lit. Elle m'interrompit néanmoins d'un air tremblant pour me protester que je l'outrageois par mes soupçons, et qu'il ne s'étoit rien passé entre elle et le comte qui blessât les principes que je lui connoissois. Un desaveu si absolu porta mon ressentiment jusqu'à l'indignation. Quoi ! perfide, lui dis-je, comme si j'avois eu quelque droit de lui reprocher sa trahison, je n'ai pas vu le comte à vos genoux ? Vous ne l'avez pas traité depuis notre séjour à Livourne avec des complaisances que vous n'avez jamais eues pour moi ? Il ne vous a pas promis à ce moment de ne rien épargner aujourd'hui pour s'assurer le bonheur d'être à vous ? Qu'entendoit-il par cette promesse ? Parlez, je veux le savoir de vous même. Je ne serai pas toute ma vie le jouet d'une ingrate, à qui ma tendresse et mes bienfaits n'ont jamais inspiré pour moi que de la dureté et de la haine [111].

Il falloit que mon emportement fût au comble pour me faire employer des termes si durs. Elle n'avoit jamais reçu de moi que des protestations d'estime et d'amour, ou des plaintes si tendres qu'elle avoit dû se croire respectée jusques dans les reproches de ma douleur. Aussi fut elle si consternée de m'entendre, que versant bientôt un ruisseau de larmes, elle me pria d'écouter ce qu'elle avoit à dire pour sa défense. Je la forçai de s'asseoir ; mais l'amertume de mon cœur l'emportant encore sur la pitié qu'elle m'inspiroit déja par sa tristesse, je ne changeai rien à la sévérité de ma voix et de mon visage.

Après m'avoir répété, avec de nouvelles protestations, qu'elle n'avoit rien accordé au comte dont elle eût à se faire un reproche, elle me confessa non-seulement qu'il l'aimoit, mais que par un changement qu'elle avoit peine elle-même à comprendre, elle s'étoit sentie prévenue pour lui d'une violente inclination [112]. Il est vrai, continua-t-elle, que j'ai moins combattu ce penchant que je ne le devois suivant mes propres maximes ; et si j'ose vous en déclarer la raison, c'est que ne lui croyant aucune connoissance de mes misérables avantures, je me suis flattée de pouvoir rentrer avec lui dans les droits ordinaires d'une femme qui a pris l'honneur et la vertu pour son partage. Il m'a dit qu'il faisoit son séjour ordinaire dans une campagne. C'est encore une raison pour me persuader qu'il n'apprendra jamais mes malheurs ; et tant qu'il vous a pris pour un négociant, je n'ai pas cru que ce fût le tromper d'une manière desavantageuse pour lui que de le laisser dans l'opinion que j'étois votre fille. Cependant je dois vous avouer, ajouta-t-elle, que depuis qu'il connoit votre rang, et que cette connoissance lui a fait prendre la résolution de vous offrir sa main pour moi dès aujourd'hui, j'ai senti des scrupules que je n'aurois pas tardé à vous communiquer. Voilà le fond de mes sentimens, ajouta-t-elle, et quand vous l'avez vu à mes genoux, je ne l'ai ni souffert dans cette posture, ni autorisé à la prendre par des complaisances criminelles.

Elle parut se rassurer après cette ouverture, et comptant que j'allois approuver ses intentions, elle me regarda d'un œil plus tranquille. Mais l'opinion qu'elle avoit de son innocence étoit précisément ce qui causoit mon desespoir. J'étois mortellement irrité qu'elle fît si peu d'attention à mes sentimens, ou qu'elle en fût si peu touchée, qu'elle ne parût pas même occupée de la crainte de m'affliger, et qu'elle n'eût rien à combattre pour se livrer à une nouvelle inclination. Cependant la honte me fit renfermer ce cruel dépit au fond de mon cœur, et prenant les choses du côté que le bon-sens devoit les présenter, j'en veux croire vos protestations, lui dis-je, et je ne dois pas me persuader aisément que vous m'ayez trompé par de fausses apparences de vertu ; mais si le comte me connoit, quelle espérance avez-vous qu'il puisse vous prendre pour ma fille, lorsqu'il sait ou qu'il ne peut ignorer longtems que je n'ai jamais été marié ? S'il le sait déja, vous avez trop d'esprit pour ne pas sentir que ses intentions ne peuvent être sincères, et qu'il ne pense qu'à se faire un amusement de votre commerce. S'il l'ignore et que son erreur le fasse penser aujourd'hui à vous épouser comme ma fille, ce dessein ne s'évanouira-t-il pas en apprenant que je ne suis pas votre père ? Mais vous ne l'avez que trop conçu, repris-je, en cédant à la jalousie qui me déchiroit ; vous n'êtes pas assez simple pour vous être flattée qu'un homme de condition vous épouseroit au hazard. Il vous a plu. Vous n'avez consulté que le mouvement de votre cœur, et peut-être vous a-t-il emportée beaucoup plus loin que vous n'osez le confesser. Pourquoi vous figurez-vous que je suis dans votre chambre ? ajoutai-je avec une nouvelle amertume. C'est que j'ai découvert malgré vous votre intrigue. J'ai lu votre passion dans vos yeux, dans vos discours, dans toutes les circonstances de votre conduite. J'ai voulu vous surprendre et vous couvrir de honte. Je l'aurois fait cette nuit, si la force de mon ancienne tendresse ne m'eût encore porté à garder des ménagemens. Mais comptez que j'ai tout vu, tout entendu, et qu'il faut être aussi foible que je le suis encore, pour vous marquer si peu de mépris et de ressentiment.

On pénètre sans peine quel étoit le but de ce discours. Je voulois me délivrer absolument des doutes qui me tourmentoient encore, et je feignis d'être bien instruit de tous les sujets de mes craintes. Les desaveux de Théophé furent si nets, et les marques de sa douleur si naturelles, que s'il y avoit quelque fond à faire sur les justifications d'une femme qui a autant d'esprit que d'amour, il ne me seroit peut-être pas resté la moindre défiance de sa sincérité. Mais ce n'est point encore ici que je m'en remets au jugement de mes lecteurs. Le procès de mon ingrate n'est instruit qu'à demi.

Tout le tems qui restoit jusqu'à l'heure du dîner fut employé entre elle et moi dans d'autres discussions, dont je ne tirai pas plus de lumières. On nous avertit enfin qu'on avoit servi. J'étois impatient de voir quelle figure les deux amans alloient faire en ma présence, et ma curiosité étoit sur-tout pour le prémier compliment que j'allois recevoir du comte. Théophé avoit sans doute autant d'embarras que moi d'impatience. Mais je ne vis point le comte à table ; ce ne fut que dans l'entretien que j'eus avec les convives que j'appris qu'il étoit parti dans une chaise de poste, après avoir fait ses adieux à toute la maison. Quelque sujet d'étonnement que je trouvasse dans cette nouvelle, j'affectai de ne faire aucune réfléxion sur son départ, et jettant seulement les yeux sur Théophé, j'observai qu'elle se faisoit une violence extrème pour ne laisser paroître aucune marque d'altération. Elle se retira dans sa chambre après le dîner. Je l'aurois suivie sur le champ, si je n'eusse été retenu par le capitaine françois dont j'ai parlé, qui aiant eu jusqu'alors la discrétion de ne pas témoigner qu'il me connût, s'approcha ensuite de moi pour me faire les civilités qu'il crut me devoir. J'ignorois encore par quelle avanture il avoit découvert mon nom. En m'expliquant avec lui, j'appris non-seulement ce qui s'étoit passé au jardin, mais les raisons qui avoit causé la fuite du comte. Le capitaine m'en fit des excuses, comme s'il eût appréhendé mes reproches. N'étant pas prévenu, me dit-il, sur l'opinion que vous avez fait prendre ici de la jeune personne qui est avec vous, j'ai satisfait naturellement aux questions du comte. Il m'a parlé de votre fille. J'ai eu l'imprudence de lui répondre que vous n'en aviez point, et sans vous connoitre personnellement, je savois avec toute la France que vous n'êtes point marié. Il m'a fait répéter plusieurs fois cette réponse, et j'ai conçu, par quelques détails, que mon indiscrétion peut avoir dérangé vos vues.

J'assurai le capitaine qu'il ne m'avoit donné aucun sujet de plainte, et que si j'avois déguisé mon nom ou pris quelque autre masque à Livourne, c'étoit uniquement pour me délivrer de l'embarras des cérémonies. Je ne lui donnai pas d'autre motif pour me laisser dans l'obscurité où je voulois demeurer. Mais il me fut aisé de juger qu'en cessant de prendre Théophé pour ma fille, le comte s'étoit figuré qu'elle étoit ma maitresse. L'état où il m'avoit surpris dans sa chambre avoit dû lui faire naitre cette pensée ; et dans la confusion de s'être engagé avec elle, il n'avoit pas trouvé d'autre ressource que celle de partir aussi-tôt sans la voir. Je me hâtai de retourner à la chambre de Théophé. Je ne fis qu'entrevoir son abbattement ; car à peine m'eut-elle apperçu, que s'excitant à prendre un visage tranquille, elle me demanda en souriant si je n'étois pas bien surpris de la résolution précipitée du comte. Vous voyez, ajouta-t-elle, que ses sentimens n'ont jamais été bien vifs, puisqu'il a pu les perdre en un moment jusqu'à partir sans me dire adieu. Je feignis de ne pas voir plus loin que cette joie contrefaite. Il vous aimoit sans transport, lui dis-je d'un ton sérieux, et si les témoignages n'ont pas été plus ardens que les effets, cette passion n'a pas dû lui faire oublier sa dame romaine. Notre entretien, qui dura tout l'après-midi, ne fut ainsi qu'un déguisement continuel, Théophé affectant toujours de paroître peu sensible à sa perte, tandis qu'avec une satisfaction maligne, qui venoit sans doute de l'espérance que je sentois renaitre au fond de mon cœur, je continuois de rabaisser la passion du comte, et de parler de son départ comme d'une grossièreté et d'un outrage. Elle soutint cette scène avec beaucoup de force. Le capitaine du vaisseau qui m'avoit amené m'aiant paru disposé dès le même soir à remettre à la voile aussi-tôt que j'y consentirois moi-même, je ne lui demandai que le jour suivant pour m'y préparer. C'étoit moins la nécessité de mes affaires qui me faisoit souhaiter le délai d'un jour, que les ménagemens que je croyois nécessaires à la santé de Théophé. J'avois trop bien remarqué les efforts qu'elle se faisoit continuellement pour cacher sa tristesse, et je voulois m'assurer que son tempérament n'en souffriroit point.

Elle se soutint jusqu'à notre embarquement ; mais à peine crut-elle avoir perdu l'espérance de revoir le comte, que ne résistant plus aux mouvemens de son cœur, elle se fit mettre au lit, d'où elle ne sortit point jusqu'à Marseille. Je lui rendis tous les soins que le devoir m'auroit fait rendre à ma fille, ou l'amour à une maitresse chérie[113]. Cependant je ne pus la voir dans cette langueur pour un autre, sans éprouver que la plus vive tendresse se refroidit enfin par la dureté et l'ingratitude. Insensiblement je m'apperçus que mon cœur devenoit plus libre, et que sans perdre le dessein d'être utile à Théophé, je n'étois plus agité de ces mouvemens inquiets qui avoient été depuis plusieurs années ma situation presque habituelle. J'eus le loisir de reconnoitre ce changement, pendant un calme de plus de huit jours qui nous arrêta vers l'entrée de la mer de Gènes. Il n'y a point d'exemple d'une si parfaite tranquillité dans l'air et dans les flots. Nous n'étions pas à six lieues de la côte, et la surface de l'eau étant si immobile que nous nous trouvions comme fixés dans le même lieu, j'eus plus d'une fois la pensée de me mettre dans la chaloupe avec Théophé et quelques-uns de mes gens, pour gagner la terre à force de rames. Je me serois épargné une vive alarme de la part de quelques misérables, qui s'abandonnant à leur imagination dans l'oisiveté, entreprirent de se rendre maitres du vaisseau par le meurtre du capitaine et des autres officiers. Cette conspiration étoit peut-être méditée avant notre départ, mais l'occasion de l'exécuter n'avoit jamais été si belle. Nous avions à bord cinq Italiens et trois Provençaux, qui n'y étoient comme moi qu'avec la qualité de passagers ; gens qui par leur équipage et leurs manières n'avoient pu tenter le capitaine et moi de former avec eux la moindre liaison. Ils n'en avoient eu qu'avec quelques matelots de leur pays, avec lesquels ils étoient à boire continuellement ; et c'étoit dans ces agréables parties qu'ils avoient concerté de poignarder le capitaine et son lieutenant, assez sûrs de trouver peu de résistance dans le reste de l'équipage, qui étoit en fort petit nombre. Leur dessein à l'égard de moi et de mes gens, étoit de nous jetter sur quelque rivage écarté de l'île de Corse, et de se saisir de tout ce que j'avois apporté avec moi. Par un soin extraordinaire de la Providence, mon valet de chambre s'endormit sur les ponts dans l'obscurité de la nuit. Il y fut réveillé par les discours de ces malheureux assassins, qui s'étant assemblés pour régler l'exécution de leur entreprise, distribuoient entre eux les principaux rôles, et faisoient déja le partage de l'autorité et du butin. L'usage du capitaine étant de paroître à la fin du jour sur le tillac, il fut résolu qu'on se déferoit de lui au même moment, tandis que deux des complices frapperoient à la cabane du lieutenant, pour lui couper la gorge aussi-tôt qu'il ouvriroit sa porte. Les autres devoient être répandus dans le vaisseau, et tenir tout le monde dans le respect par leurs menaces et par la vue de leurs armes. En convenant de me traiter avec quelque sorte de respect et de me laisser dans l'île de Corse avec mes gens, il se trouva quelqu'un qui proposa de garder Théophé, comme la plus précieuse partie de mes biens. Mais après une délibération de quelques momens, on reconnut qu'une si belle femme ne serviroit qu'à jetter de la division dans la société, et la conclusion fut de la mettre à terre avec moi.

Quoique tremblant d'une si horrible découverte, mon valet de chambre eut assez de présence d'esprit pour concevoir que nous n'avions de salut à espérer que par la diligence et le secret. Il étoit environ minuit. Le Ciel, qui nous favorisoit, lui fit trouver le moyen de se couler au long du tillac et de gagner la chambre du capitaine, qui communiquoit heureusement à la mienne. Il nous réveilla avec la même discrétion, et commençant par nous exhorter au silence, il nous fit un affreux récit du malheur qui nous menaçoit. Les ténèbres l'avoient empêché non-seulement de reconnoitre les conjurés, mais de pouvoir s'assurer de leur nombre. Cependant aiant distingué les plus mutins à la voix, il nous en nomma quelques-uns, et sur le jugement qu'il en avoit porté, ils pouvoient être au nombre de douze. Je ne m'attribuerai point une fausse gloire si je vante mon intrépidité ; et les exemples en étoient assez connus [114]. Huit domestiques que j'avois à ma suite, le capitaine, son lieutenant, et moi, nous composions déja onze personnes qui étoient capables de quelque défense. Il restoit plusieurs matelots dont la fidélité n'étoit pas suspecte, et quelques autres passagers aussi intéressés que nous à se garantir des insultes d'une troupe de brigands. La difficulté n'étoit qu'à nous *assembler ; je pris sur moi ce soin, et faisant allumer aussi-tôt plusieurs flambeaux, je sortis bien armé et suivi de tous mes gens, à qui je fis prendre aussi des armes. Je joignis sans obstacle tous ceux dont nous avions à espérer quelque secours, et les aiant amenés dans ma chambre, nous nous mimes en état de ne rien craindre jusqu'au jour. Cependant nos ennemis, qui s'apperçurent de ce mouvement, sentirent bientôt pour eux-mêmes plus de crainte qu'ils ne nous en avoient inspiré. Ils n'étoient ni aussi bien armés que nous, ni en aussi grand nombre, sans compter la terreur qui accompagne toujours le crime. S'imaginant bien qu'au jour il leur seroit difficile de résister à nos efforts, ils prirent le seul parti qui pouvoit les sauver du châtiment, et ils se hâtérent de l'exécuter. Avec le secours des matelots qui étoient leurs complices, ils jettérent la chaloupe en mer, et ils gagnérent à force de rames la côte la plus voisine. Leur entreprise ne put nous être inconnue ; mais quoiqu'il nous fût aisé de les mettre en pièces tandis qu'ils faisoient leurs préparatifs, ou de les tuer dans la chaloupe à coups de fusils et de pistolets, je fus d'avis qu'il falloit leur laisser la liberté de s'éloigner.

On n'avoit pu cacher cette avanture à Théophé. Le bruit des armes et le tumulte qu'elle vit autour d'elle, lui causérent une frayeur dont elle ne se remit pas aisément, ou peut-être donna-t-elle ce nom au redoublement de chagrin qui la consumoit secrettement depuis Livourne[115]. Sa langueur aboutit à une fièvre déclarée, qui fut accompagnée de plusieurs incidens fort dangereux. Elle ne se trouva pas mieux en arrivant à Marseille. Quelques raisons que j'eusse de hâter mon retour à Paris, l'état où je la voyois ne me permit ni de l'exposer aux agitations d'une voiture, ni de l'abandonner aux soins de mes gens dans une ville si éloignée de la capitale. Je retournai près d'elle, avec les mêmes complaisances et le même zèle dont je ne m'étois point relâché dans le cours de notre voyage. Chaque moment m'apprenoit que ce n'étoit plus l'amour qui continuoit de me la rendre chère. C'étoit le goût que je prenois à la voir et à l'entendre. C'étoit l'estime dont j'étois rempli pour son caractère. C'étoient mes propres bienfaits, qui sembloient m'attacher à elle comme à mon ouvrage [116]. Il ne m'échappoit plus une expression passionnée, ni une seule plainte des tourmens que je lui voyois souffrir pour mon rival.

Elle se rétablit par dégrés, après avoir été si mal que les médecins avoient desespéré plus d'une fois de sa guérison. Mais sa beauté se ressentit d'un si long accablement; et si elle ne put perdre la régularité de ses traits, ni la finesse de sa physionomie, je trouvai beaucoup de diminution dans la beauté de son teint et dans la vivacité de ses yeux. Ces restes ne laissoient pas de composer encore une figure des plus aimables. Plusieurs personnes de distinction avec lesquelles je m'étois lié pendant * sa maladie venoient souvent chez moi, par le seul desir de la voir. Mr. de S..., jeune-homme destiné à une grosse fortune, ne dissimula point la tendresse qu'elle lui avoit inspirée. Après en avoir parlé longtems comme d'un badinage, ses sentimens devinrent si sérieux qu'il chercha l'occasion de les lui faire connoitre. Il la trouva aussi insensible qu'elle l'avoit été pour moi, comme si son cœur n'eût pu s'ouvrir que pour l'heureux comte qui avoit trouvé le secret de la toucher. Elle me pria même de la délivrer des importunités de ce nouvel amant. Je lui promis ce service, sans en prendre droit de lui rappeller mes propres desirs. Et pour en parler naturellement, ils étoient éteints jusqu'à n'être plus différens du simple penchant de l'amitié.

L'explication que j'eus avec Mr. de S... produisit si peu ce qu'elle en avoit attendu, qu'il s'en crut au contraire plus autorisé à la presser par les témoignages continuels de sa tendresse. Il avoit été retenu par la crainte de se trouver dans quelque concurrence avec moi. Mais apprenant que je me bornois à l'amitié de Théophé, et que la seule raison qui me faisoit combattre l'inclination qu'il avoit pour elle étoit la prière que j'en avois reçue d'elle-même, il me déclara qu'avec la vive passion qu'il avoit dans le cœur, il ne savoit point se rebuter de l'indifférence d'une belle, et qu'il conserveroit du moins l'espérance ordinaire aux amans d'emporter par la constance de ses soins ce qu'il n'avoit pu obtenir de son mérite et du penchant de sa maitresse. Je lui prédis qu'après la déclaration de Théophé, tous ses efforts seroient inutiles. Il n'en fut pas plus refroidi ; sur-tout lorsque je lui eus protesté dans les termes de l'honneur que je n'avois jamais rien obtenu d'elle qui dût le faire douter de sa sagesse. A peine fut-elle en état de goûter quelque plaisir, qu'il entreprit de dissiper sa mélancolie par des fêtes et des concerts. Elle s'y prêta, avec moins d'inclination que de complaisance, sur-tout lorsque loin de m'y trouver opposé, elle vit que je partageois volontiers ces amusemens avec elle. Mr. de S... n'étoit que le fils d'un marchand ; et si c'étoit le goût du mérite qui l'attachoit à une fille si aimable, je ne voyois rien de choquant dans le desir que je lui supposois de l'épouser. Toute l'obstination de Condoidi à lui refuser le titre de sa fille ne m'auroit point empêché de rendre témoignage qu'elle l'étoit, et les preuves que j'en avois eues suffisoient pour me donner là-dessus une espèce de certitude. Cependant Mr. de S..., qui m'entretenoit quelquefois de sa passion, n'y mêloit jamais le nom de mariage. En vain me hazardai-je à lui en faire naitre l'idée par diverses réfléxions qui purent du moins lui faire entendre que je n'approuvois ses sentimens que dans cette supposition. Comme je ne lui vis point toute l'ardeur que j'aurois souhaitée à cette proposition, je résolus, pour justifier du moins l'indulgence avec laquelle je m'étois prêté à ses galanteries, de lui découvrir naturellement mes idées. Ainsi, par un changement bien étrange, c'étoit moi qui prenois la commission d'assurer ses conquêtes à Théophé, et qui pensois à me séparer pour jamais d'elle en la rendant la femme d'un autre. Outre son intérêt, qui étoit mon prémier motif, je faisois réfléxion qu'il me seroit difficile à Paris d'éviter les soupçons qui naitroient sur mon commerce avec elle; et quoique je ne fusse point encore dans un âge où l'amour est une indécence, j'avois des vues de fortune qui ne s'accordoient point avec des engagemens de cette nature.

Si je m'expliquai librement avec Mr. de S..., il me répondit de même qu'il aimoit assez Théophé pour souhaiter d'en faire sa femme; mais qu'aiant mille sortes de ménagemens à garder avec sa famille, il n'osoit s'engager témérairement dans une entreprise qui l'exposeroit à la disgrace de son père; que n'étant plus néanmoins dans l'âge de la dépendance, il prendroit volontiers le parti de l'épouser en secret, et qu'il me laisseroit le maitre de régler les moyens et les conditions. Je réfléchis deux fois sur cette offre. Quoiqu'elle m'assurât tout ce que j'avois desiré, il ne me parut pas digne de moi de contribuer à un mariage secret, dont je voyois peu de douceurs à espérer pour Théophé, lorsqu'elle seroit condamnée pour longtems à faire un mystère de sa condition, et qui pouvoit nuire à la fortune de Mr. de S... en le mettant mal tôt ou tard avec sa famille. Je lui répondis nettement qu'un marché clandestin ne convenoit point à Théophé, et je le laissai dans le chagrin de me croire même offensé de sa proposition[117].

Cependant, comme j'étois encore à savoir les inclinations de Théophé même, et que m'étant une fois trompé sur ses sentimens, je pouvois être retombé dans l'erreur en jugeant qu'elle ne s'écarteroit point de sa prémière déclaration, je voulus consulter son penchant, et lui apprendre ce que l'amour lui offroit pour sa fortune. Il ne me parut pas surprenant de lui entendre rejetter la tendresse et la main de Mr. de S...; mais lorsqu'aiant insisté dans ses propres termes sur l'avantage qu'il y auroit pour elle à rentrer dans tous les droits de la vertu et de l'honneur par un établissement qui pouvoit effacer dans sa propre imagination tous les souvenirs du passé, j'eus reçu pour réponse qu'elle se sentoit de l'éloignement pour l'état du mariage, je ne pus me défendre d'un reste de dépit, qui me porta à lui reprocher de m'en avoir donc imposé quand elle m'avoit protesté avec tant d'apparence de bonne-foi que c'étoit uniquement cette sorte d'avantage qui l'avoit disposée à souffrir les soins du comte[118]. Elle fut troublée de cette objection ; mais cherchant à sortir d'embarras par un air de bonté et de candeur qui lui avoit toujours réussi avec moi, elle me conjura de ne pas mal interpréter *ses sentimens, ou, si je l'aimois mieux, de ne pas juger trop rigoureusement ses foiblesses. Et me rappellant à mes promesses, elle prit le Ciel à témoin que quelques inégalités que j'eusse pu remarquer dans sa conduite, elle n'avoit jamais cessé de regarder l'espérance que je lui avois donnée de vivre près de moi comme le plus grand bien qu'elle eût à desirer.

Je la remerciai de ce sentiment, et je renouvellai tous les engagemens que j'avois avec elle. Sa santé se rétablissant de jour en jour, notre départ ne fut pas longtems différé. En-vain Mr. de S... s'efforça-t-il de nous arrêter par des instances qui alloient souvent jusqu'aux larmes. Il reçut de la bouche même de Théophé l'arrêt qui le condamnoit à réprimer sa passion ; ce qui n'empêcha point que sous quelque prétexte que les affaires de son père lui firent naitre, il ne nous accompagnât jusqu'à Lyon dans une chaise de poste qui suivoit immédiatement ma berline. Et lorsqu'il fut contraint de se séparer, il me dit à l'oreille que son dessein étoit de faire incessamment le voyage de Paris, où il se promettoit de disposer plus librement de sa main que sous les yeux de son père. J'ai toujours été persuadé qu'il avoit tenté secrettement d'obtenir le consentement de sa famille, et que c'étoit sur le refus de son père qu'il m'avoit proposé un mariage clandestin.

Les affaires continuelles qui m'occupérent longtems ne me permirent plus de suivre Théophé dans toutes ses démarches. Je la logeai chez moi, avec toute la considération que j'avois toujours eue pour elle, et je lui accordai dans ma maison tous les droits dont je l'avois mise en possession à Oru. Mes amis raisonnérent différemment en me voyant arriver à Paris avec cette belle Grecque. Ils ne s'en tinrent point au récit que je leur fis naturellement d'une partie de ses avantures ; et mon attention étant toujours de cacher celles qui ne faisoient point honneur à ses prémières années, ils prenoient les éloges que je leur faisois de ses principes et de sa conduite pour les exagérations d'un homme amoureux. D'autres, venant à la connoitre mieux, lui trouvoient effectivement tout le mérite que je lui attribuois, et ne m'en croyoient que plus attaché par l'amour à une jeune personne qu'ils ne s'imaginoient pas que je pusse avoir amenée de Turquie par d'autres motifs. Ainsi tous s'accordoient, comme je l'avois prévu, à me croire mieux que je n'étois avec elle, et les distractions mêmes de mes affaires, qui me faisoient quelquefois passer trois jours sans la voir, ne purent leur ôter cette opinion. Mais il y eut bien plus de variété et de bizarrerie dans les jugemens du public. On la fit d'abord passer pour une esclave que j'avois achetée en Turquie, et dont j'étois devenu assez amoureux pour avoir apporté tous mes soins à son éducation. Ce n'étoit pas s'écarter tout à fait de la vérité. Mais on ajoutoit, et je trouvai moi-même aux Tuileries diverses personnes qui me racontérent sans me connoitre, que le Grand-Seigneur étant devenu amoureux de mon esclave sur le récit qu'on lui avoit fait de ses charmes, me l'avoit fait demander, et que c'étoit l'unique sujet de tous les différends que j'avois eus à Constantinople. Et comme le visage de Théophé, malgré tout ce qu'il avoit conservé d'agrément, ne répondoit plus à l'idée d'une femme qui s'étoit attiré tant d'admiration, on prétendoit que pour me délivrer des tourmens de la jalousie, j'avois défiguré une partie de ses charmes avec une eau que j'avois fait composer. D'autres prétendoient que je l'avois enlevée dans un serrail, et que cette hardiesse m'avoit coûté la perte de mon emploi[119].

Je me rendis fort supérieur à toutes ces fables par la tranquillité avec laquelle je les entendis, et je fus toujours le prémier à les tourner en badinage. Théophé s'étant fait connoitre avantageusement de toutes les personnes avec qui j'avois quelque liaison, je lui vis bientôt un grand nombre d'adorateurs. Il me parut difficile qu'elle se défendît toujours contre les soins empressés d'une brillante jeunesse, mais je crus lui devoir quelques avis sur les précautions qui sont nécessaires à son sexe. L'exemple du * comte de M... m'avoit appris qu'elle étoit sensible aux graces de la figure et des manières[120]. Le danger étoit continuel à Paris, et si l'amour ne m'y faisoit plus prendre le même intérêt, j'étois du moins obligé par l'honneur d'écarter de ma maison tout ce qui pouvoit la conduire au desordre. Elle reçut mes conseils avec sa docilité ordinaire. Son goût n'étoit pas diminué pour la lecture, et je lui voyois même une nouvelle ardeur à s'instruire. Peut-être la vanité commençoit-elle à faire ce que je n'avois pu attribuer jusqu'alors qu'à la passion de s'orner le cœur et l'esprit. Cependant, soit que mes observations ne fussent plus assez exactes pour me faire pénétrer le fond de sa conduite, soit qu'elle eût plus d'adresse que je ne lui en croyois à la déguiser[121], je n'apperçus rien qui blessât mes yeux jusqu'à l'arrivée de Mr. de S..., qui vint m'inspirer des défiances auxquelles je ne me serois jamais porté volontairement.

Il n'eut point le bonheur de les faire tourner sur luimême. Mais après avoir passé quelques semaines à Paris, et s'être fait voir fort souvent dans ma maison, où je le comblois de politesses, il me prit un jour en particulier pour me faire les plaintes les plus amères.

Le dessein de son voyage étoit, me dit-il, le même qu'il m'avoit expliqué à Lyon ; mais sa fortune étoit extrèmement changée. Au-lieu des froideurs de sa maitresse qu'il croyoit avoir uniquement à combattre, il se trouvoit en tête plusieurs amans déclarés[122], dont il avoit mille raisons de croire qu'elle ne rejettoit pas également tous les soins. Il étoit desespéré particulièrement des attentions qu'elle marquoit pour Mr. de R... et pour le jeune comte de... qui paroissoient les plus ardens à lui plaire[123]. Ce n'étoit pas chez moi qu'elle les souffroit autour d'elle ; mais cette exception même faisoit le plus sensible chagrin du jeune Marseillois, qui n'avoit pu se persuader qu'elle mît quelque différence entre eux et quantité d'autres dont elle recevoit indifféremment les visites, sans en ressentir beaucoup dans les dispositions de son cœur. Comment se figurer néanmoins qu'elle en aimât deux à la fois ? Il en étoit encore à pénétrer ce mystère. Mais l'aiant suivie à l'église, aux promenades, aux spectacles, il avoit vu sans cesse ces deux incommodes rivaux sur ses traces, et le seul air de satisfaction qu'elle laissoit éclater sur son visage la trahissoit toujours en les appercevant. Il n'ajouta rien qui pût faire aller plus loin mes soupçons, et la prière qu'il joignit à cette plainte étoit propre au contraire à les étouffer. Il me conjura de lui faire voir plus clair dans ses espérances, et de ne pas permettre du moins que des sentimens aussi honnêtes que les siens fussent rejettés avec des marques de mépris.

Je lui promis non-seulement de prendre ardemment ses intérêts, mais d'approfondir une intrigue dont je n'avois pas la moindre connoissance. J'avois donné pour compagne à Théophé une vieille veuve, que son âge sembloit défendre contre les folies de la jeunesse ; et quand j'aurois fait moins de fond sur la conduite de la jeune Grecque, je me serois reposé sur les exemples et les leçons d'une gouvernante si éprouvée. Elles ne se quittoient point, et je voyois avec plaisir que l'amitié les liât autant que mes intentions. J'expliquai à celle-ci une partie des accusations qu'on formoit contre elle, car Mr. de S... m'avoit confessé qu'il n'avoit jamais vu Théophé seule, et l'une n'avoit pu mériter de reproches que l'autre ne dût partager. La vieille veuve reçut les miens d'un air si libre qu'il me fit attribuer aussi-tôt les tourmens de Mr. de S... à sa jalousie. Elle me nomma même l'auteur de mes inquiétudes. Il n'est pas satisfait, me dit-elle, de ne pas trouver dans Théophé plus de retour pour sa tendresse. Il l'importune continuellement par ses discours et par ses lettres. Nous nous sommes fait un jeu d'une passion si incommode, et le dépit l'aura porté sans doute à vous en faire des plaintes. A l'égard des crimes qu'il nous attribue, vous les connoissez, ajouta-t-elle, puisque je n'ai suivi que vos ordres en procurant à Théophé quelques amusemens. Elle m'apprit naturellement à quoi se réduisoient leurs plaisirs : c'étoient les divertissemens ordinaires des honnêtes-gens de Paris ; et si les deux rivaux qui causoient les alarmes de Mr. de S... étoient quelquefois admis à leurs promenades ou à d'autres parties de la même innocence, c'étoit sans aucune distinction dont ils pussent tirer avantage.

Cette réponse me rendit tranquille, et je ne consolai Mr. de S... qu'en l'exhortant à mériter le cœur de Théophé, dont je lui garantis la sagesse et l'innocence. Ses imaginations n'étoient pas néanmoins sans fondement. Ma vieille veuve, sans être capable de se porter au desordre ou de l'approuver, avoit encore assez d'amour-propre et de vanité pour être le jouet de deux jeunes-gens, dont l'un avoit entrepris de servir son ami en contrefaisant de l'amour pour une femme qui n'avoit pas moins de soixante ans. Ses yeux, uniquement ouverts sur les soins qu'on affectoit pour elle, ne remarquoient point ce qui se passoit à l'égard de sa compagne, et son aveuglement alloit jusqu'à croire Théophé fort heureuse de partager des galanteries dont elle se regardoit comme le seul objet. Le témoignage de Mr. de S..., qui découvrit à la fin cette comédie, et toutes les preuves qui auroient été différentes du rapport de mes yeux, n'auroient jamais eu la force de me le persuader.

Un jour, d'autant plus heureusement choisi que mes affaires et mes incommodités me donnoient quelque relâche, Mr. de S... me conjura de monter en carosse avec lui, pour me rendre témoin d'une scène qui me donneroit enfin plus de confiance à ses plaintes. Il avoit découvert, à force de soins, que Théophé et la vieille veuve s'étoient * laissées engager dans une partie de promenade, qui devoit finir par une collation dans les jardins de Saint Clou. Il n'ignoroit ni le lieu, ni les circonstances de la fête ; et, ce qui lui échauffoit l'imagination jusqu'à lui faire mêler des menaces à son récit, il savoit que * Mr. de R... et le jeune comte composoient toute la compagnie des deux dames. Quelque couleur que la veuve pût donner à cette partie, j'y trouvai tant d'indiscrétion que je ne balançai point à la condamner. Je me laissai conduire à Saint Clou, avec la résolution non-seulement d'observer ce qui se passeroit dans un lieu si libre, mais de faire aux deux dames des reproches dont la sagesse même de leurs intentions ne devoit pas les exempter. Elles y étoient déja avec leurs amans. Nous leur vimes faire quelques tours de promenade dans un lieu si découvert qu'il nous parut inutile de les suivre. Ce fut le soin de * Mr. de S... de choisir un poste où rien ne pût nous échapper pendant leur collation. Il vouloit non-seulement les voir, mais les entendre. Aiant su que le lieu où se faisoient les préparatifs étoit un cercle de verdure dans la partie supérieure du jardin, nous nous y rendimes par de longs détours, et nous trouvames heureusement à nous placer derrière une charmille qui n'en étoit qu'à dix pas.

Ils arrivérent peu de tems après nous. Leur marche étoit décente. Mais à peine furent-ils assis sur l'herbe, que le prélude de leur fête fut un fort long badinage. Il commença par la veuve, et je m'apperçus tout d'un coup que les flatteries et les caresses des deux jeunes-gens étoient autant de railleries qu'ils avoient concertées. Après cent fades complimens sur ses graces, après l'avoir comparée aux nymphes, ils la parérent d'herbes et de fleurs, et leur admiration parut redoubler en la voyant dans cette comique parure. Elle étoit sensible à leurs moindres éloges, et sa modestie lui faisant prendre un détour pour exprimer la satisfaction qu'elle en ressentoit, elle louoit l'esprit et l'agrément qu'elle trouvoit dans chaque parole. Quelles réfléxions ne fis-je point sur le ridicule d'une femme qui oublie son âge et sa laideur ! Je trouvois la vieille gouvernante si justement punie, que si je n'eusse point été pressé d'un autre intérêt que le sien, je me serois fait un amusement de ce spectacle. Mais je voyois le comte qui se ménageoit des intermèdes, et qui, se tournant d'un ton plus sérieux vers Théophé, lui adressoit par intervalles quelques discours qui ne pouvoient venir jusqu'à nous. Le feu qui dévoroit Mr. de S... brilloit alors dans ses yeux. Il s'agitoit jusqu'à me faire craindre que le bruit de ses mouvemens ne pût nous trahir ; et si je ne l'eusse retenu plusieurs fois, il se seroit levé brusquement pour interrompre un spectacle qui lui perçoit le cœur. Combien n'eus-je pas de peine à le modérer lorsqu'il vit le comte baisser la tête jusques sur l'herbe, pour baiser secrettement une des mains de Théophé, qu'elle ne se hâta point de retirer !

La collation fut délicate et dura longtems. La joie fut animée par quantité de contes et de saillies plaisantes. Si l'on ne but point à l'excès, on goûta de plusieurs sortes de vins, et l'on ne se fit pas presser beaucoup pour les liqueurs. Enfin, sans qu'il se fût rien passé d'absolument condamnable, il me restoit de tout ce que j'avois vu un fond de chagrin dont je me proposois de ne pas remettre bien loin les marques. Cependant je l'aurois porté jusqu'à Paris, et croyant les dames prêtes à gagner leur carosse, je n'avois d'embarras que pour éviter d'être apperçu en retournant vers le nôtre, lorsque Mr. de R..., offrant le bras à la gouvernante, s'engagea avec elle dans une allée couverte qui ne conduisoit à rien moins qu'à la porte du parc. Le comte prit de même Théophé, et m'imaginant qu'il alloit marcher sur les traces de son ami, mon dessein n'étoit que de les suivre de l'œil. Mais je * leur vis prendre une autre route. Le mal me parut pressant. Je ne voulus point attendre qu'il se déclarât par d'autres marques, et je n'eus pas besoin d'être excité par Mr. de S... pour courir au remède. Lui aiant fait seulement promettre qu'il ne s'écarteroit point de la modération, je m'avançai avec lui à la suite des quatre amans, et je feignis que le goût de la promenade m'aiant amené à Saint Clou, je venois d'apprendre leur fête, avec le chemin qu'il falloit prendre pour les rencontrer. Ils furent si déconcertés que malgré l'air de joie et de liberté que j'affectois dans mes manières, ils ne se remirent pas tout d'un coup ; et ce ne fut qu'après un assez long silence qu'ils nous offrirent civilement les débris de leur collation.

Je fus si peu tenté de l'accepter, que pensant à rompre sur le champ une liaison dangereuse, je déclarai aux dames que j'avois à leur communiquer quelques affaires qui m'obligeoient de leur demander une place dans leur carosse. Ces messieurs ne sont pas venus sans leur équipage, ajoutai-je en me tournant vers eux, et le mien d'ailleurs seroit à leurs ordres. Mr. de R... s'étoit fait suivre par le sien. Nous primes directement les allées qui conduisent à la grille, et les deux amans eurent la mortification de voir occuper à Mr. de S... une des places qu'ils avoient remplies.

Il auroit été trop dur de représenter leur indiscrétion aux dames à la vue d'un étranger. Je remis les leçons de morale à Paris ; mais en considérant de près la gouvernante, que j'avois vis-à-vis de moi, je ne pus me défendre ni de rire de l'image qui me restoit encore de sa parure, ni de lui faire quelques complimens sur ses charmes dans le goût de ceux qu'elle avoit entendus. Je crus m'appercevoir qu'elle avoit déja l'imagination gâtée jusqu'à les croire sincères. Théophé sourioit malicieusement ; mais je lui en préparois un à elle-même, que je croyois capable de la rendre sérieuse. Elle eut le tems néanmoins d'en faire aussi un à Mr. de S... qui acheva de lui ôter l'espérance. Soit qu'elle eût quelque soupçon du dessein qui nous avoit conduits à Saint Clou, et qu'elle l'accusât de me l'avoir inspiré, soit qu'elle fût rebutée effectivement de ses soins, qui alloient quelquefois, comme je l'avois remarqué moi-même, jusqu'à l'importunité, elle profita du moment qu'il lui donnoit la main en sortant du carosse. L'aiant prié de ne plus troubler sa tranquillité par des visites et des soins qu'elle n'avoit jamais goûtés et qu'elle ne vouloit plus recevoir, elle lui déclara qu'elle regardoit cet adieu comme le dernier. Il demeura si consterné que lui voyant tourner le dos pour s'éloigner, il n'eut point le courage de la suivre. Ce fut à moi qu'il adressa ses plaintes. Elle me touchérent d'autant plus que je trouvai dans cette conduite de Théophé quelque chose d'extrèmement opposé à la douceur naturelle de son caractère, et que je ne pus me figurer qu'elle en fût venue à cette extrémité sans y être précipitée par une passion violente. J'exhortai Mr. de S... à se consoler, comme tous les amans qui ne sont pas plus heureux, et je l'assurai d'un foible dédommagement dans mon amitié. J'estimois sa bonne-foi beaucoup plus que son bien et sa figure. Venez chez moi, lui dis-je, aussi souvent que votre inclination vous y portera. Je ne ferai pas violence à celle de Théophé ; mais je lui ferai sentir ce qu'elle néglige en rejettant vos offres, et je lui ferai honte sans doute de ses sentimens, si elle s'abandonne à quelque passion déréglée.

Mes infirmités m'obligeoient de prendre mes repas dans mon appartement, ce qui me privoit du plaisir de vivre avec ma famille[124]. Mais le même intérêt qui m'avoit conduit à Saint Clou ne me permit point de laisser venir la nuit sans avoir ouvert mon cœur à Théophé. Je m'informai de l'heure qu'elle prendroit pour se retirer ; et m'étant rendu dans sa chambre avec cette familiarité qu'une longue habitude avoit comme établie, je lui confessai en arrivant que j'étois amené par des raisons extrèmement sérieuses ; je ne sai si elle se défia du motif de ma visite, mais je vis de l'altération sur son visage. Elle me prêta néanmoins une profonde attention. C'étoit une de ses bonnes qualités, de vouloir comprendre ce qu'on lui disoit avant que de vouloir y répondre.

Je ne pris point mon discours de trop loin. Vous avez marqué, lui dis-je, de l'empressement pour vivre avec moi, et vous connoissez les motifs que vous m'avez mille fois répétés. C'étoit le goût d'une vie vertueuse et tranquille. Ne la trouvez-vous pas chez moi ? Pourquoi donc allez-vous chercher à Saint Clou des plaisirs si éloignés de vos principes, et qu'avez-vous à démêler avec Mr. de R... et le comte de..., vous qui faisiez profession d'une sagesse si opposée à leurs maximes ? Vous ne connoissez point encore nos usages, ajoutai-je ; c'est l'excuse que mon affection vous prête ; et je vous ai donné pour guide une folle qui les oublie. Mais cette partie de Saint Clou, cette intime familiarité avec deux jeunes-gens auxquels je ne vois rien de commun avec votre façon de penser, que dirai-je ? Cet oubli * des bienséances communes me jette dans des inquiétudes que je ne puis dissimuler plus longtems.

Je baissai les yeux en finissant, et je voulus lui laisser toute la liberté de préparer sa réponse. Elle ne me la fit point attendre longtems. Je conçois, me dit-elle, toute l'étendue de vos soupçons, et ma foiblesse de Livourne n'est que trop propre à les justifier. Cependant, vous me faites un tort extrème si vous croyez que soit à Saint Clou, soit dans tout autre lieu où vous m'ayez observée, je me sois écartée un moment des principes que je porte au fond du cœur. Vous m'avez répété mille fois vous-même, continua-t-elle, et j'apprens tous les jours dans les livres que vous me mettez entre les mains, qu'il faut s'accommoder aux foiblesses d'autrui, se rendre propre à la société, passer avec indulgence sur les défauts et les passions de ses amis ; j'exécute vos idées et les maximes que je puise continuellement dans mes livres. Je vous connois, ajouta-t-elle, en me regardant d'un œil plus fixe, je sai qu'un secret ne risque rien avec vous ; mais vous m'avez donné une compagne dont je dois ménager les foiblesses. C'est votre amie, c'est mon guide ; quel autre parti me reste-t-il que de lui obéir et de lui plaire ?

Il en falloit bien moins pour me faire renfermer tous mes reproches, et pour me faire repentir même de les avoir exprimés trop librement. Je crus pénétrer tout d'un coup le fond du mystère. Le comte aimoit Théophé. Mr. de R... feignoit d'aimer la vieille veuve pour servir son ami. Et Théophé écoutoit le comte par complaisance pour sa gouvernante, à qui elle croyoit rendre service en contribuant à la facilité de ses amours. Quel amas d'illusions ! Mais quel renouvellement d'estime ne sentis-je point pour Théophé, dans qui je croyois voir revivre toutes les perfections que je lui avois anciennement connues. Mes infirmités me rendoient crédule[125]. J'embrassai l'aimable Théophé. Oui, lui dis-je, c'est de moi que vous devez vous plaindre. Je vous ai donné pour guide une folle, dont je conçois que les ridicules imaginations doivent vous gêner continuellement. Je parle de ce que j'ai vu. J'en suis témoin. Il ne me manquoit que de pénétrer mieux vos dispositions pour vous rendre toute la justice que vous méritez. Mais n'allons pas plus loin. Je vous affranchis demain de cet incommode esclavage, et je vois d'ici une compagne qui conviendra bien mieux à vos inclinations.

Il étoit nuit. J'étois en robe de chambre. Théophé avoit toujours à mes yeux les charmes tout-puissans qui avoient fait tant d'impressions sur mon cœur. Le fond de sagesse qui se déclaroit si ouvertement dans cette honnête complaisance me renouvella des traces que je croyois mieux effacées. Mon affoiblissement même ne fut point un obstacle, et je suis encore à comprendre comment des sentimens d'honnêteté et de vertu produisirent sur moi les mêmes effets que l'image du vice[126]. Je n'en accordai pas plus de liberté à mes sens ; mais j'emportai de cette visite un nouveau feu, dont je m'étois cru desormais à couvert par mes infirmités continuelles autant que par la maturité de ma raison. La honte de ma foiblesse ne me saisit qu'en reprenant le chemin de ma chambre, c'est-à-dire après m'y être livré tout entier ; aussi n'y résistai-je pas plus que je n'avois fait à Constantinople, et si l'état de ma santé me permettoit bien moins de former des desirs, je ne m'en crus que plus autorisé à suivre des sentimens dont tout l'effet devoit se renfermer dans mon cœur. Mais dès la même nuit, ils en produisirent un que je n'avois pas prévu. Ils renouvellérent cette ardente jalousie qui m'avoit possédé si longtems, et qui étoit peut-être de toutes les foiblesses de l'amour celle qui convenoit le moins à ma situation. A peine fus-je au lit que ne pouvant comprendre comment j'avois pu me refroidir pour un objet si charmant, je m'abandonnai au regret de n'avoir pas mieux profité des occasions que j'avois eues de lui plaire, et de ne l'avoir peut-être amenée en France que pour voir recueillir à quelque avanturier les fruits que j'aurois tôt ou tard obtenus par un peu plus d'ardeur et de constance. Enfin, si la foiblesse de ma santé ne permit point que ma passion reprît son ancienne violence, elle devint proportionnée à mes forces, c'est-à-dire capable de m'occuper tout entier.

Dans cet état, il ne falloit pas beaucoup d'efforts à Théophé pour me satisfaire. La seule complaisance que je me proposai de lui demander fut d'être souvent dans ma chambre, où la douleur me retenoit quelquefois au lit pendant des semaines entières. La nouvelle compagne que j'avois dessein de lui donner avoit assez de douceur, avec beaucoup de sagesse, pour s'assujettir à cette habitude et ne rien trouver de rebutant dans la compagnie d'un malade. La seule idée de ce nouveau plan m'offrit assez de charmes pour me procurer un sommeil tranquille. Mais Théophé m'aiant fait demander dès le matin la liberté d'entrer dans ma chambre, tous mes projets se trouvérent dérangés par la proposition qu'elle me venoit faire. De quelque source que vînt son chagrin, elle avoit été si touchée de mes reproches, ou si piquée de l'avanture de Saint Clou, que se faisant un chagrin de tous ses plaisirs et du genre de vie qu'elle menoit, elle venoit me demander la permission de se retirer dans un couvent. La douceur de vous voir, me dit-elle obligeamment, qui m'a fait souhaiter seule de vivre près de vous, est un bien dont je suis privée continuellement par votre maladie. Que fais-je dans le tumulte d'une ville telle que Paris ? Les flatteries des hommes m'importunent. La dissipation des plaisirs m'amuse moins qu'elle ne m'ennuie. Je pense, ajouta-t-elle, à me faire un ordre de vie tel que je l'observois à Oru, et de tous les lieux dont j'ai pris ici connoissance, je n'en vois point qui soit plus conforme à mes inclinations qu'un couvent[127].

Qui n'auroit pas cru que l'ouverture de mon propre dessein étoit la meilleure réponse que je pusse faire à cette demande ? Aussi me hâtai-je de dire à Théophé que loin de m'opposer à ses desirs, je voulois lui faire trouver chez moi tous les avantages qu'elle espéroit dans un couvent ; et lui expliquant ceux que je trouverois moi-même à la voir sans cesse autour de moi, occupée à lire, à peindre, à s'entretenir ou à jouer avec une nouvelle compagne, enfin se faisant une douce occupation de tous les exercices qu'elle aimoit, je m'attendois dans la simplicité de mon cœur qu'elle alloit embrasser avidement un parti qui renfermoit tout ce qu'elle m'avoit paru souhaiter. Mais insistant sur la résolution qu'elle avoit formée de se retirer dans un couvent, elle me pressa d'y consentir avec de nouvelles instances. Rien ne me surprit tant que de ne pas remarquer qu'elle eût fait même attention à ce plaisir continuel de me voir dont elle s'affligeoit, m'avoit-elle dit, d'être privée par mes infirmités, et qui étoit par conséquent la prémière considération dont elle auroit dû paroître frappée. Je ne pus m'empêcher de faire tourner de ce côté-là mes réfléxions. Mais revenant toujours à ses idées, en se croyant quitte avec moi par quelques politesses, elle continua de me parler du couvent comme du seul endroit pour lequel elle eût desormais du goût. Je me sentis si mortifié de son indifférence que n'écoutant que mon ressentiment, je lui déclarai d'un air assez chagrin que je n'approuvois point son projet, et qu'aussi longtems qu'il lui resteroit quelque considération pour moi, je la priois d'en éloigner absolument l'idée. Je donnai ordre en même temps qu'on fît avertir la personne que je lui destinois pour compagne, et que j'avois déja prévenue la veille par un mot de lettre. C'étoit la veuve d'un avocat à qui son mari avoit laissé peu de bien, et qui avoit reçu avec beaucoup de joie une proposition dont elle pouvoit tirer plusieurs sortes d'avantages. Elle demeuroit dans mon voisinage; de sorte qu'étant arrivée presque au même moment, je lui expliquai avec plus d'étendue le service qu'elle pouvoit me rendre en se liant étroitement avec Théophé. Elles prirent tout le goût que je souhaitois l'une pour l'autre, et Théophé se soumit à mes intentions sans murmure.

Une société si douce devint le charme de tous mes tourmens. Je ne prenois rien que de la main de ma chère Grecque. Je ne parlois qu'à elle. Je n'avois d'attention que pour ses réponses. Dans les atteintes les plus cruelles d'un mal auquel je suis condamné pour le reste de ma vie[128], je recevois du soulagement de ses moindres soins, et le sentiment actuel de ma douleur ne m'empêchoit point de sentir quelquefois les plus délicieuses émotions du plaisir. Elle paroissoit s'intéresser à ma situation, et je ne m'appercevois point que ses plus longues assiduités lui fussent à charge. D'ailleurs, il ne se passoit point de jour que je ne l'engageasse à prendre pendant quelques heures le plaisir de la promenade ou celui des spectacles avec sa compagne. Il falloit quelquefois l'y forcer. Ses absences étoient courtes, et je ne remarquai jamais que son retour lui parût un devoir pénible. Cependant au milieu d'une situation si charmante, sa prémière gouvernante, qui ne s'étoit pas vue congédier sans chagrin, vint troubler encore une fois mon repos par des soupçons qu'il ne m'a jamais été possible d'éclaircir. C'est ici que j'abandonne absolument le jugement de mes peines au lecteur, et que je le rends maitre de l'opinion qu'il doit prendre de tout ce qui lui a pu paroître obscur et incertain dans le caractère et la conduite de Théophé [129].

Les accusations de cette femme furent peu ménagées. Après m'avoir plaint d'une malheureuse situation, qui m'empêchoit d'avoir les yeux ouverts sur ce qui se passoit dans ma maison, elle m'apprit sans déguisement que le comte de... voyoit assidument Théophé, et que, ce qu'il n'avoit jamais obtenu tandis que la jeune Grecque étoit sous sa conduite, il avoit réussi à lui inspirer de l'amour. Et n'attendant point que je fusse revenu de ma prémière surprise, elle ajouta que les deux amans se voyoient la nuit dans l'appartement même de Théophé, qui ne me quittoit le soir que pour aller recevoir apparemment le galant dans ses bras.

Le tems qu'elle avoit pris pour me rendre un si mauvais office étoit heureusement l'absence de Théophé. Je n'aurois pu cacher la mortelle impression que je ressentis de son discours, et dans une affaire de cette nature * l'importance étoit de ne pas faire éclater un desordre qui ne pouvoit être approfondi qu'avec beaucoup de secret et de précautions. Mes prémières réfléxions ne laissérent point d'être favorables à Théophé. Je me rappellai toutes ses démarches depuis le parti qu'elle avoit pris d'être presque sans cesse avec moi dans ma solitude. Si l'on excepte le tems que je lui faisois donner à la promenade, elle n'étoit jamais un quart-d'heure hors de mon appartement. Etoient-ce donc des momens si courts qu'elle accordoit à sa passion ; et l'amour est-il capable d'une modération si constante ? La nuit étoit toujours fort avancée lorsqu'elle me quittoit. Je lui voyois le matin sa vivacité et sa fraicheur *ordinaires. En rapporte-t-on beaucoup de la compagnie d'un amant passionné ? Et puis ne lui voyois-je pas toujours le même air de sagesse et de modestie ; et ce que je lui trouvois de plus charmant n'étoit-il pas ce perpétuel accord de prudence et d'enjouement, qui sembloit marquer autant de retenue dans ses desirs que d'ordre dans ses idées ? Enfin, je connoissois la légèreté et l'imprudence de son accusatrice ; et quoique je ne la crusse point capable d'une calomnie, je n'avois point douté qu'elle n'eût été assez sensible au mécontentement que j'avois marqué de sa conduite, pour chercher à tirer quelque vengeance ou de moi, ou de Théophé, ou de la personne que j'avois substituée à ses fonctions.

Cependant, comme elle faisoit encore sa demeure chez moi, et que je n'aurois pas voulu que le secret qu'elle m'avoit confié sortît de sa bouche ni de la mienne, je lui répondis que des imputations si graves demandoient deux sortes de précautions auxquelles je ne la croyois point capable de manquer ; l'une d'être tenues secrettes, autant pour l'honneur de ma maison que pour celui de la jeune Grecque ; l'autre de *n'être pas regardées comme des vérités certaines avant qu'elles eussent été confirmées par des témoignages sensibles. La discrétion, lui dis-je, est un soin que je vous recommande si instamment que vous ne pourriez y manquer sans vous faire de moi un mortel ennemi ; et pour la certitude que je souhaiterois d'obtenir, vous devez comprendre qu'elle est si nécessaire que vous vous êtes exposée vous-même à d'étranges soupçons si vous ne trouvez pas le moyen de vérifier vos découvertes[130]. Nous nous quittames fort mal satisfaits l'un de l'autre ; car si elle ne m'avoit pas trouvé toute la confiance qu'elle auroit voulu pour son récit, j'avois apperçu dans son zèle plus d'amertume et de chaleur que je n'en devois attendre de la seule envie de m'obliger.

Deux jours se passérent, qui furent pour moi des siècles d'inquiétude et de tourmens par la contrainte où je fus obligé de vivre avec Théophé. Autant que je souhaitois de ne la pas trouver coupable, autant j'aurois été fâché, si elle l'étoit, de ne pas connoitre tout le desordre de sa conduite. Enfin, le soir du troisième jour, une demie-heure au plus après qu'elle m'eut quitté, son ennemie *entra d'un air empressé dans mon appartement, et m'avertit à l'oreille que je pouvois surprendre Théophé avec son amant. Je lui fis répéter plus d'une fois un avis si cruel et si humiliant pour moi. Elle me le confirma avec un détail de circonstances qui força tous mes doutes.

*J'étois au lit, accablé de mes douleurs ordinaires, et j'avois besoin de plus d'un effort pour me mettre en état de la suivre. Combien de précautions d'ailleurs pour donner le change à mes domestiques ? Il est vrai qu'il s'écoula bien du tems dans ces préparations. Mes répugnances et mes craintes augmentoient encore ma lenteur. Je me trouvai néanmoins disposé à gagner l'appartement de Théophé. Nous n'étions éclairés que par une bougie, et madame de... la portoit elle-même. Elle s'éteignit à deux pas de la porte. Il fallut encore quelques momens pour la rallumer. Qu'il est à craindre, me dit mon guide en me rejoignant, que le galant n'ait profité de ce moment pour s'évader ! Cependant, ajouta-t-elle, la porte ne se seroit pas ouverte et fermée sans bruit. Nous y frappames. J'étois tremblant, et ma liberté d'esprit n'alloit pas jusqu'à me faire distinguer les circonstances. Après nous avoir fait attendre quelques momens, la suivante de Théophé ouvrit, et marqua beaucoup d'étonnement de me voir si tard à la porte de sa maitresse.

Est-elle seule ? Est-elle au lit ? Je lui fis plusieurs questions de cette nature avec une vive agitation. L'accusatrice vouloit entrer brusquement. Je la retins. Il est impossible, lui dis-je, qu'on s'échappe à présent sans être apperçu. Cette porte est unique. Et je serois au desespoir de l'outrage que nous ferions à Théophé si elle n'étoit pas coupable. La suivante m'assuroit pendant ce tems-là que sa maitresse étoit au lit, et qu'elle dormoit déja tranquillement. Mais le seul bruit que nous faisions suffisoit pour la réveiller ; nous entendimes quelques mouvemens qui parurent augmenter l'impatience de son ennemie. Il fallut la suivre et traverser l'anti-chambre. Théophé, après avoir appellé inutilement sa femme de chambre, qui couchoit dans un cabinet voisin, avoit suivi apparemment le mouvement de sa crainte, au bruit qu'elle entendoit à sa porte. Elle s'étoit levée, et dans le fond je fus étrangement surpris de la trouver elle-même, qui se présenta pour nous ouvrir.

Son habillement n'avoit pas demandé un espace fort long. Elle n'étoit couverte que d'une robe fort légère ; et je n'étois pas étonné non plus de trouver sa chambre éclairée, parce que je n'ignorois point que c'étoit son usage. Mais je la voyois levée, lorsqu'on venoit de m'assurer qu'elle étoit endormie. Je lui voyois un air de crainte et d'embarras, que je ne pouvois attribuer à la seule surprise qu'elle avoit de me voir. Enfin, l'imagination remplie de toutes les imputations de son accusatrice, les moindres desordres que je crus remarquer dans sa chambre me parurent autant de traces de son amant, et de preuves du déréglement qu'on lui reprochoit. Elle me demanda en tremblant ce qui m'amenoit si tard. Rien, lui dis-je, d'un ton plus brusque que je n'étois accoutumé de le prendre avec elle ; et jettant les yeux de tous côtés, je continuois de remarquer tout ce qui pouvoit servir à l'éclaircissement de mes soupçons. La chambre étoit si dégagée que rien ne pouvoit s'y dérober à mes regards. J'ouvris un cabinet, où il n'étoit pas plus aisé de se cacher. Je me baissai pour observer le dessous du lit. Enfin, n'aiant laissé aucun endroit à visiter, je me retirai sans avoir prononcé un seul mot, et sans avoir pensé même à répondre à diverses questions que l'étonnement de cette scène faisoit faire à Théophé. Si c'étoit la honte et l'indignation qui avoient causé mon trouble en venant, je n'en ressentis pas moins en sortant, par la crainte de m'être rendu coupable d'une injustice. L'accusatrice étoit demeurée comme en garde dans l'anti-chambre. Venez, lui dis-je d'un ton altéré. J'appréhende bien que vous ne m'ayez engagé dans une démarche dont je sens déja toute l'infamie. Elle parcissoit aussi agitée que moi, et ce ne fut qu'après être sortie qu'elle me protesta que le comte devoit s'être échappé, puisqu'elle pouvoit me répondre que de ses propres yeux elle l'avoit vu monter l'escalier et s'introduire dans l'appartement [131].

J'avois si peu * d'objections à faire et au témoignage d'une femme que je n'osois soupçonner d'imposture, et à celui de mes yeux qui ne m'avoient rien fait découvrir dans la chambre de Théophé, que ne voyant que des sujets d'épouvante et de confusion dans cette avanture, je pris le parti de regagner promptement mon lit, pour me remettre de la cruelle agitation où j'étois. Cependant le souvenir présent de celle où je venois de laisser Théophé, et mille sentimens qui combattoient pour elle dans mon cœur, me portérent à lui envoyer un de mes gens pour la prier d'être sans inquiétude. Je me reprochois le silence auquel je m'étois obstiné. Elle en avoit pu tirer des conclusions effrayantes ; et quelle impression ne devoient-elles pas faire sur son esprit et sur son cœur s'il n'étoit pas vrai qu'elle fût coupable ? On me rapporta qu'on l'avoit trouvée * fondante en larmes, et qu'au compliment qu'on lui avoit fait de ma part, elle n'avoit répondu que par des soupirs et des plaintes de son sort. J'en fus si touché que si je n'eusse écouté que le mouvement de ma compassion, je serois retourné chez elle pour la consoler. Mais les doutes qui m'obscurcissoient l'esprit, ou plutôt les raisons presque invincibles qui sembloient m'ôter tout espoir de la trouver innocente, me retinrent malgré moi dans un accablement qui dura toute la nuit.

Ma résolution étoit de la prévenir le lendemain par une visite, autant pour soulager sa confusion que pour tirer d'elle l'aveu du desordre dont on l'accusoit. Une longue habitude de vivre avec elle et de démêler ses dispositions me faisoit espérer que la vérité ne m'échapperoit pas longtems ; et si j'étois forcé de lui ôter mon estime, je pensois du moins à la sauver des railleries de son ennemie, en cachant à celle-ci ce que mes soins particuliers m'auroient fait découvrir. Il étoit entré la veille quelque chose de ce dessein dans le silence que j'avois gardé pendant mes recherches. Je ne voulois pas qu'on pût me reprocher de m'être aveuglé volontairement, et je n'aurois pas ménagé Théophé si j'avois eu le malheur de la surprendre avec le comte ; mais un reste d'espérance aiant toujours balancé mes craintes, j'étois résolu de saisir les moindres prétextes pour faire revenir la gouvernante de ses imaginations ; et rien ne m'avoit tant confondu que de l'entendre insister sur le témoignage de ses propres yeux au moment que j'allois l'accuser de s'être prévenue trop légèrement.

Je me disposois donc à monter chez Théophé, lorsqu'on m'avertit qu'elle entroit dans mon appartement. Je lui sus bon gré de faire les prémières démarches. Le soin qu'elle avoit eu de se composer son visage ne m'empêcha point d'y remarquer les traces de ses larmes. Elle avoit les yeux abbattus, et pendant quelques momens elle n'osa les lever sur moi. Eh ! Quoi, Théophé, lui dis-je en la prévenant, vous avez donc été capable d'oublier tous vos principes ? Vous n'êtes plus cette fille sage et modeste dont la vertu m'a toujours été bien plus chère que la beauté ? O Dieu ! Des amans pendant la nuit ! Je n'ai pas eu le mortel chagrin de vous surprendre avec le comte de... ; mais on l'a vu entrer dans votre chambre, et cette horrible avanture n'est pas la prémière. Je la regardois avec une vive attention, pour démêler jusqu'au moindre de ses mouvemens. Elle pleura longtems, elle poussa des sanglots, sa voix en étoit comme étouffée ; et n'appercevant rien encore qui pût aider mes jugemens, j'étois aussi ému de mon impatience qu'elle paroissoit l'être du sentiment qui l'agitoit. Enfin retrouvant la parole : On l'a vu entrer dans ma chambre ! s'écria-t-elle. Qui l'a vu ? Qui ose me charger d'une accusation si cruelle ? C'est madame de… sans doute, ajouta-t-elle en nommant son ancienne gouvernante ; mais si vous en croyez sa haine, il est inutile que je pense à ma justification.

Ce langage me causa quelque surprise. J'y fixai toute mon attention. Il me faisoit juger non-seulement que Théophé étoit prévenue sur le sujet de mes plaintes, mais qu'elle connoissoit à cette femme une résolution formée de lui nuire. Ecoutez, répondis-je en l'interrompant, je ne vous cacherai point que c'est madame de… qui a vu le comte. Ai-je pu me défier de son témoignage ? Mais si vous connoissez quelque chose qui puisse l'affoiblir, je ne refuse pas de vous entendre. Cet encouragement parut lui donner plus de hardiesse. Elle me raconta que depuis le jour que cette dame avoit cessé de l'accompagner, Mr. de R…, qui ne s'étoit plus embarrassé de la voir, avoit répondu assez durement à quelque billet par lequel elle lui avoit marqué qu'il pouvoit continuer de venir chez elle malgré quelques changemens qui ne la regardoient point. Il lui avoit déclaré que la comédie étoit au dénouement, et que les raisons qu'il avoit eues de la jouer finissoient par le changement dont elle lui donnoit avis. Cette déclaration lui aiant ouvert les yeux sur le rôle humiliant qu'elle avoit soutenu, elle s'étoit persuadée que Théophé devoit être encore mieux avec son amant qu'elle ne croyoit être elle-même avec le sien, et le desir de se venger lui avoit fait prendre toutes sortes de voies pour en découvrir des preuves. Je n'ai point ignoré ses artifices, me dit Théophé. Elle m'a fait suivre chaque fois que je suis sortie, et s'imaginant à la fin que je recevois le comte pendant la nuit, elle a poussé la malignité jusqu'à faire examiner soigneusement mon lit. Quelles offres n'a-t-elle pas faites à ma femme de chambre ? Il n'y a pas deux jours qu'elle saisit à la porte une lettre que le comte m'écrivoit. Elle me l'apporta sur le champ toute ouverte ; et piquée de n'y trouver que des expressions respectueuses, elle y donna tout le sens que la malignité peut inventer, en me menaçant de vous en avertir[132].

Je n'ai pas douté, ajouta Théophé, en vous voyant hier dans ma chambre avec elle, que ce ne fussent ses accusations qui vous y amenoient. Mais votre présence, ou plutôt le desespoir que je ressentis de vous voir prêter l'oreille à mon ennemie, me jetta dans la consternation que vous avez pu remarquer. Aujourd'hui je viens vous conjurer de me délivrer d'une persécution si cruelle. Là, redoublant tout d'un coup ses pleurs, et se réduisant à des humiliations grecques dont elle devoit avoir perdu l'habitude en France, elle se jetta à genoux contre mon lit, pour me supplier de lui accorder ce que je lui avois refusé dans d'autres tems. Un couvent, me dit-elle d'une voix étouffée par ses larmes, un couvent est le seul partage qui me reste et le seul aussi que je desire[133].

J'ignore quelle auroit été ma réponse ; car autant que j'étois attendri par ses larmes, et persuadé même par sa justification, autant sentois-je de répugnance à regarder son accusatrice comme la plus méchante et la plus noire de toutes les femmes. Je demeurai quelques momens comme incertain, et toutes mes réfléxions ne m'apportoient pas plus de lumières. Ma porte s'ouvre. Je vois paroître madame de..., c'est-à-dire l'ennemie de Théophé, la mienne peut-être, et la source de toutes nos douleurs. Etoit-ce de l'éclaircissement ou de nouvelles ténèbres que je devois attendre de sa visite ? Je n'eus pas le tems de former ce doute. Elle n'avoit pu ignorer que Théophé étoit dans mon appartement, et c'étoit apparemment la crainte de lui voir prendre quelque ascendant sur ma confiance qui l'amenoit pour l'attaquer ou pour se défendre. Aussi commença-t-elle par la traiter sans ménagement. Elle lui fit des reproches si durs, qu'innocente ou coupable, la triste Théophé ne put résister à ce torrent d'outrages. Elle tomba dans un profond évanouïssement, dont le secours de mes gens fut longtems à la rappeller. Les accusations de la gouvernante aiant recommencé avec une nouvelle chaleur, je ne vis rien de plus clair dans cet affreux démêlé que l'obstination de l'une à prétendre qu'elle avoit vu le comte de... s'introduire dans le lieu où nous l'avions cherché, et la constance de Théophé à soutenir que c'étoit une horrible calomnie.

Je souffrois plus qu'elle d'un spectacle si violent. Enfin, partagé entre mille sentimens qu'il m'auroit trop coûté d'éclaircir, ne pouvant perdre l'opinion que j'avois de l'honneur de madame de..., ni me résoudre à la haine et au mépris pour Théophé, je pris, avec plus d'un soupir, le parti de leur imposer silence et de leur recommander également d'effacer jusqu'au souvenir d'une avanture dont la seule idée devoit leur causer autant d'horreur qu'à moi. Vous ne me quitterez point, dis-je à Théophé, et vous tiendrez une conduite qui puisse braver tous les soupçons. Vous, dis-je à madame de..., vous continuerez de vivre chez moi, et s'il vous arrive de renouveller des accusations qui ne soient pas mieux prouvées, vous irez sur le champ chercher un autre asyle. J'étois en droit de lui faire cette menace, parce que c'étoit ma seule générosité qui la faisoit subsister.

J'ai continué depuis cette étrange avanture de jouïr de la vue et du commerce de Théophé, sans en prétendre d'autre satisfaction que celle de la voir et de l'entendre. La force de mon mal, et peut-être l'impression qui m'étoit restée d'une si malheureuse scène, m'ont guéri insensiblement de toutes les atteintes de l'amour. Si elle s'est livrée à d'autres foiblesses, c'est de ses amans que le public en doit attendre l'histoire[134]. Elles n'ont pas pénétré jusqu'au séjour de mes infirmités. Je n'ai même appris sa mort que plusieurs mois après ce funeste accident, par le soin que ma famille et tous les amis qui me voyent dans ma solitude ont eu de me la déguiser. C'est immédiatement après la prémière nouvelle qu'on m'en a donnée que j'ai formé le dessein de recueillir par écrit tout ce que j'ai eu de commun avec cette aimable étrangère, et de mettre le public en état de juger si j'avois mal placé mon estime et ma tendresse.

Fin de la seconde et dernière partie

VARIANTES

Toutes les variantes renvoient à l'édition française originale (François Desbordes, 1740); les quelques fautes ou particularités linguistiques reproduites dans la seconde édition (Jean Catuffe, 1741) sont indiquées par la mention « *idem* 1741 ».

Livre Prémier

p. 51 Ce deuxième paragraphe ne fait pas partie de l'« Avertissement » de l'édition originale de 1740.

p. 56 m'*avoit* déja fait (*idem* 1741)

p. 61 *évidemment*

p. 62 Dès la première édition posthume (Hôtel Serpente, 1784) on remplacera cette tournure par « où j'avois *plus de peine à craindre, que de plaisir à espérer* », ce qui semble plus cohérent. Mais on perd l'effet stylistique du chiasme, auquel Prévost semblait tenir.

en peu de *maux*

p. 65 me *parut* un reproche (*idem* 1741)

p. 66 que *tout* ce qui

p. 68 tous mes *désirs*

p. 71 tout*e* entière (*sic* 1740, 1741)

p. 76 qu'*une* autre (*sic* 1740, 1741)

sans maître*s*

p. 88 ce qui me *semble conforme* à

p. 90 échelle de corde*s* (cf. plus loin, « échelle de corde », 1740)

p. 91 L'édition originale ne fait pas l'alinéa.

p. 96 maitre *des* langues

p. 99 dans *cet* avanture

p. 100 *cet* enfant (*sic* 1740, 1741)
p. 104 On trouve également l'orthographe *cady* dans les deux éditions.
p. 105 L'édition originale ne fait pas l'alinéa.
p. 112 chez *le* Condoidi
p. 113 sans autre motif *de* compassion
repris-je *impétueusement*
p. 120 faire punir *son* ravisseur (*idem* 1741)
p. 122 porter *ses* galanteries
p. 131 pour *le* déterminer
p. 141 en me voyant *sitôt* arriver
p. 147 la *mettoient* en état (*idem* 1741)
p. 149 que *des* sujets d'admiration
p. 159 *pour* l'usage
p. 160 le bostangi *bassi*
de les *revoir*
p. 163 Démétrius Cantemir (*idem* dans *Le Pour et Contre*, mais la traduction de Joncquières donne Cant*i*mir)
p. 165 de retour *sitôt*
p. 168 qui m'avoient ramené *à* Constantinople (*idem* 1741)

Livre Second

p. 173 *tout* les momens
p. 175 quelques heures *plutôt*
p. 176 Quatre heures *plutôt*
p. 177 un *ordre* si imprévu
p. 181 si *elle* n'avoit pas
p. 193 le délivrer *aussi-tôt* de ses chaînes
p. 195 qui paroissoit *marquer* de respect
p. 199 les Rezatis (*sic* 1740, 1741)
p. 200 d'une mortelle *langueur*
p. 208 *plutôt* dissipée
p. 227 dont *je suis* flattée
p. 229 à *les* pardonner une si belle cause (1740); à *les* pardonner à une si belle cause (1741). Nous adoptons la leçon de l'édition établie par Holland (Grenoble, 1982).
p. 234 la force de sa douleur *avoient* pu
p. 239 sa *fierté* y passa
p. 241 n'*avoient* servi
p. 242 du *fervan* de (*idem* 1741)
au *galike* divan (*idem* 1741)
p. 247 *marchands esclaves*
p. 250 *sitôt* démenties

p. 251 qui ne *marquoit* peut-être d'empressement
p. 265 nous *rassembler*
p. 266 pendant *ma* maladie
p. 269 interpréter *mes* sentimens
p. 271 comte de *R*...
p. 274 s'étoient laissé*es* engager (*sic* 1740, 1741)
M... et le jeune comte (1740); *Mr*... et le jeune comte (1741). Nous suivons ici l'édition de Holland, où « M... » et « Mr... » sont remplacés, comme le veut le sens du texte, par « M. de R... »; nous ferons cette même modification plusieurs fois par la suite, sans donner chaque fois la variante.
le soin *du chevalier* (*idem* 1741)
p. 276 je *leur* vis (*sic* 1740, 1741)
p. 278 cet oubli *de* bienséances
p. 283 *l'importance* (*sic* 1740, 1741)
p. 284 sa vivacité et sa fraîcheur ordinair*e* (*idem* 1741)
de n'être pas *même* regardées
p. 285 son ennemie *entre* (*idem* 1741)
L'édition originale fait l'alinéa à la phrase suivante (« Combien de précautions... »).
p. 287 si peu d'*objection*
fondant*e* (*sic* 1740, 1741)

NOTES

1. Les termes « exorde », « aveu » et « jugement » trahissent d'emblée le caractère du projet du narrateur, qui fait de Théophé l' « accusée » dans un procès où le lecteur est appelé à jouer le rôle de « juge ». Mais en traitant l'héroïne d' « ingrate », le narrateur ne semble-t-il pas faire de sa « culpabilité » un a priori... ?

2. A noter que dans ce portrait du diplomate Prévost se plaît, comme toujours dans ses romans, à mêler vérité historique et fiction romanesque. Si le comte de Ferriol connaissait sans doute la langue turque à l'époque où il assumait ses fonctions d'ambassadeur à la Sublime Porte, ayant déjà passé six ans (1692-1698) à Constantinople comme envoyé extraordinaire du roi, et s'il avait la réputation de s'être « turquisé » pendant son long séjour en Orient, il était loin de jouir des rapports harmonieux avec ses hôtes que décrit le narrateur. Doué d'un caractère emporté et orgueilleux, obnubilé par le point d'honneur, Ferriol ne cessera, du début à la fin de son ambassade, de provoquer des querelles de préséance et de s'attirer des chicanes de tous genres, à commencer par la célèbre « affaire de l'épée » dont nous donnons le compte rendu de Cantemir (traduit par Prévost) dans l'Appendice 1. Si Prévost ne s'est pas inspiré ici du personnage de Ferriol, il se peut bien qu'il pense au comte de Bonneval (voir l'*Introduction*, pp. 19-20) et/ou même au prédécesseur de Ferriol, le marquis de Châteauneuf, qui sut, lui aussi, entretenir des rapports exemplaires avec ses hôtes. Habillé souvent « à la longue », Châteauneuf fut « fort lié avec les hauts fonctionnaires musulmans qui, chose inouïe, l'admettaient à leur table... » (*Dictionnaire de biographie française*, art. « Châteauneuf »), ce qui ne fut pas, évidemment, le cas de Ferriol. On constate, au demeurant, que le rappel de Châteauneuf a été provoqué, d'après une relation du marquis de Bonnac écrite en 1724, par le parti de Ferriol, qui « avoit insinué au roy que l'inclination de M. de Châteauneuf pour les manières turques alloit jusques leur religion », *Mémoires et documents de Turquie*, t. 1, fol. 397 (aux archives du Ministère des Affaires étrangères).

3. Il s'agit, évidemment, d'un *pacha,* mais Prévost, suivant l'usage au XVIIIe siècle, ne distingue pas entre les titres *pacha* et *bacha* — quoique La Montraye explique clairement la différence : « Le premier de ces noms ne se donne qu'à ceux qui ont été gouverneurs de provinces, ministres d'Etat, ou élevés aux plus hautes dignités de l'Empire ; au lieu que le second se donne indistinctement à tout le monde, comme en Espagne le *senor cavalliere* », *Voyages...,* t. 1, p. 180. Le « bacha » Chériber, apprendrons-nous par la suite (p. 84), avait été pacha d'Egypte.

4. On soupçonne ici une évocation ironique des illusions d'Usbek sur le « bonheur » de Roxane (comme de ses compagnes) : « Que vous êtes heureuse ! Vous vivez dans mon sérail comme dans le séjour de l'innocence, inaccessible aux attentats de tous les humains... », *Lettres persanes,* XXVI.

5. Ces propos plutôt équivoques du diplomate — qu'est-ce que c'est que « le bonheur des femmes » ? qu'entend-il par « douceur », « tendresse » et « vertu » ? — sont à l'origine du malentendu qui va empoisonner ses rapports avec la jeune Grecque. On se demande s'il comprend bien le sens de ses propres paroles, ou si ce n'est, comme le suggère J.-P. Sermain, « un personnage qui ne parvient pas à saisir les motivations profondes de ses discours, et ignore à quel désir répond son éloquence », *Rhétorique et roman au dix-huitième siècle : L'exemple de Prévost et de Marivaux (1728-1742). Studies on Voltaire and the Eighteenth Century,* CCXXXIII (1985), p. 121. Théophé, incapable de comprendre le sens « occidental » de son discours, n'en retiendra qu'une idée : la femme peut faire valoir, auprès des hommes, autre chose que ses charmes physiques.

6. Il s'agit de son « maître de langues », sans doute un orthodoxe grec.

7. Le *sélictar* est le « porte-épée » du sultan, son « capitaine des gardes », Cantemir, *Histoire de l'empire ottoman,* t. 1, p. xiv. A. Holland signale que Ferriol parle dans sa correspondance de ses rapports amicaux avec un sélictar (*Correspondance de Turquie,* vol. 27, fol. 104) ; voir *Œuvres de Prévost,* éd. J. Sgard, VIII (*Commentaires et Notes),* p. 280. Toute référence ultérieure aux notes de Holland renvoie à ce volume.

8. Dans cette substitution du sélictar au diplomate, il s'établit tout de suite entre les deux hommes une sorte d'identité — qui sera développée par la suite, et qui en dira long sur la motivation (inconsciente ?) du héros depuis le début de ses rapports avec Théophé.

9. Le diplomate insiste, peut-être un peu trop, sur la nature désintéressée de ses mobiles — « l'honneur et la générosité » — en venant en aide à la jeune et belle esclave ; l'espérance, comme il le reconnaît, qu'elle lui fera « une composition aisée de ses charmes » jette un doute sur la noblesse de son procédé, comme sa « joie » laisse rêveur quant à l'état de ses sentiments.

10. Ce nouveau nom, par le sens du substantif grec dont il semble dérivé — « celle qui annonce la volonté de Dieu » — n'est sûrement pas sans signification (voir l'*Introduction,* p. 29).

11. C'est là une source principale de malentendu entre Théophé et le diplomate, celui-ci confondant volontiers les sentiments de gratitude et d'amour. Théophé exprime sa reconnaissance en prodiguant à son sauveur des caresses tant verbales que physiques, selon l'éducation d'odalisque qu'elle a reçue. Comme nous le raconte La Motraye, lorsqu'un pacha fait venir une de ses concubines, « elle [...] le caresse selon son devoir, l'appelle son empereur, et lui dit toutes les douceurs ordinaires et extraordinaires dont elle s'avise. L'éducation [...] enseigne au sexe en Turquie à caresser les hommes, et c'est la mode là, comme le contraire chez nous, au moins entre les honnêtes femmes » (t. 1, p. 337).

12. Ancien nom du Péloponnèse, dont la ville la plus importante est Patras.

13. Il était apparemment courant, s'il faut en croire La Motraye, qu'un enfant soit vendu par ses parents aux Turcs. Comme il est interdit à ceux-ci de prendre leurs servantes et concubines parmi les sujets du Grand Seigneur, « il faut qu'ils les achètent parmi celles qui ont été prises à la guerre, ou vendues par leurs propres parents, ou par leurs princes ; comme cela se pratique en Mingrélie, en Géorgie, et en Circassie, et chez d'autres nations dont les princes vendent leurs sujets, et les pères et mères leurs enfants, de la même manière que l'on vend chez nous les chevaux » (t. 1, p. 186).

14. Sachant à quoi son « père » destinait la jeune fille, on devine sans peine la nature de l'éducation qu'il lui fait donner, et qui devait ressembler à celle que les marchands d'esclaves réservaient aux futures concubines : « ... les marchands les tiennent ordinairement dans des maisons particulières, où ils leur font apprendre à plaire aux hommes et à exciter leurs désirs amoureux, comme à danser d'une manière lubrique, à chanter des chansons amoureuses et à jouer de divers instruments... » (*ibid.*, t. 1, p. 260).

15. Les *cadis* sont, selon Tournefort, des « juges ordinaires » : « Les juges des grandes villes s'appellent *moula-cadis* [" grands cadis "] ; ceux des petites villes, des bourgs et des villages se nomment *cadis*. Toute la justice est entre les mains de ces sortes de gens en Turquie... » (t. 2, pp. 385, 386).

16. Thévenot raconte, en effet, que le Grand Seigneur s'appropriait « tout le bien des criminels », *Voyages de Mr. de Thévenot...*, t. 1, (Amsterdam, Michel Charles Le Cène, 1727), p. 204 ; édition originale de 1664.

17. C'est à cette première éducation, à son image particulière du bonheur féminin, que viendra s'opposer l'éducation morale de Théophé — et une toute autre conception tant du bonheur que des rapports entre les sexes.

18. Prévost amène, discrètement, l'opposition fondamentale de la morale chrétienne entre le « bonheur durable » de la vie spirituelle et le « bonheur éphémère » que donnent les plaisirs de ce monde. On comprend, dans cette optique, l'allusion faite plus haut à « un bonheur d'imagination ».

19. Nouvelle source d'équivoque et de malentendu : le « désir d'un bien » dont on n'a pas idée pourrait évoquer, d'une part, le

thème pascalien du « bien inconnu » dont le souvenir confus renvoie à une nature première, innocente, d'avant la chute, et qui se rattache donc à la notion de grâce, à l'attirance de la vie spirituelle. D'autre part, ce désir d'un bien peut aussi être interprété, c'est ce que fera le diplomate, comme le désir de connaître l'amour, le bonheur sentimental. On n'oublie pas la méprise (inverse) du doyen de Killerine, qui prend pour « le goût de [la] vertu », c'est-à-dire une vocation religieuse latente, ce « besoin dévorant, cette absence d'un bien inconnu » qui empêche son demi-frère, Patrice, d'être heureux, et qui s'avère être, au contraire, le besoin de s'épanouir sentimentalement, *Œuvres de Prévost* (Grenoble, 1978), III, 19, 20.

20. Le thème de l'inquiétude, comme J. Deprun l'a démontré de manière convaincante, relève du répertoire malebranchiste où Prévost a souvent puisé. L'« inquiétude continuelle » de Théophé, reliée à l'idée du désir d'un « bien inconnu » (comme dans la longue réflexion philosophique de Cleveland à Saumur) évoquerait la psychologie dynamique de l'oratorien selon laquelle l'homme vit habituellement dans un état d'agitation qui n'est autre chose que le désir méconnu de trouver Dieu, « Thèmes malebranchistes dans l'œuvre de Prévost », L'Abbé Prévost. *Actes du colloque d'Aix-en-Provence*, Aix-en-Provence, Ophrys, 1965, pp. 158-159. Cette optique théologico-morale conforte, évidemment, la thèse d'une conversion véritable chez Théophé.

21. Théophé subit une sorte de « coup de foudre moral » qui semble répondre au coup de foudre sentimental qui frappe tant de héros prévostiens (voir l'*Introduction*, pp. 28-29).

22. Voilà le diplomate pris au piège de l'équivoque du langage; ses propos, dont il voudra par la suite diminuer l'importance en les traitant de « quelques réfléxions hazardées sur nos usages (p. 144), ont provoqué chez la jeune esclave cette conversion dont elle le tiendra rigoureusement responsable. Qu'il le veuille ou non, il est devenu, comme elle le dira plus loin, son « maitre dans la vertu » (p. 204); c'est là un rôle bien embarrassant pour un libertin, même éclairé...

23. Ce long récit autobiographique de Théophé ressemble fort, comme le remarque F. Pruner, à une « confession » et le diplomate devient, par là même, un « confesseur » pour Théophé, le dépositaire de ses « péchés » et le garant de sa réhabilitation morale; cela explique bien des choses dans le comportement subséquent de la jeune femme, « La Psychologie de la Grecque moderne », pp. 141, 145.

24. En évoquant le « tems des anciens », le narrateur fait allusion sans doute au mot célèbre de l'*Enéide : Quidquid id est, timeo Danaos et dona ferentis* (« Quoi qu'il en soit, je crains les Grecs, même dans leurs offrandes aux dieux » [Livre II, l. 49]). La réputation contemporaine des Grecs n'est, en effet, guère plus brillante, à en juger par les récits de voyage de l'époque. Thévenot soutient, par exemple, que « les Grecs sont avaricieux, perfides et traîtres, grands pédérastes, vindicatifs jusqu'au dernier point, au reste fort superstitieux et grands hypocrites » (t. 1, p. 262); La Motraye n'est pas

plus tendre à leur égard, rapportant le mot suivant du Grand Maître de l'Ordre de Malte : « Vous avez une juste idée de la foi grecque. C'est de la canaille... » (t. 1, p. 405). On constate ici une tentative de la part du narrateur — et ce ne sera pas la dernière — de jeter un doute sur la sincérité de sa protégée. Ce doute est-il justifié ?

25. Les réflexions du diplomate font ressortir clairement le statut d'objet purement physique qu'il accorde à Théophé à ce stade de leurs rapports. Il ne peut concevoir l'importance que prendra la « flétrissure » morale dans l'esprit de celle-ci.

26. La dernière proposition de cette phrase, Holland a raison de le signaler (*Œuvres*, VIII, 290), laisse un peu perplexe, et on pourrait, en effet, soupçonner une ellipse où la proposition originale aurait été : « autant que *je pouvais en juger d'après* le récit qu'elle m'en avait fait ». Mais cette solution fait abstraction des derniers mots de la phrase, « de ses dégoûts », qui n'y trouvent plus leur place. Il nous semble plus vraisemblable qu'il s'agit tout simplement d'un autre cas de syntaxe un peu torturée, tel celui de la page 62 (voir les variantes) ; le sens de la proposition aurait été plus clair si Prévost avait écrit : « autant que *ses dégoûts dont elle m'avoit fait le récit* », ce qui aurait mis en parallèle « l'enfance où elle était à Patras » et « ses dégoûts », les deux obstacles au sentiment amoureux.

27. Le *sequin,* nous dit le *Petit Robert,* était une ancienne monnaie d'or de Venise, qui avait cours en Italie et dans le Levant. Le sequin turc, au moment du voyage de Tournefort (1700-1702), donc à l'époque où se déroulent les événements du roman, vaut sept livres dix sols.

28. La colère de Chériber n'est guère exagérée, compte tenu de l'interdiction formelle sous l'empire ottoman de faire d'une fille libre une concubine : « Il ne seroit pas permis au Grand Seigneur de tenir dans son sérail une fille libre à moins de l'épouser ; ce commerce serait traité d'incestueux : la loy est égale pour tous ; d'une personne libre il en faut faire sa femme... », Ferriol, *Explication des cent estampes*, p. 4.

29. On se demande si Prévost, dans ce portrait de la jeune Grecque, ne voulait pas mettre en valeur ce « goût de l'intellectualité, propre à l'hellénisme » que mentionne A. Mirambel, « *L'Histoire d'une Grecque moderne* de l'Abbé Prévost », *Bulletin de l'Association Guillaume Budé,* 3e série, 3 (octobre 1951), 42 ; ce serait un atavisme tout autre que la « mauvaise foi » grecque évoquée, un peu perfidement, par le narrateur.

30. Les observations du diplomate sur les carences de la justice turque s'accordent avec l'image véhiculée par les récits de voyage. Tournefort raconte, par exemple : « ... combien ne commet-on pas d'injustices criantes [...] les cadis se laissent le plus souvent corrompre par argent, et emporter par leurs passions » (t. 2, p. 300), en ajoutant, plus loin, qu' « il est souvent inutile d'appeller des sentences des cadis, car on n'instruit jamais de nouveau les procès ; ainsi la sentence serait toujours confirmée, parce que le cadi

a instruit le procès comme il l'a entendu, c'est en quoi il se commet d'horribles abus... » (p. 386). D'un autre côté, il y a une étrange ironie dans cette déclaration du diplomate selon laquelle « nous nous entendons mieux à la recherche du crime » ; toutes ses « recherches » au sujet des « crimes » de Théophé se révéleront singulièrement infructueuses, malgré son attention aux « moindres circonstances »...

31. Prévost fausse compagnie ici à la réalité historique ; les Vénitiens ayant réoccupé la majeure partie du Péloponnèse entre 1687 et 1714, il est peu probable qu'il reste des provinces moréennes sous administration turque dans les premières années du XVIIIe siècle, l'époque où se situent les événements du roman. Du reste, Prévost ne s'est jamais soucié outre mesure de l'exactitude de la chronologie historique dans ses romans ; on se rappelle la correspondance entre Cleveland et Descartes... vingt ans après la mort de celui-ci ! Comme le dit si bien Sgard, Prévost « connaît l'histoire, mais dans le roman il la réinvente », *Prévost romancier*, p. 463.

32. Voilà le diplomate de plus en plus confirmé dans son rôle de « père » de Théophé, sans bien se rendre compte encore des frustrations que lui vaudra ce titre.

33. On retrouve ici le thème de la « voix du sang » que Prévost développe dans son *Cleveland*, au moment des retrouvailles de Fanny et de sa fille, Cécile : « Ce penchant extraordinaire que j'avais pour elle n'était-il pas la voix de la nature ? Cent fois, ma chère Cécile, j'ai senti tout mon sang s'émouvoir en te tenant dans mes bras », *Œuvres de Prévost* (Grenoble, 1977), II, 451.

34. Ce qui donne un éclairage tout particulier à la « liberté » que le diplomate prétend avoir accordée à sa protégée.

35. Pour certains lecteurs, la passion amoureuse du héros naît à cet instant précis où Théophé tente de lui échapper (voir, par exemple, Mauzi, p. xv). D'un autre point de vue, on peut considérer que l'amour du diplomate est né, comme celui de son double, le sélictar, dès sa première rencontre avec l'esclave ; son comportement relèverait, à ce moment-là, de la *prise de conscience* subite d'une passion jusqu'alors refoulée par amour-propre, ce qui tient mieux compte d'un canon de la psychologie classique des passions que Prévost a toujours respecté : « L'amour naît brusquement, sans autre réflexion, par tempérament ou par faiblesse : un trait de beauté nous fixe, nous détermine... », La Bruyère, *Les Caractères*, « Du Cœur », n° 3.

36. Le nom « Condoidi » semble provenir d'une note de Cantemir où il évoque les savants grecs de son époque, dont un nommé Anastase Condoidi qui avait été précepteur de ses propres enfants. Cette note intervient précisément au moment où Cantemir raconte le siège de Constantinople par Mahomet II (1453) et les efforts de l'empereur grec, « faisant l'office [...] de général », pour repousser les attaques des Turcs (t. 1, pp. 104-106). Ces associations d'idées relatives au siège de Constantinople, conjuguées au souvenir du rôle important joué par un interprète grec nommé Panaiot Terjiman lors du siège de Candie deux siècles plus tard sous le règne de

Mahomet IV (t. 2, pp. 56-62), ont pu contribuer à la genèse de l'épisode, apparemment fictif, de l'aïeul illustre de Paniota Condoidi.

37. Prélats dépendant du patriarche (chef de l'Eglise orthodoxe grecque).

38. Le combat linguistique qui va dominer les rapports entre la jeune Grecque et le diplomate s'engage dès l'ouverture du « projet » de celui-ci. Aux « caresses », « soins », « complaisances » et « bonheur » que propose le héros répondent la « reconnaissance », les « bienfaits » et la « générosité » évoqués par Théophé. Si celle-ci semble, effectivement, soupçonner les intentions de son libérateur (pourquoi, autrement, paraîtrait-elle « sortir d'un doute qu'elle avoit eu peine à vaincre » ?), et si sa réponse est sans équivoque, ce dernier n'écoute, visiblement, que son désir. Sermain souligne, très justement, la « duplicité » du discours européen, en précisant que « la perversité du discours masculin en Europe vient de ce qu'il perpétue sa domination sous couvert de libéralisme, en affichant son respect du droit et de la dignité des femmes », *Rhétorique et roman au dix-huitième siècle*, pp. 87-88.

39. A remarquer ici le fonctionnement parfait du « double registre » narratif : l'écart entre le narrateur et le héros, ainsi qu'une certaine lucidité rétrospective, coïncident avec la distance temporelle ; au fur et à mesure que nous nous approcherons du dénouement, c'est-à-dire du présent, cet écart s'estompera, en même temps que la perspicacité analytique du narrateur.

40. Rien de plus difficile à déchiffrer que le langage du « cœur », et un « soupir » en est sûrement la quintessence ; soupir de tendresse ou soupir de tristesse ? Le diplomate n'entend que ce qu'il veut entendre.

41. On se rappelle, pourtant, que le diplomate, devant la difficulté qu'on trouvait à rencontrer les femmes en Turquie, s'était résolu à réprimer « le penchant [qu'il avait] pour les femmes ». Petite inconséquence relevée par Holland (p. 295), et qui témoigne surtout d'une certaine distraction du romancier, qu'on peut attribuer aux extrêmes difficultés personnelles qu'il connaît à cette époque.

42. Le diplomate confirme ainsi toutes les craintes qui avaient fait fuir Théophé : comment pourrait-elle être autre chose qu'un objet sexuel pour cet homme qui connaît tout son passé, son éducation, son expérience du sérail ? Quant à l'allusion aux « mouvemens du cœur » qui ne sont pas « libres », on comprend que Théophé en soit profondément blessée ; son libérateur l'accuse, en somme, d'avoir fait par goût ce qu'elle n'avait fait que par soumission à son destin — on n'avait jamais rien demandé au « cœur » de l'ancienne concubine, et le choix de ses « amants » n'a jamais été « libre ». Le langage du héros rappelle étrangement, et ce n'est peut-être pas un hasard, celui de Chériber, qui avait évoqué devant son esclave « les droits qu'il avoit sur son cœur » (p. 65).

43. Le héros se livre ici à la dialectique qui va désormais dominer sa perception de la jeune Grecque, et qui se réduit à une version

toute particulière du conflit classique entre la passion et la raison. On suivra, chez le diplomate, un va-et-vient entre le désir de possession de la femme-objet et le respect de la femme vertueuse, où le désir de possession est étroitement lié au mépris et au soupçon, comme le respect de la femme vertueuse est associé à la confiance et à l'estime. La dialectique intérieure du diplomate se résumera, comme nous le verrons, en une synthèse des deux images de la femme où la perfection morale servira, elle-même, d'aiguillon au désir de possession.

44. L'évocation de la légende de Pygmalion semble évidente. Comme le sculpteur chypriote, qui épouse sa création après l'avoir fait transformer en femme vivante, le narrateur rêve au bonheur « d'être attaché pour toute sa vie » à cet être de chair qu'il pourrait transformer en « la première femme du monde ». On peut lire, à ce propos, le commentaire intéressant de J. F. Jones, Jr. dans « Textual ambiguity in Prévost's " Histoire d'une Grecque moderne " », où l'auteur relève l'influence de deux mythes, Pygmalion et Don Juan, dans le roman de Prévost, *Studi Francesi*, XXVII, nº 2 (mai-août 1983), 247-251.

45. On croit entendre déjà la voix de Valmont : « Ce n'est pas assez pour moi de la posséder, je veux qu'elle se livre » (*Les Liaisons dangereuses*, Lettre 110). C'est l'amour-propre du libertin qui exige la soumission tant morale que physique de sa « proie », qui se donne donc pour but de s'approprier le libre arbitre même de l'adversaire féminine. Là, Prévost n'est pas loin d'une certaine psychologie « existentielle » ; l'amant ne veut à aucun prix que sa maîtresse se donne à lui en tant qu'esclave : « Au contraire, celui qui veut être aimé ne désire pas l'asservissement de l'être aimé. Il ne tient pas à devenir l'objet d'une passion débordante et mécanique. Il ne veut pas posséder un automatisme [...]. Ainsi l'amant ne désire-t-il pas posséder l'aimé comme on possède une chose ; il réclame un type spécial d'appropriation. Il veut posséder une liberté comme liberté », J.-P. Sartre, *L'Etre et le néant*, Paris, Gallimard 1957, p. 434.

46. Voici qu'on découvre déjà, chez Prévost, le thème du « regard d'autrui » qui fera fortune dans la pensée contemporaine d'après guerre ; et quel meilleur exemple, dans cette constatation angoissée de Théophé, de l'idée que « l'enfer, c'est les autres » ? On pourrait en dire autant, d'ailleurs, de la situation insoutenable du diplomate libertin, prisonnier du « regard » réducteur de sa protégée, qui ne voit en lui que son « maître dans la vertu ». Dans l'incompréhension réciproque des deux personnages, on constate surtout un conflit insoluble de « regards » égocentriques.

47. On remarque ici l'importance de l'opposition entre nature (« penchant ») et éducation qui prendra toute son importance dans l'épisode de Maria Rezati (voir plus loin, pp. 188-192).

48. Et cependant, que lui demandait-il la veille, sinon une « faute volontaire » ? Sans s'en rendre compte, le diplomate ne fait qu'affermir sa protégée dans sa volonté de résister à ses séductions.

49. De même que le sélictar, la vieille esclave fait ressortir, par

ses propos, la véritable attitude du Français envers sa protégée, attitude que celui-ci tâchera, comme toujours, de (se) dissimuler.

50. La lucidité rétrospective du narrateur (« je-narrant »), qu'on ne peut nier ici, alterne pourtant avec des moments d'aveuglement qu'il partage avec le héros (« je-narré »), ce qui rend le personnage complexe et difficile à déchiffrer. Le narrateur prévostien, comme le souligne Rousset, n'a pas le même sang-froid analytique que celui de Marivaux, *Narcisse romancier*, pp. 136-137.

51. Description des plus curieuses (relevant de la psycho-physiologie cartésienne) du phénomène qui sera mieux connu, de nos jours, sous le nom de « sublimation » sexuelle. On note, toutefois, la distinction que Prévost établit ici entre l'amour et le désir, distinction qui sera reprise, « allégoriquement », dans l'opposition entre le sélictar et Synèse (voir plus loin, p. 178, note 67).

52. En quoi la situation du Français diffère-t-elle de celle du Turc ? La corrélation des deux personnages rend ironique la comparaison « flatteuse » que fera le diplomate entre son sort et celui du sélictar.

53. Encore un exemple de la hâte du romancier : le proverbe sur la bonne foi des Grecs, évoqué après le récit de la vie de Théophé, ne provient pas du sélictar (voir p. 94).

54. Outre la gratuité des soupçons à l'égard de Théophé, nullement justifiés par le comportement de celle-ci, nous sommes frappés par l'ironie qui entoure les réflexions du diplomate sur les mobiles de Synèse. N'est-ce pas le diplomate lui-même qui veut « se défaire d'un lien incommode », c'est-à-dire ses rapports de « père » et de « maître dans la vertu », pour se livrer à son « penchant », son amour pour Théophé ? De manière toujours aussi révélatrice, le narrateur ajoutera, un peu plus loin, que Synèse « est importuné d'un titre qui ne s'accorde point avec ses sentimens » (p. 158), ce qui est, nous le savons, son propre cas. Ici encore une fois un personnage secondaire sert à la fois à éclairer la situation psychologique du protagoniste et à faire ressortir son aveuglement sur lui-même.

55. L'équivoque incestueuse qui pèse sur les relations que Synèse entretient avec la jeune Grecque, qui est, de toute évidence, sa sœur, éclaire d'une lumière ambiguë les sentiments du diplomate, non moins « incestueux », envers sa « fille ». Il s'agit, bien entendu, d'une allusion à peine camouflée au modèle historique du diplomate, le comte de Ferriol (voir l'*Introduction*, pp. 15-16). Le thème de l'inceste exerce une fascination évidente sur Prévost bien avant la *Grecque moderne* ; on n'a qu'à se rappeler le rôle de « frère » que joue des Grieux pour berner le vieux G... M..., ainsi que les sentiments plus qu'équivoques qui unissent Cleveland et sa fille, Cécile (voir, à ce sujet, l'article d'A. Lebois, « Amitié, amour et inceste dans *Cleveland* » dans *L'Abbé Prévost. Colloque d'Aix-en-Provence*, Aix-en-Provence, Ophrys, 1965, pp. 125-137).

56. L'*aga*, ou chef, des janissaires avait le commandement des soldats de la garde personnelle du sultan, appelés les « janissaires de la Porte », ainsi que du corps entier de l'infanterie turque à

laquelle on donnait aussi, un peu abusivement, le nom de janissaires, Tournefort, t. 2, pp. 308-309.

57. Originairement le chef du corps des jardiniers, le *bostangi bachi*, d'après Cantemir, est devenu le « capitaine des palais impériaux », ayant pour responsabilité la garde de la famille du sultan, *Histoire*..., t. 1, p. xxxvii ; c'est l' « un des plus puissans officiers de la Porte », Tournefort, t. 2, p. 285.

58. D'après les allusions, plus loin, au sultan Mustapha et à son frère Ahmet (p. 162), nous savons qu'il s'agit des événements qui entourent la révolution du 3 juillet 1703 où Mustapha II fut bel et bien déposé en faveur de son frère cadet, Ahmet III, à la suite d'une révolte de janissaires. Prévost ne fait qu'évoquer, de manière très vague, ces péripéties de l'histoire ottomane, dont il a pu lire le compte rendu chez Cantemir (trad. N. Tindal, pp. 433-440) et La Motraye, t. 1, pp. 323-336 comme dans l'*Explication des cent estampes* de Ferriol, pp. 2-3.

59. « Le sultan met à la tête de ses ministres le grand visir [...] à qui il laisse tous les soins de l'empire. Non seulement le grand visir est chargé des finances, des affaires étrangères, et du soin de rendre la justice pour les affaires civiles et criminelles ; mais il a le département de la guerre et le commandement des armées », Tournefort, t. 2, p. 292.

60. Il s'agit de Pierre-Antoine de Castagnères, marquis de Châteauneuf, ambassadeur à la Porte de 1689 à 1699. Nous n'avons pu découvrir, dans la correspondance politique de Châteauneuf, une quelconque allusion à cet incident, que nous soupçonnons, comme Holland, relever de l'invention de Prévost.

61. Démétrius Cantemir (1674-1723), prince et écrivain moldave, fut l'auteur de la célèbre *Histoire de l'origine et de la décadence de l'empire ottoman* (1716). Prévost, qui connaissait bien la vie, et au moins cet ouvrage, de Cantemir, donne sa biographie dans le tome XIX du *Pour et Contre* (n° 274, pp. 145-157). Holland relève le fait que Prévost, à l'instar de l'auteur de la *Vie* de Cantemir imprimée à la fin de son *Histoire*, se trompe quant à la personne qui donna refuge au prince banni : ce ne fut pas un quelconque « bacha » (p. 163), mais, comme nous le dit Cantemir, le comte de Ferriol lui-même qui l'a caché dans sa résidence, *Histoire*..., trad. Joncquières, t. 2 (Paris, Le Clerc, 1743), p. 288.

62. Les muets étaient des domestiques du sultan dont le nom dériverait du fait qu'ils se parlaient par signes pour ne pas troubler le repos du Grand Seigneur, Tournefort, t. 2, p. 287. Les *capigis* (portiers au palais), qui servaient aussi de bourreaux, se faisaient accompagner parfois de muets qui étranglaient avec un cordon de soie, avant de leur couper la tête, les dignitaires politiques condamnés par le sultan, Thévenot, t. 1, pp. 200-201.

63. Ainsi la première partie du roman se termine par une évocation du dilemme psychologique du diplomate ; l'amour se trouve confronté chez lui à l'amour-propre, ses « principes d'honneur » l'empêchant d'imposer à sa jeune protégée la satisfaction de ses désirs. Pour lui, d'ailleurs, il ne s'agit que de savoir, comme il le

dit, « quel cours il devait laisser prendre à ses sentimens », ne pouvant s'imaginer que Théophé puisse lui refuser, tout simplement, « la conquête de son cœur ».

64. Que cet « ombre » soit Synèse ou le sélictar, on constate son symbolisme par rapport au narrateur : l' « ombre » deviendra au XIXe siècle, on le sait, synonyme de *Doppelgänger* (p. ex., « L'Ombre » de Hans Christian Andersen et *Peter Schlemihl* de Chamisso).

65. Le *divan* était le conseil quotidien où le grand vizir traitait toutes les affaires d'Etat : « Le grand vizir tient tous les jours divan chez lui excepté le vendredi qui est le jour de repos chez les Turcs », Tournefort, t. 2, pp. 296-297.

66. Dans les *Nouveaux Mémoires du comte de Bonneval*, l'auteur raconte que les janissaires révoltés « demandèrent la tête de plusieurs bachas, il fallut les satisfaire » (p. 53), ce qui pourrait être, comme le remarque Holland (p. 305), une source de l'invention du romancier. Quoi qu'il en soit, nous sommes ici en pleine fantaisie romanesque, Prévost transformant à son gré les circonstances qui entourent la révolution, réussie, de 1703 — qu'il mêle librement à celles d'une deuxième révolte de janissaires, en 1704, qui est effectivement réprimée (voir La Motraye, t. 1, p. 375). Si l'évocation historique apporte un peu de couleur locale et sert de « caution » à la fiction inventée par Prévost, l'incident semble servir surtout de présage métaphorique aux bouleversements qui se préparent simultanément dans la vie personnelle du diplomate. Comme le remarque P. Murphy : « With the news of the political intrigue, and the hiding of the Sélictar and Synèse in the villa, the stage is set for the exterior confusion and agitation which parallel the inner turmoil of the diplomat's emotions throughout Book Two », « A Study of the Narrative Techniques of the Abbé Prévost as illustrated in *Manon Lescaut* and *L'Histoire d'une Grecque moderne* », Diss., Univ. of Wisconsin, 1968, p. 32.

67. S'il était bien dans l'intention de Prévost d'insister sur le rôle symbolique joué par Synèse et le sélictar, ce heurt violent des deux personnages traduirait, sur le plan anecdotique, un conflit psychique chez le héros. Dans ce contexte, il est intéressant de noter que *synèse* est dérivée de (σύνεσις), signifiant « union », ce qui évoque une distinction classique de la morale chrétienne entre l' « amour de bienveillance » et l' « amour d'union » (ou de « concupiscence »), c'est-à-dire entre l'amour généreux qui veut le bien de son objet et l'amour « déréglé », le désir purement charnel qui n'aspire qu'à l'union physique (voir Malebranche, *Traité de morale*, 1684, *Œuvres complètes*, XI [Paris, J. Vrin, 1966] p. 42). Nous serions tentés ainsi de voir dans la lutte entre le sélictar et Synèse une représentation du conflit entre le moi amoureux du diplomate, qui tend à respecter Théophé, et les impulsions libidineuses de la passion qui ne tendent qu'à leur satisfaction.

68. Prévost refuse, typiquement, la description détaillée du monde extérieur ; comme toujours, c'est le « monde moral » qui l'intéresse, c'est-à-dire les « ressorts intérieurs des actions [...] la connaissance des motifs et des sentiments », *Le Monde moral*,

Œuvres de Prévost (Grenoble, 1984), VI, 287 ; cf. la remarque du narrateur au moment de pénétrer pour la première fois dans le sérail de Chériber : « Nous entrames dans un lieu dont la description est inutile à mon dessein » (p. 58).

69. L'aveuglement du diplomate, qui ne perçoit pas à quel point ses propres désirs sont condamnés par les « principes » de Théophé, prend le caractère d'une véritable mythomanie.

70. Cf. La Motraye : « Les femmes turques, ou élevées pour les harems des Turcs, ne sont pas sensibles à cette grande liberté que celles de l'Europe chrétienne goûtent [...], mais elles ne sont malheureuses à cet égard que dans votre imagination. Leur éducation leur a appris à trouver excellens leurs divertissemens entr'elles, comme leurs chansons, leurs danses, le son de leurs instrumens » (t. 1, pp. 337-338).

71. L'histoire de Maria Rezati — son éducation et son comportement ultérieur — est aux antipodes de celle de Théophé, ce qui éclaire de manière très significative le caractère de l'héroïne (voir l'*Introduction*, pp. 27-28).

72. Le chevalier de Malte, tel que Prévost nous le présente ici, correspond à la version stéréotypée du personnage au XVIIIe siècle, comme le démontre l'article de C.-E. Engel, « Le chevalier de Malte, type littéraire du XVIIIe siècle », *Revue des Sciences humaines* (juillet 1953), 215-229.

73. Il s'agit de la mer Adriatique, qu'on appelait aussi le « golfe de Venise », La Motraye, t. 1, p. 199.

74. Le danger que présente la joie excessive, à savoir l'évanouissement, sinon la mort, est un lieu commun depuis le siècle précédent. Descartes en parle dans son traité des *Passions de l'âme,* art. CXXII, « De la Pasmoison », et on le retrouve dans la bouche de Chimène, *Le Cid,* IV, 5, ainsi que dans *Cleveland,* où Fanny s'évanouit au moment de retrouver Cécile : « L'excès d'une joie si subite avait serré son cœur. Ses yeux se couvrirent d'un nuage épais [...] la maladie de mon épouse n'était qu'un évanouissement causé par la joie », *Œuvres de Prévost,* II, 449-450.

75. *Emirs :* « Princes arabes qui prétendent descendre de Mahomet par sa fille Fatima », Cantemir, *Histoire...,* t. 1, p. xxxix.

76. Prévost reprend ici une distinction qui est à la base du *Doyen de Killerine* (1735-1740), où le doyen, qui incarne la morale chrétienne, s'oppose à son demi-frère, Georges, qui est « un honnête homme, mais sans autres principes que ceux de la morale naturelle », *Œuvres de Prévost,* III, 10.

77. La Morée ! Maria poursuit toujours une trajectoire inverse à celle de Théophé, dont l'existence purement charnelle a commencé à... Patras.

78. Petite république sur la côte dalmate, sous autorité turque depuis le XVIe siècle ; connue sous le nom de Dubrovnik depuis son intégration à la Yougoslavie en 1919.

79. On ne peut s'empêcher de réfléchir aux implications de cette « mise en abyme » de l'écriture au sein du récit écrit ; l'écriture du diplomate, comme celle du mémorialiste a pour objet de convaincre,

de « séduire » le destinataire (Théophé, le lecteur), et Prévost semble bien suggérer ici, ainsi que le remarque L. Gossman, une analogie entre l'écriture et le désir — sinon la jouissance, « Male and Female in Two Short Novels by Prévost », *The Modern Language Review,* LXXVII, n° 1 (1982), 31, note 3.

80. Voilà la seule « description » que nous aurons des charmes de Théophé — que nous ne connaîtrons pas mieux que ceux de Manon dont nous saurons seulement qu'elle avait « un air si fin, si doux, si engageant, l'air de l'Amour même », *Manon Lescaut*, Paris, Garnier, 1965, p. 44.

81. On n'oublie pas — Théophé sans doute non plus — la déclaration du héros selon laquelle « dans les idées de la vraie sagesse le mépris n'est dû qu'aux fautes volontaires » (p. 145); d'autant qu'il revient là-dessus en précisant qu'il aurait trouvé Maria Rezati plus à plaindre « si elle ne s'étoit point attiré ses infortunes par une faute volontaire » (p. 192).

82. Les *Essais de morale* du janséniste Pierre Nicole, écrits entre 1671 et 1678, relèvent de la tradition augustinienne la plus sévère; *La Logique de Port-Royal,* dont le vrai titre est *L'Art de penser* (1662), est l'œuvre commune de Nicole et du Grand Arnauld, chef du parti janséniste. Ensemble les deux ouvrages peuvent évoquer le perfectionnement à la fois moral et intellectuel de la jeune Grecque.

83. Le prêtre jésuite de *Cleveland* prescrit le même genre de « thérapie » au héros, lui proposant la lecture d'un petit livre de morale, *La Dévotion aisée,* pour le guérir de son désespoir, *Œuvres de Prévost*, II, 312. Prévost évoque un courant à la mode, le « christianisme mondain », comme en témoigne, par exemple, le *Traité du vrai mérite* (1734) du Maître de Claville, qui propose « un compromis séduisant et facile entre le monde et la morale chrétienne », R. Mauzi, *L'Idée du bonheur dans la littérature et la pensée françaises au XVIIIe siècle,* Paris, Armand Colin, 1960, p. 94, note 2.

84. *Cléopâtre* (1647-1658) est un roman héroïco-galant de La Calprenède. L'évocation de *La Princesse de Clèves* (1678), où sont représentées les suites malheureuses de la galanterie, ainsi que les affres de la jalousie, n'est peut-être pas innocente. Et que dire, par rapport aux projets du diplomate, de cette mise en doute de la constance des hommes une fois franchi l'obstacle de la résistance féminine, qui prélude au dénouement du roman de Mme de Lafayette ?

85. L'allusion aux rapports quasi incestueux entre l'ambassadeur Ferriol et sa filleule, Mlle Aïssé, nous semble transparente ici.

86. Comme nous le verrons par la suite, Prévost confond *calogers* (caloyers), ou moines grecs, et prêtres.

87. Ce que confirme Thévenot : « ... leurs prêtres peuvent avoir été mariez une fois en leur vie à une vierge, et conservent leur femme étant prêtres, mais étant morte, ils n'en peuvent prendre d'autres », à quoi il ajoute : « les caloyers ou religieux grecs ne se peuvent jamais marier », ce qui souligne l'erreur de Prévost (voir note précédente), *Voyages*..., t. 1, p. 260. L'opulence relative, ainsi que l'ignorance, des prêtres grecs sont autant de traits que Prévost a

pu relever chez La Motraye (t. 1, pp. 188-189) et dans l'*Explication des cent estampes* : « Les papas grecs sont ignorans, grossiers et avares ; ils mettent leurs pénitens à contribution, et se font un revenu de la confession » (p. 18).

88. Le caractère du protagoniste de Prévost se distingue nettement ici de celui de son modèle, dont on connaît « l'emportement naturel », E. Asse, « Le baron de Ferriol et mademoiselle Aïssé », *Revue rétrospective,* Nouvelle série, XIX (juillet-décembre 1893), 45.

89. Nom que les Vénitiens donnaient à Naupacte (port de Grèce situé à l'entrée du golfe de Corinthe), qu'ils occupèrent de 1417 à 1699.

90. On aura constaté à maintes reprises ce procédé, éminemment prévostien, de création de « suspense » pour tenir le lecteur en haleine.

91. En tout cas, la religion de la femme, d'après La Motraye, ne pose pas de problème : « Un mari et une femme ne s'inquiètent jamais sur la différence de leur religion » (t. 1, p. 227) ; et encore : « on ne les oblige point à changer de religion, si elles en ont une fixe » (p. 337).

92. Sur le plan purement anecdotique, l'évolution des sentiments du diplomate évoque ici le jeu de ce que R. Girard appelle le « désir mimétique » : « Le sujet désire l'objet parce que le rival lui-même le désire. En désirant tel ou tel objet, le rival le désigne au sujet comme désirable [...] le désir est essentiellement *mimétique,* il se calque sur un désir modèle ; il élit le même objet que ce modèle », *La Violence et le sacré,* Paris, Grasset, 1972, pp. 204-205. Les rôles littéral et symbolique du sélictar, comme ceux des autres doubles du roman, coexistent sans heurt aucun, ce qui témoigne de la manière la plus sûre du génie créateur du romancier.

93. Toute la mauvaise foi du projet de mariage éclate soudainement : il ne s'agit, de toute apparence, que d'une nouvelle tentative de séduction où le diplomate table sur le sentiment de la reconnaissance, toujours assimilé à celui de l'amour, pour rendre sa protégée moins farouche.

94. L' « aveuglement » par une « indigne passion », c'est toute l'histoire, aussi, du chevalier des Grieux, homologue jeune et naïf du libertin désabusé qu'est le diplomate. Mais on imagine mal Manon en train de sermonner son chevalier de la sorte, et Théophé, tout ancienne concubine qu'elle soit, ne saurait être considérée comme une réplique de celle-ci — à moins que ce ne soit dans une optique purement allégorique (e. g. « concupiscence de la chair »).

95. L' « altération » du visage du diplomate, sous le coup d'un choc émotionnel insupportable, suggère fortement une aliénation d'esprit chez celui-ci. Ce thème sera repris de manière plus spectaculaire dans l'épisode de la fête du roi (p. 241 et suiv.).

96. Nous signalons, au passage, ce « modèle de phrase en labyrinthe », exemple par excellence, selon Sgard, du style prévostien, caractérisé par des « cascades de subordonnées », des relatives encastrées, des symétries, parallèles et oppositions : « Une phrase

comme celle-là, seul Prévost pouvait l'écrire », *L'Abbé Prévost. Labyrinthes de la mémoire*, Paris, Presses Universitaires de France, 1986, pp. 211-215.

97. A cet endroit, on se serait attendu à « *mais* je pardonnai » plutôt qu'à « *et* je pardonnai ». Seulement, la phrase suivante commençant par « Mais », suivi par « mes » deux fois, on soupçonne une modification hâtive du texte au dernier moment.

98. A l'approche de l'épisode de la fête du roi, Prévost ramène à nouveau, par l'intermédiaire des personnages secondaires, le thème de la « folie » en rapport avec une passion violente et insurmontable.

99. S'il pouvait exister des doutes quant au modèle du narrateur-héros de la *Grecque moderne*, l'épisode de la fête du roi, qui suit, les écarte définitivement. Prévost évoque, on ne peut plus explicitement, une fête donnée par Ferriol en 1704 à l'occasion de la naissance du duc de Bretagne, fête qui faillit tourner au drame et dont on trouve un récit circonstancié dans la traduction anglaise de l'*Histoire* de Cantemir, pp. 424-425, ainsi que chez La Motraye, (voir l'Appendice 2a).

100. La maison de l'ambassadeur de France se trouvait, plus précisément, à Pera, comme celle de tous les ambassadeurs étrangers depuis 1646, d'après R. Mantran, *L'Empire ottoman du XVIe au XVIIIe siècle*, London, Variorum Reprints, 1984, p. 167. Mais, comme le dit Tournefort : « On monte de Galata à Pera qui en est comme le fauxbourg, et que l'on a confondu autrefois sous le même nom », *Relation...*, t. 2, p. 223. Il se peut, d'ailleurs, que la méprise de Prévost vienne de Cantemir, qui raconte que Ferriol demeurait à Galata (trad. Joncquières, p. 288).

101. Ici encore, Prévost remanie cavalièrement la réalité historique à des fins romanesques : dans les numéros du *Pour et Contre* où il rend compte de l'*Histoire* de Cantemir (XX, n°s 292-293), l'une des notes traduites raconte précisément la succession des grands vizirs de l'époque en question (pp. 242-260). Selon Cantemir, le grand vizir Calaïli Ahmet, nommé en 1703, fut suivi non de Chorluli Ali, mais de Baltagi Mehemed. En outre, Chorluli, qui ne deviendra grand vizir qu'en 1705, est décrit par Cantemir, dans une des notes traduites par Prévost, comme un homme « d'un génie extraordinaire et d'un caractère fort pacifique » (p. 256), ce qui ne correspond pas du tout au « caractère hautain » que le romancier lui prête. Dans le cas de la fête de Ferriol, il s'agit de toute manière, selon La Motraye (p. 369), d'une autre personne, le vizir Calaïcos Achmet, nommé en 1704, et dont il n'est pas fait mention chez Cantemir. Ce changement brusque de grand vizir évoque, en tout état de cause, la réalité de la situation, fort précaire, de ces ministres : « Quand un visir dure six mois en sa charge, il est habile homme », remarque Thévenot (p. 200), ce qui est confirmé par l'*Explication des cent estampes*, où l'on nous dit que le grand visir est « sujet à grands revers. Il y en a eu vingt depuis l'année 1690... » (p. 12).

102. Un *ferman*, explique La Motraye (p. 292), est un « comman-

dement de la Porte » (ou, le cas échéant, un « privilège »); l'orthographe « fervan » est, vraisemblablement, comme dans le cas du « galike divan » (plus bas), une erreur de typographie.

103. *Galibe divan :* « Le conseil du sultan même », qui se tient tous les dimanches et les mardis (Cantemir, t. 1, p. xxxix), par opposition au *divan* quotidien du grand vizir.

104. Le paragraphe précédent, comme la première partie de celui qui suit, nous indique sans erreur possible la source principale de Prévost en composant cet épisode ; il s'agit de la version de la fête donnée par Cantemir dans la traduction anglaise de son *Histoire de l'empire ottoman*, London, 1734, pp. 424-425. Ce compte rendu est carrément supprimé, pour des raisons qui nous restent inconnues, dans la traduction française de Joncquières, Paris, 1743. La version de La Motraye, comme on peut le vérifier (Appendice 2a), est sensiblement différente, dans les détails, de celle de Prévost.

105. La « fureur » du diplomate, provoquée par la perspective d'une humiliation dans sa vie publique, est ainsi reliée à sa vie privée, à l'intrigue sentimentale, où il vient d'essuyer également une humiliation cuisante. Le souvenir de l'accès de folie que connut Ferriol (à l'occasion, il est vrai, de « quelques autres événemens » — voir la note suivante) souligne le caractère aberrant du comportement du héros, dont la crise de « folie », elle, semble avoir une fonction métaphorique par rapport à son désarroi affectif. Frustré à l'extrême par l'échec de toutes ses tentatives pour gratifier sa passion, la seule voie qui lui reste, la violence, lui est fermée par l'honneur ; il lui faut donc réprimer en lui-même son désir violent, comme il réprime l'attentat des deux jeunes gens qui essaient de faire violence à la volonté de Théophé. Le comportement « déréglé » du héros dans cet épisode, produit de toute évidence par un conflit intérieur insoluble (certains parleraient sans doute de conflit entre le surmoi et le ça), augure mal pour l'évolution de ses rapports avec l'héroïne.

106. Ces « quelques autres événemens » font allusion, sans aucun doute, à celui qui contribua au rappel de Ferriol en 1710, et qui nous est relaté par La Motraye (voir l'Appendice 2b). Cet incident est à l'origine du thème de la « folie » du protagoniste de la *Grecque moderne*, que Prévost explique, comme le remarque Sgard, par l'amour et la jalousie, *Prévost romancier*, p. 432. Le romancier opère pourtant une ellipse importante par rapport à la chronologie historique : il y a cinq ans entre les événements de la fête de l'anniversaire du duc de Bretagne (1704) et ceux de la crise de folie de Ferriol (1709).

107. Livourne fut une escale régulière du trafic maritime entre Marseille et l'Orient : La Motraye y passe (et en fait un bref commentaire) en retournant à Constantinople (t. 1, p. 445), ainsi que les célèbres Persans de Montesquieu en route pour la France : « Nous sommes arrivés à Livourne dans quarante jours de navigation. C'est une ville nouvelle ; elle est un témoignage du génie des ducs de Toscane, qui ont fait d'un village marécageux la ville d'Italie la plus florissante » (Lettre XXIII).

108. Soit qu'il n'y avait rien à cacher... mais le narrateur, qui passe carrément du côté de l'accusation ici, n'évoque même pas cette possibilité. Qu'est devenu ce récit « ingénu » des faits qu'il avait promis au lecteur ?

109. Sombre histoire de jalousie qui, avec le jeu du dépit et du désir de vengeance, relève de l'analyse classique de ce phénomène. (voir C. Delhez-Sarlet, « Les jaloux et la jalousie dans l'œuvre romanesque de Mme de Lafayette », *Revue des Sciences humaines*, n° 115 [juillet-septembre 1964] 282). On peut se demander s'il n'y a pas un rapport entre cette histoire, qui sert de catalyseur à la jalousie du héros, et celle de Théophé et du diplomate, qui, elle aussi, va être dominée désormais par le dépit jaloux de celui-ci et, osons le dire, un désir dissimulé de vengeance. Les actions ultérieures du diplomate mettront fin aux espoirs de bonheur sentimental de sa protégée tout autant que celles du mari jaloux ont détruit les espoirs du comte (voir à ce propos notre commentaire dans *L'Abbé Prévost. L'Amour et la Morale*, pp. 263-266) ; cf. A. Pizzorusso, qui remarque chez le diplomate exaspéré « un impulso di crudeltà e di rivalso, che lo spinge a distruggere le speranze della giovane greca », « Ipotesi e velleità », p. 292.

110. Nul besoin d'être psychiatre pour reconnaître un comportement mythomane : le diplomate couche avec le fantôme de ses désirs, il est réduit à se contenter de fantasmes érotiques. La forme du corps de Théophé, imprimée dans ses draps, c'est le « parfait symbole de l'opération d'un esprit jaloux qui crée son objet avec du vide, qui fait d'une ombre un corps, parce que tous ses plaisirs et toutes ses peines sont le fruit d'une imagination qui a cessé de se régler sur la réalité », J. Rousset, *Narcisse romancier*, p. 151.

111. Si le mot « ingrate » indique tout simplement, dans le langage sentimental classique, une femme qui ne partage pas l'amour de son soupirant, il comporte également une forte suggestion d'opprobre moral, comme on peut le voir dans le *Doyen de Killerine*, où Patrice est contraint, par devoir, d'épouser Sara Fincer pour régler une dette de reconnaissance. Comme le lui dit le doyen : « Vous ne pouvez manquez d'amour et de reconnoissance pour Sara, sans vous couvrir d'un opprobre éternel », *Œuvres de Prévost*, III, 93. On se rappelle aussi, par rapport aux accusations du diplomate, les plaintes amères de Cécile, dans *Cleveland*, contre la tendance des hommes à « croire que leur amour est un droit pour exiger d'être aimés », *Œuvres de Prévost*, II, 602.

112. Ainsi Théophé est tombée amoureuse, pour la première fois de sa vie sans doute, mais pas de son protecteur. C'est en cela surtout qu'elle est « coupable » à ses yeux.

113. Pour les lecteurs contemporains qui n'auraient pas saisi les allusions aux rapports « incestueux » entre Ferriol et Aïssé, Prévost met les points sur les « i ».

114. Encore une évocation, plutôt transparente pour les contemporains, du modèle historique : on se rappelle les exemples de l' « intrépidité » de Ferriol dans l'affaire de l'épée et dans celle de la fête.

115. Comme dans l'épisode du comte de M.Q., Prévost semble relier ici des événements anecdotiques à la vie intérieure de ses personnages. Ces péripéties romanesques n'auraient-elles pas une valeur métaphorique ? On constate l'opposition frappante entre le calme de la mer, la tranquillité de surface (cf. la langueur de Théophé, le manque d'agitation chez le héros), et l'agitation sous-jacente, les violentes actions qui se trament en secret, ainsi que la « répression » de cette violence.

116. Si l'on en juge par la suite, où il découvre que son amour brûlait toujours sous la cendre (Prévost en sait quelque chose), on serait tenté de conclure, encore une fois, à une sublimation de l'amour dans l'impulsion démiurgique du Pygmalion.

117. En se rappelant le projet de mariage clandestin du narrateur lui-même, on soupçonne ici une certaine ironie d'auteur. M. de S..., par son insistance, ainsi que par son comportement jaloux et dépité à Paris, ressemble étrangement au diplomate.

118. Pas tout à fait : Théophé avait avoué ressentir pour le comte une « violente inclination » (p. 258), mais le héros semble faire abstraction de cette pénible vérité pour pouvoir s'attaquer à sa bonne foi, comme le fera aussi le narrateur en faisant allusion, fort gratuitement, à l' « air de bonté et de candeur qui lui avoit toujours réussi avec moi » (phrase suivante).

119. Sachant que la diminution de l'éclat de la beauté de Théophé est due aux suites du comportement jaloux du diplomate, on serait tenté d'interpréter métaphoriquement cette « eau » qu'il aurait fait composer, et qui évoquerait le dépit venimeux dont les emportements auraient « vitriolé » sa protégée. On s'imagine bien tous les bruits qui devaient courir sur Ferriol, Fontana et Aïssé après le retour de l'ambassadeur à Paris (voir l'*Introduction*, pp. 15-16, 18). Prévost insiste ici sur la « clé » de son roman, dans l'espoir, sans doute, d'assurer le succès de scandale qu'il recherche.

120. Il s'agit de l'épisode du « comte de M.Q. » à Livourne.

121. Soit qu'il n'y avait, tout simplement, rien de « blessant » dans le comportement de Théophé. Le narrateur semble prendre goût à ce jeu d'insinuations qui consiste à proposer des hypothèses péjoratives en passant sous silence celles qui seraient favorables à la jeune Grecque (cf. p. 251, note 108).

122. « Amans », bien entendu, au sens classique de « soupirants » ; cf. « maîtresse » pour indiquer la femme aimée (même phrase).

123. On n'oublie pas que « le jeune comte de... » fut, dans le texte original de Prévost, « le chevalier D... », ce qui fut un peu trop fort pour le chevalier « Daydie » (d'Aydie), l'ancien amant de mademoiselle Aïssé, et les cousins adoptifs de celle-ci (voir l'*Introduction*, p. 19, note 17).

124. Le diplomate, qui était « à la fleur de [son] âge » (p. 94) lorsqu'il rencontra Théophé, prend un « coup de vieux » soudain, ce qui impliquerait une ellipse temporelle considérable depuis son retour en France, ou, plus vraisemblablement, un rapprochement

voulu avec le personnage de Ferriol, qui avait environ soixante ans en 1711 et qui est devenu impotent sur ses vieux jours, H. Courteault, *Dictionnaire de biographie française*, article « Aïssé ».

125. Le parti pris du narrateur, qui est de plus en plus explicitement allié au héros dans ses efforts pour discréditer Théophé, saute aux yeux : il faut donc être « crédule » pour croire à la sincérité de sa protégée.

126. Mot clé du dilemme du héros, condamné naguère à réprimer sa passion pour se consacrer à l'éducation morale de Théophé — dont la vertu de plus en plus exemplaire ne faisait qu'attiser son désir. On retrouve ici le thème donjuanesque du rapport entre le désir et l'obstacle.

127. L'entrée au couvent serait l'aboutissement logique de l'évolution vers une vie totalement vertueuse, comme le sérail était le lieu de l'existence charnelle absolue. La vie que va lui proposer son protecteur, où elle serait occupée à lire, à peindre, à jouer avec une compagne, ressemble étrangement, d'ailleurs, à celle qu'elle a connue au sérail du bacha Chériber, peu exigeant, lui aussi, sur le plan des devoirs « conjugaux » (pp. 64, 94).

128. Comme l'observe L. Gossman, le « mal » auquel le narrateur-héros est condamné, l'impotence à laquelle il est réduit, peut évoquer métaphoriquement (d'autant plus que son état d'infirmité est peu motivé par ailleurs) son impuissance définitive à découvrir la vérité sur sa protégée, « Male and Female in Two Short Novels by Prévost », p. 31.

129. Il aurait été plus honnête de dire « ce qui *m*'a pu paroître obscur et incertain ». Le narrateur, en présentant comme « obscur et incertain » le comportement de Théophé, a préjugé en quelque sorte de la question ; il s'efforce, apparemment, de semer le doute, de faire partager ses soupçons, ses incertitudes, par le lecteur.

130. On pourrait trouver curieux que la première gouvernante, qui s'est discréditée, fasse encore « sa demeure » chez le diplomate, si ce n'était son rôle symbolique. Comme elle, le narrateur risque de se trouver l'objet d' « étranges soupçons » (de la part du lecteur) s'il ne réussit pas à convaincre celui-ci de la culpabilité de Théophé — à commencer par la suspicion à l'égard de ses propres mobiles, où le désir de vengeance n'est pas exclu.

131. Le lecteur (même aujourd'hui...) risque de se laisser trop influencer ici par la « clé » du roman, c'est-à-dire la liaison quasi publique entre Aïssé et le chevalier d'Aydie. Que nous dit le texte ? On pourrait se rappeler les accusations mensongères du diplomate lors de l'épisode du comte de M.Q. à Livourne : « Mais comptez que j'ai tout vu, tout entendu, et qu'il faut être aussi foible que je le suis encore, pour vous marquer si peu de mépris et de ressentiment » (p. 260). Qu'en est-il des accusations de la vieille gouvernante, ce nouveau « double » qui semble bien refléter la jalousie pathologique et le dépit du héros ? Cf. Sermain : « ... à la fin du livre, la jalousie de l'ambassadeur parle par la voix de la gouvernante, véritable emblème de l'aliénation par la passion », *Rhétorique et roman au XVIII*[e] *siècle*, p. 135.

132. La vieille femme dépitée examine le lit de Théophé ? Elle interroge sa femme de chambre ? Elle donne « tout le sens que la malignité peut inventer » aux circonstances ? En quoi son comportement diffère-t-il de celui du diplomate lui-même (à Livourne, par exemple) ?

133. La demande, réitérée, de Théophé d'entrer au couvent pour échapper aux persécutions du diplomate peut évoquer le personnage de Mlle Aïssé qui, exaspérée par les efforts de Mme de Ferriol pour la faire céder aux offres du duc d'Orléans, aurait menacé de « se jett[er] dans un couvent ». Mais comme cette histoire est racontée dans l' « Histoire de mademoiselle Aïssé » qui est placée en tête de l'édition de ses lettres publiées en 1787 (pp. 8-9), on se trouve devant la question classique de la poule et de l'œuf : la *Grecque moderne* s'inspire-t-elle ici de l'histoire d'Aïssé ou vice-versa ? Sgard pose la même question au sujet de « la légende de la sublime vertu d'Aïssé » (*Prévost romancier*, p. 431), qui pourrait avoir son origine dans le livre de Prévost.

134. L'expression « d'autres foiblesses » est manifestement injuste, à tel point que l'édition Leblanc (1812) la remplacera, comme le signale Holland (p. 320), par « quelques foiblesses », ce qui est moins dénigrant pour Théophé. Ce faisant, on trahit pourtant l' « esprit » du texte, à savoir le caractère insidieux du récit qui tend à promouvoir la condamnation de l'héroïne tout en faisant appel, un peu hypocritement, au jugement du lecteur.

APPENDICES

Appendice 1 : Traduction par Prévost d'une note de Cantemir, *Histoire de l'empire ottoman,* concernant Ferriol et l'affaire de l'épée, *Le Pour et Contre,* XX, nº 293, pp. 262-264.

« Feriol, ambassadeur de France, soutenoit avec beaucoup de hardiesse et de courage l'honneur de sa nation [...]. Au commencement de son ambassade, il se présenta à la première audience du sultan avec l'épée au côté. Mauro Cordato qui assistoit à cette cérémonie comme premier interprète de la cour, lui conseilla d'ôter son épée, parce que c'est une ancienne coutume de la cour ottomane de ne laisser paroître personne avec des armes devant le sultan. Feriol répondit qu'il avoit reçu son épée de son maître, et qu'il ne se la laisseroit ôter par personne. Le sultan, informé de ce différand, lui envoya ordre d'ôter son épée, sans quoi il seroit mis hors du palais. Sur ce refus, le capigi bachi le repoussa effectivement lorsqu'il se présenta pour entrer. Dans le ressentiment qu'il en eut, il fit ôter à ses interprètes les caffetans dont ils s'étoient revêtus dans la première cour, et les ayant foulés au pied, il sortit du palais. Sur le champ, dans la crainte qu'on ne traitât aussi mal les présens qu'il avoit apportés, il fit assurer qu'ils ne venoient pas du roi son maître, mais qu'il les avoit achetés à ses propres fraix, et il réussit de cette manière à se les faire rendre. C'étoit Châteauneuf, son prédecesseur, qui l'avoit engagé dans cette entreprise. Ayant caché sous ses habits une courte épée dans sa première audience, il avoit écrit dans les mémoires de son ambassade qu'il s'étoit présenté au sultan l'épée au côté.

Feriol ayant lû cet article, demanda à Châteauneuf avant son départ si le fait étoit vrai ; et celui-ci, qui n'étoit pas trop bien avec lui, l'en assura sans autre explication. »

Appendice 2 : Extraits des *Voyages du Sr. A. de la Motraye en Europe, Asie et Afrique...* (1727).

a) *La fête pour la naissance du duc de Bretagne (t. 1, pp. 369-371) :*

« Un nommé *Calaïcos Achmet Pacha,* fils d'étameur [...] fut fait visir [...]. Ce nouveau visir réforma d'abord quantité d'abus. Mais dès le lendemain au soir il troubla une fête que donnoit Mr. de Feriol au sujet de la naissance du duc de Bretagne, premier fils du duc de Bourgogne. Le matin fut employé tranquilement à la dévotion. L'évêque latin célébra une messe haute dans la chapelle du palais de France, et on y chanta le *Te Deum,* en actions de grace. Mr. l'ambassadeur de Venise s'y trouva, aussi bien qu'à un magnifique repas qui suivit le service divin [...] tout étoit digne de la magnificence et de la générosité naturelle de Monsieur de Feriol, qui a fait une parfaitement belle figure en Turquie, jusques là qu'il avoit des comédiens françois et italiens. Les fontaines de vin pour le peuple chrétien, et du caffé pour les mahométans, ne manquoient pas aux avenuës du palais.

« On tirait des pierriers et des boêtes à chaque santé. Ces salves avoient duré jusqu'après quatre heures, lorsque Mauro-Cordato s'y rendit de la part du visir, avec ordre de dire à Mr. de Feriol " qu'il eût à cesser de faire tirer, à cause qu'il y avoit des sultanes enceintes que ce bruit pouvoit incommoder " ; mais il n'en reçut point d'autre réponse, sinon que les coups de canon que tiroient tous les jours dans le port des vaisseaux, en faisoient incomparablement davantage, et devoient par conséquent beaucoup plus les incommoder que ne pouvoient faire les petites pieces qu'il faisoit tirer dans son palais. Mauro-Cordato ayant répliqué qu'il souhaitoit que la réponse de Son Excellence qu'il alloit rendre au visir pût le satisfaire, se retira sans autre instance.

« On tira encore quelques coups, lorsque l'on se leva de table ; après quoi on commença un bal, où se distinguérent un gentilhomme françois, nommé M. de Marigny, et Me. son épouse [...]. Enfin tout se passa le plus agréablement du monde jusqu'à l'entrée de la nuit que l'on alluma un prodigieux nombre de lampions, que l'on avoit arrangez dans un très bel ordre, non seulement sur le palais, mais aussi sur les arbres qui bordoient les allées du jardin. Ces illuminations, jointes à un grand nombre de fusées faisoient un très beau spectacle, et prolongeoïent, pour ainsi dire, le jour aux environs, mais soit que quelques coups qu'on tira encore après le départ de Mr. Mauro-Cordato eussent parû autant de marques de mépris pour les ordres du visir, ou que ces illuminations lui choquassent la vue, il détacha le *bostangi-bachi* avec main forte pour éteindre les lampions et faire cesser tous les feux d'artifice. Celui-ci ayant fait poster ses gens aux portes du palais de France, fit appeller le premier interprête, à qui il dit d'avertir Mr. l'ambassadeur de faire éteindre ses lampions. L'interprête alla trouver Son Excellence qui étoit dans la sale du bal avec Mr. l'ambassadeur de Venise, et lui ayant dit à l'oreille la commission du *bostangi-bachi*, Mr. l'ambassadeur répondit tout haut, “ Quoi ! on me cherche encore une nouvelle chicane sur mes illuminations qui ne font aucun bruit, après avoir donné satisfaction sur mes pierriers. Allez dire au *bostangi-bachi* que ces lampions ne peuvent incommoder les sultanes ; et que je veux qu'ils brulent tant qu'il y aura de l'huile, et que s'il entreprend de les venir éteindre, j'opposerai la force à la force. ” En même tems Son Excellence ordonna à ses gens de se saisir de toutes les armes qui se trouveroient dans le palais, jusqu'aux broches de la cuisine, et d'en armer autant de monde qu'ils pourroient ; de fermer les portes au nez du *bostangi-bachi*, et de lui en disputer l'entrée. L'ambassadeur de Venise lui représenta en vain qu'il n'y avoit rien à gagner à se piquer d'honneur avec les Turcs, et qu'en sa place il ne voudroit pas les irriter : après quoi il se retira sous prétexte d'affaires. L'interprête alla porter au *bostangi-bachi* cette réponse, mais en l'accommodant de manière que cela suspendît l'effet de la menace. Mais quelques-uns de ses gens lui ayant rapporté qu'on avoit fermé les portes, et voyant qu'on n'éteignoit aucun lampion, il envoya ordre au *topidgi-bachi* de la venir joindre, et d'amener avec lui une centaine de ses gens, et deux petites pieces de canon, pour forcer la porte du palais de France du côté du jardin, pendant qu'il iroit avec les siens enfoncer celle de la ruë. Cependant les plus prudens d'entre ceux qui étoient dans le palais, ne prévoyant que de fâcheuses suites de la resolution de Son Excellence, trouvérent à propos de l'amuser dans la sale du bal, en lui disant que le *bostangi-bachi* s'étoit retiré, et de faire éteindre petit à petit les lampions, sans qu'il s'en apperçût, ou en lui laissant penser, en cas qu'il sortît et s'en apperçût, qu'ils s'éteignoient d'eux-mêmes. L'interprête qui en avoit donné le conseil en sortant, assura en même tems le *bostangi-bachi* et le *topidgi-bachi*, qui vint bien-tôt après, que Son Excellence avoit donné ses ordres pour que l'on éteignît les lampions, et il leur fit remarquer qu'on commençoit actuellement. En effet on éteignoit déja ceux de l'orangerie, et on en fit bientôt autant à ceux du palais qui regardoient le sérail, ce qui satisfit les Turcs. Avant dix heures du soir, que tout le monde se retira, il n'y en avoit plus d'allumez. Enfin on ménagea la chose si adroitement, que Mr. de Feriol a toûjours crû qu'ils avoient brulé jusqu'à la consommation entiere de l'huile. »

b) *La crise de « folie » de Ferriol (t. 1, pp. 410-411) :*

« Peu de jours après, Monsieur de Feriol fut attaqué de l'indisposition à laquelle on a donné le nom de folie, et qui arriva en la maniere suivante.

« Il avoit invité au village de Belgrade plusieurs dames, et diverses autres personnes de sa nation, avec quelques-unes de celle de Hollande. Il faisoit extremement chaud quand il monta à cheval avec la plupart des hommes, ce qui étoit entre neuf à dix heures du matin. Les dames allérent par eau jusqu'à un village nommé *Buyukdery* sur le bord de la mer, et peu éloigné du premier, où elles se rendirent en chariot. Son Excellence traita toute la compagnie assemblée en cet endroit avec sa magnificence ordinaire. On fit bonne chere, on dansa, on chanta ; en un mot tout se passa fort agréablement : mais dans le tems qu'on s'en retournoit comme on étoit venu, il arriva que Mr. de Feriol vit ou crut voir un serpent qui traversoit le chemin, devant les pieds du cheval de Mr. de Marigny qui étoit à sa gauche. Il lui dit, *prenez garde que votre cheval n'écrase ce serpent qui traverse le chemin.* Mr. de Marigny ayant répondu qu'il n'y en avoit aucun, cette réponse déplut à Mr. l'ambassadeur, à qui elle paroissoit avoir l'air d'un démenti, et il lui donna un assez rude coup de fouet sur les épaules. Sur quoi Mr. de Marigny dit d'un ton élevé, *Monseigneur, ce n'est pas de cette maniere qu'on traite ici un gentilhomme : si fait,* répliqua Mr. de Feriol, *quand il parle comme vous faites.* Cette contestation, aïant été suivie de grosses paroles, et de menaces de la part de Son Excellence, fut interprétée à son désavantage, et le reste de la compagnie présente crut que la chaleur du jour, et l'exercice du cheval, qu'il n'avoit presque point fait depuis ses audiences, lui avoit échauffé la tête, et on fit signe au gentilhomme de ne le pas contredire. Quoi qu'il en soit, Son Excellence qui paroissoit de plus en plus échauffé à son retour au palais de France, et qui ne dormit point toute la nuit suivante, parloit et agissoit comme un homme attaqué du plus violent délire, et il devint incommode jusqu'à un tel point qu'on fut obligé de le lier. Ce traitement parut augmenter son mal, et Mr. de Marigny y ayant pris part en mettant les mains sur sa personne, quand on l'exécuta, s'attira des menaces et des reproches sanglans d'ingratitude. Mais ce qui mortifia davantage Mr. de Feriol, fut qu'on éloigna d'auprès de lui une fille arménienne, qu'il appelloit *figlia d'anima,* où sa *fille d'ame* (c'est ainsi qu'on nomme les personnes adoptées de ce sexe), et que la médisance appelloit *sa fille du corps.* Cette fille le suivoit, et le tenoit par la main jusques dans les ruës, quand il alloit à quelques églises ou couvents de Gallata, ou qu'il visitoit les marchands.

« Le désordre dans lequel se trouvoit Mr. l'ambassadeur fut tenu si peu secret, que toutes les différentes nations du lieu le sçurent en moins de six jours. Ses insomnies lui échauffant de plus en plus le sang, et réveillant dans son cœur toutes ses passions, le portoient à menacer hautement ceux dont il croyoit avoir été offensé : et comme il avoit toûjours autant contrecarré les négociations du Czar à la Porte, que Mr. le chevalier Sutton avoit ordre de sa cour de les appuyer, ce que ce dernier avoit fait avec un succès qui lui avoit donné de la jalousie, il lui envoya un deffi, que Mr. de Marigny lui porta d'abord en badinant [...] Ce fut sur ces entrefaites que Mr. Brue ayant dit au visir que Mr. l'ambassadeur étoit devenu fou, en reçut la réponse que j'ai rapportée dans l'article de l'audience. Ce fut aussi lui qui quelque tems après porta en France une attestation de sa folie, signée des principaux marchands de la nation, et du médecin juif *Fonseca* [...] Il revint avec le rapel de Mr. de Feriol, et la nouvelle de la nomination de Mr. Des Alleurs à l'ambassade en sa place. »

Appendice 3 : Extraits des *Nouveaux Mémoires du comte de Bonneval.*

a) *Le comte de Bonneval, devenu pacha à trois queues, visite un marché d'esclaves afin d'acheter des filles pour se faire un sérail. Parmi les filles qu'il voit, il remarque une Française (pp. 112-120) :*

« Je ne pus résister à l'envie que j'eus de lui parler. Je la fis venir, pour savoir par quel hazard elle se trouvoit dans cette maison. Je l'avois remarquée lors qu'elle avoit passé par la petite cour. Sa taille étoit bien prise, mais médiocre, son visage n'avoit rien de frappant quoique chaque trait fût assez régulier ; peut-être que le chagrin avoit terni les couleurs qui l'auroient renduë belle. Voici son avanture telle qu'elle me la raconta :

[Elle avait pris le bateau à Marseilles, avec sa mère et son frère, pour rejoindre son père « dans une des isles de l'Archipel la plus voisine de Chio ». Le bateau ayant été attaqué par des corsaires turcs, elle est faite prisonnière par le capitaine, qui l'amène à Constantinople où il l'installe dans son sérail.]

« Il me fit mettre dans l'appartement de ses femmes et me donna pour me servir une vieille esclave françoise. On me laissa quelques jours en repos. Cette femme, par ordre du corsaire, me représenta l'amour qu'il avoit pour moi et m'apporta mille raisons pour me déterminer à y consentir. Je résistai à tout et répétai sans cesse que j'aimerois mieux mourir. On me menaça d'user de violence ou de m'abandonner à des gens qui n'auroient pour moi aucun égard, on m'ôta des habits assez propres qu'on m'avoit donnés, on me mit au rang des servantes. Je fus inébranlable. Après cinq ou six mois de persécution, la mère du corsaire le détermina à me vendre. Il m'a envoyée ici sous la garde de son plus fidèle eunuque. Il y a six semaines que je suis dans cette maison. Ces revuës qu'on nous fait faire de tems en tems, me sont plus insupportables que la mort la plus cruelle. Quelque triste que soit la vie que je mène ici, je ne crains rien tant que d'en sortir.

« Vous êtes François, Monsieur ; vous me paraissez un seigneur turc [...] Serois-je assez heureuse pour que ce fût le comte de Bonneval à qui j'ay l'honneur de parler ? Je me fis connoître. Ah ! s'écria-t-elle, vous êtes un homme d'honneur, vous avez été chrétien, peut-être l'êtes-vous encore dans le cœur, vous savez avec quelle horreur une fille chrétienne bien élevée regarde l'espèce de prostitution à laquelle on veut me livrer. Au nom de Dieu tirez-moi d'icy [...] si tout ce qu'on dit de vous est vrai, vous êtes assez généreux pour payer le plaisir de faire une belle action.

« Ses prières, ses larmes m'attendrirent ; je n'hésitai pas

un moment de faire ce qu'elle souhaitoit. Comme le marchand craignoit que le chagrin ne la fît mourir, j'en fus quitte pour cinq cens écus. Je la fis conduire dans mon château. La joie de se voir délivrée la rétablit bien vite. Elle parut alors ce qu'elle étoit, parfaitement belle. Je fis faire des perquisitions si exactes qu'enfin on découvrit où étoient sa mère et son frère [...] Pour madame de Letori, un vieux musulman fort riche l'avoit achetée. Après avoir inutilement essayé de la gagner, il l'avoit réléguée dans une de ses maisons de campagne pour avoir soin de la bassecour. Elle me coûta mille écus. »

b) *Au marché d'esclaves, le comte de Bonneval s'intéresse à une belle Persane (pp. 121-123) :*

« Chez un de ces marchands je trouvai sur la liste plusieurs Persanes. Une d'elles me plut infiniment. Elle étoit grande et parfaitement bien faite. Son tein étoit d'une blancheur éblouissante, que relevoit encore ses yeux et ses cheveux noirs. Ce qui me frappa davantage, fut un certain air de fierté répandu sur son visage, qui me la fit regarder comme une fille de condition. Je la fis venir, je lui parlai ; je fus aussi content de son esprit que je l'avois été de sa figure. Je serois inconsolable, me dit-elle, de me voir dans un païs étranger, si je ne savois que mon sexe me condamne à passer mes jours enfermée dans un serrail, assujettie à la volonté de celui à qui ma destinée m'aura livrée [...] L'air de Mr. le Bacha, continua-t-elle, me fait espérer un sort plus heureux que n'est ordinairement celui d'un esclave. Puissant Mahomet, s'écria-t-elle, inspire lui des sentimens favorables pour moi.

« Je n'avois pas besoin d'inspiration, sa beauté, son esprit, avoient fait sur moi toutes les impressions qu'elle pouvoit souhaiter. Je lui dis que ses espérances ne seroient pas trompées et que l'envie qu'elle paroissoit avoir d'être à moi m'étoit une raison de l'aimer davantage. Mais, ajoutai-je, cette envie est-elle sincère, et n'est-ce point le désir de sortir d'icy qui vous fait parler de la sorte ? Non, répliqua-t-elle, d'un ton qui marquoit un peu de dépit et de colère, je ne sai ce que c'est que de trahir mes sentimens, et toute esclave que je suis rien au monde ne seroit capable de m'abaisser jusqu'à mandier par des manières feintes l'attachement d'un homme quel qu'il pût être. »

Appendice 4 : Jugements contemporains.

Les quelques jugements contemporains que nous avons pu découvrir sur l'*Histoire d'une Grecque moderne* ne sont guère éclairants quant à l'œuvre elle-même. Relevant du simple compte rendu journalistique, agrémenté de quelques jugements de valeur, tout au plus témoignent-ils de l'esprit du temps, et notamment, dans le cas du dernier, du préjugé contre le genre romanesque qui règne en cette période d'interdiction des romans en France.

a) *Lettres sur les affaires du temps* de Gastellier (1738-1751) dans *Cahiers Prévost d'Exiles,* 1 (1984), 108-109 :

Lettre 39 du 29 septembre 1740.

« J'ai vu le nouvel ouvrage de l'Abbé Prévost intitulé " La belle Grecque ". J'en ai trouvé la lecture ennuyeuse par le ton dogmatique et la morale perpétuelle qui y règne d'un bout à l'autre, toujours des réflexions alambiquées sur une sorte de vertu guindée et impraticable. Voici en gros le sujet que cet auteur a trouvé. Un ambassadeur de France devient assez ami d'un bacha pour lui faire voir les beautés de son sérail. Il se comporte si bien dans cette première visite que le bacha l'invite à y revenir souvent. L'Excellence reçoit un billet d'une de ces femmes qui le prie de la retirer de la captivité où elle gémit. Sa générosité naturelle l'engage à prier le sélictar qui est son ami et homme à qui le possesseur de cette belle ne peut rien refuser, de lui procurer cette esclave. Le sélictar l'obtient et la remet à l'ambassadeur, qui lui donne la liberté sur le champ. Cette fille, charmée de son bonheur, pénétrée de la plus vive reconnaissance, se jette aux pieds de son bienfaiteur qui en devient amoureux. Il la respecte assez pour ne pas lui déclarer ses sentiments, mais lorsqu'elle a appris assez de français pour le lui expliquer, il lui découvre tout l'amour dont il se sent brûler pour elle. Elle se refuse à ses ardeurs ; charmé de sa vertu, il lui cache ses feux quelque tems encore, enfin emporté par sa passion, il lui propose de l'épouser ; elle rejette cette proposition et lui demande une retraite dans un couvent. Il lui reproche la dureté qu'elle a de vouloir le quitter ; elle consent à demeurer et à finir ses jours auprès de lui, mais sous la condition de suivre les principes de vertu que lui-même lui a inspirés ; elle meurt enfin dans l'exercice de la plus austère vertu. Il faut que cet ambassadeur, qui est M. de Fériol, se soit marié depuis la mort de cette belle Grecque car il a laissé deux fils, l'un qui se nomme Mr d'Argental et l'autre M. de Pondevelle, tous deux sont gens de mérite et de beaucoup d'esprit, mais peu riches. M. d'Argental avait été nommé il y a environ deux ans Intendant à la Martinique où par complaisance pour Madame sa femme, il a refusé de se transporter. C'était cependant un poste qui lui aurait convenu pour réparer l'injustice de la fortune. La belle Haïcé dont on m'avait dit que l'Abbé Prévost faisait l'histoire était aussi une jeune Grecque que M. de Fériol avait aussi amené de Constantinople à Paris, mais il la donna à Madame la Maréchale d'Estrées auprès de laquelle elle a fini sa vie et est morte à son service il n'y a que trois ou quatre ans[1].

b) *Le Sage Moissonneur ou Le Nouvelliste Historique, Galant, Littéraire et Critique*, août 1741, pp. 468-469 :

Histoire d'une Grecque Moderne, par Mr. l'Abbé Prévost etc., 2. parties in 12. chez Jean Catuffe 1741.

« Quoique cette histoire ressemble beaucoup à un roman, on doit cependant assûrer, que la lecture ne peut en être qu'utile et divertissante : On y trouve un mêlange de tendresse, d'honneur et de vertu qui donne une grande idée de cette Grecque. Il est vrai, que le portrait qu'on en fait ne ressemble en rien à ceux des dames de cette nation. Mais il n'y a point de régle sans exception, et on peut trouver, quoique rarement, parmi les Grecques, des héroïnes qui joignent la vertu et la sagesse à l'amour. Et supposé que l'histoire soit vraie, on doit avoir d'autant plus d'estime pour cette dame, que peu de femmes grecques savent se conduire avec autant de prudence et de circonspection. Je ne parle point du style, celui de l'auteur est trop connu pour en relever l'élégance. »

1. Comme le signale J. Sgard dans son édition de la *Grecque moderne* (Grenoble, 1969, p. 8, note 1), Gastellier ne connaissait que très imparfaitement les personnes et événements dont il parle : d'une part, d'Argental et Pont-de-Veyle, c'est bien connu, sont les *neveux* de Ferriol ; d'autre part, Mlle Aïssé s'est éteinte en 1733, *sept* ans avant, tandis que Ferriol était mort en 1722 (à l'âge, toutefois, de soixante-dix à soixante-quinze ans — et non, comme le veut Sgard, de quatre-vingt-cinq ans).

c) *Bibliothèque françoise, ou Histoire littéraire de la France*, tome XXXV, 1742, pp. 172-175 :

Article IX. Lettre à Mr. *** sur l'*Histoire d'une Grecque moderne* par Mr. d'Exilles.

« Vous me demandez, Monsieur, ce que c'est que cette *Grecque Moderne*, dont on a publié à Amsterdam l'histoire romanesque. Elle s'appelle d'abord *Zara*, et ensuite *Théophé*. C'est une fille adroite et entreprenante, dont la vertu est fort équivoque. L'intendant de son père l'avoit enlevée à l'âge de deux ans, et sous le titre de sa propre fille, l'avoit prostituée à un jeune Turc dans un âge *où elle ignoroit encore la différence des sexes*. Cet intendant ayant été arrêté et puni, la pauvre fille n'eut d'autre ressource que de s'aller vendre elle-même dans le marché des esclaves. Elle tomba entre les mains d'un bacha nommé *Cheriber*. Il y avoit six mois qu'elle étoit dans son serrail, lorsque le ministre de France, que l'on suppose auteur de ce roman, y ayant été introduit par le bacha même, fut touché de ses charmes et de son sort. Par l'entremise d'un autre seigneur turc, il vint à bout de lui procurer la liberté. Mais à peine la belle est au pouvoir de l'ambassadeur, qu'elle prend la fuite. Il court après elle, la ramene chés lui, et la conduit à une maison de campagne, où son amour comptoit de recueillir bientôt le fruit de ses bienfaits. Mais au moment qu'il s'attendoit à une victoire d'autant plus facile que d'autres l'avoient remportée avant lui, il fut bien étonné de voir cette fille opposer à ses désirs des principes de vertu, qu'il lui avoit inspirés lui-même. Le ministre prend alors le parti de se renfermer à son égard dans les bornes de l'estime et de la bienséance. Cependant Théophé déclare ingénument au ministre, que son frere nommé *Synese* avoit obtenu d'elle les dernières faveurs, ayant eu l'adresse de lui persuader que cela étoit permis entre une sœur et un frère. Il y a ici une peinture inutile et trop vive des libertés que prenoient ensemble le frere et la sœur. Le ministre exile Synese de la maison, mais il y demeure caché ; et outre ce rival, un seigneur turc trouve aussi le moyen de s'y introduire. Les deux rivaux se battent, et l'un blesse l'autre dangereusement. Le ministre tourne l'affaire en plaisanterie, et s'avise ridiculement de mener sa maitresse chés le Turc même. Cepandant deux amans esclaves, nouvellement délivrés, forment avec Synese le projet d'un établissement dans la Morée, où ils comptent emmener avec eux la jeune Grecque. L'ambassadeur découvre le complot et rompt le projet : il apprend qu'elle refuse la main du seigneur turc ; et ce qu'il y a d'indécent, est que Synese lui offre aussi la sienne. L'ambassadeur, sottement charmé de la vertu de sa maitresse, se détermine enfin à l'épouser lui-même, mais Théophé le refuse, et le menace même de le quitter, s'il persiste dans ce dessein.

« L'ambassadeur se met en route pour revenir en France, et emmene Théophé avec lui. A peine est-elle arrivée à Livourne, qu'elle abandonne son cœur et presque sa main à un jeune homme, qui la prenoit pour la fille du ministre. Elle a refusé d'épouser le ministre, parce qu'il connoit qu'elle n'est point vierge, et, elle veut bien épouser un étranger qui l'ignore. Quel prétexte, quels sentimens ! Elle se pique de la plus grande droiture, et elle ne fait point difficulté de tromper un nouvel amant, dont elle consent de faire son mari. La curiosité de l'ambassadeur au sujet de l'amant de Livourne, est ici peinte avec des couleurs les plus indécentes.

« Le caractère dominant de Théophé est l'artifice et la dissimulation, et elle en fait un continuel usage à l'égard des amans que ses charmes lui procurent à Paris. Enfin elle déclare à l'ambassadeur la résolution où elle est de ne se marier jamais, et elle y persiste jusqu'à sa mort.

« Depuis les romans de mademoiselle de Scudéry et de Mr. de Segrais, ce genre d'ouvrages avoit cessé d'être à la mode. A peine en paroissoit-il un ou deux chaque année, et ils n'étoient presque point lûs... » (suit une courte diatribe contre « le règne des romans », « fictions plattes et insipides... livres frivoles », etc.).

BIBLIOGRAPHIE SOMMAIRE

ÉTUDES SUR LA *GRECQUE MODERNE*

BEAUMONT, Ernest, « Abbé Prévost and the Art of Ambiguity », *Dublin Review*, CCXXIX, 1955, 165-174.

BOUVIER, Emile, « La Genèse de l'Histoire d'une Grecque moderne », *Revue d'Histoire littéraire de la France*, XLVIII, avril-juin 1948, 113-30.

BRAY, Bernard, « Structures en série dans *Manon Lescaut* et *Histoire d'une Grecque moderne* de l'abbé Prévost », *Studies on Voltaire and the Eighteenth Century*, CXCII, 1980, 1333-1340.

BREUIL, Yves, « Une lettre inédite relative à l'*Histoire d'une Grecque moderne* », *Revue des sciences humaines*, 33, juillet-septembre 1968, 391-400.

CONROY, Peter V., Jr., « Image claire, image trouble dans l'*Histoire d'une Grecque moderne* de Prévost », *Studies on Voltaire and the Eighteenth Century*, CCXVII, 1983, 187-197.

COULET, Henri, « Sur les trois romans écrits par l'abbé Prévost en 1740 », *Cahiers Prévost d'Exiles*, 2, 1985, 7-19.

GILROY, James P., « Prévost's Théophé : A Liberated Heroine in Search of Herself », *The French Review*, 60, n° 3, February 1987, 311-318.

GOSSMAN, Lionel, « Male and Female in Two Short Novels by Prévost », *Modern Language Review*, LXXVII, n° 1, 1982, 29-37.

HILL, Emita B., « Virtue on trial : A defense of Prévost's Théophé », *Studies on Voltaire and the Eighteenth Century*, LXVII, 1969, 191-209.

HOLLAND, Allan, Edition de l'*Histoire d'une Grecque moderne* dans les *Œuvres de Prévost*, IV, Grenoble, Presses Universitaires de Grenoble, 1982 ; commentaire et notes, t. VIII, 1986, pp. 273-321.

— « The Miracle of Prévost's *Grecque moderne* », *Australian Journal of French Studies,* 16, n° 2, January-April 1979, 278-280.

JONES, James F., Jr., « Textual Ambiguity in Prévost's *Histoire d'une Grecque moderne* », *Studi Francesi,* XXVII, n° 2, mai-août 1983, 241-256.

— Trad. et éd. The Abbé Prévost, *The Story of a Fair Greek of Yesteryear*, Potomac, Maryland, Scripta Humanistica, 1984 (voir son introduction, pp. 11-45).

MAUZI, Robert, Introduction à l'*Histoire d'une Grecque moderne*, éd. Bibliothèque 10/18, Union Générale d'Editions, 1965.

MILLER, Nancy K., « L'*Histoire d'une Grecque Moderne* : No-Win Hermeneutics », *Forum*, XVI, ii, 1978, 2-10.

MIRAMBEL, André, « L'*Histoire d'une Grecque moderne* de l'Abbé Prévost », *Bulletin de l'Association Guillaume Budé*, Troisième Série, 3, octobre 1951, 34-50.

MONTY, Jeanne, *Les Romans de l'abbé Prévost*, in *Studies on Voltaire and the Eighteenth Century*, LXXVIII, 1970, chap. IV.

MURPHY, Patricia, « A Study of the Narrative Techniques of the Abbé Prévost as illustrated in *Manon Lescaut* and *L'Histoire d'une Grecque moderne* », Diss. The University of Wisconsin, 1968.

PIZZORUSSO, Arnaldo, « Prévost : Ipotesi e velleità », *Belfagor*, XXXIII, 3, maggio 1978, 279-296.

PRUNER, Francis, « La Psychologie de la Grecque moderne », *L'Abbé Prévost. Actes du Colloque d'Aix-en-Provence, 20 et 21 décembre 1963*, Aix-en-Provence, Ophrys, 1965, pp. 139-146.

ROUSSET, Jean, *Narcisse romancier. Essai sur la première personne dans le roman*, Paris, Corti, 1973, pp. 127-157.

SERMAIN, Jean-Paul, « L'*Histoire d'une Grecque moderne* de Prévost : Une Rhétorique de l'exemple », *Dix-huitième Siècle*, XVI, 1984, 357-367.

— *Rhétorique et roman au dix-huitième siècle : L'exemple de Prévost et de Marivaux (1728-1742)* in *Studies on Voltaire and the Eighteenth Century*, CXXXIII, 1985, pp. 130-142.

SGARD, Jean, Présentation de l'*Histoire d'une Grecque moderne*, éd. Grenoble, Presses Universitaires de Grenoble, 1989.

— *Prévost romancier*, Paris, Corti, 1968, chap. XVII.

SINGERMAN, Alan J., *L'Abbé Prévost. L'Amour et la Morale*, Genève, Droz, 1987, chap. IV.

SOURCES ANCIENNES

AÏSSÉ, Marie-Charlotte, *Lettres de Mademoiselle Aïssé à Madame C.*, Paris, Lagrange, 1787.

Bibliothèque Françoise ou Histoire Littéraire de la France, t. XXXV, 1742 ; jugement contemporain, voir Appendice 4c.

BONNAC, marquis de, « Mémoire historique du marquis de Bonnac », *Mémoires et documents de Turquie*, fols. 393, 394, 397 (archives du ministère des Affaires étrangères).

CANTEMIR, Démétrius, *The History of the Growth and Decay of the Othman Empire*, trad. N. Tindal, London, James, John and Paul Knapton, 1734.

— *Histoire de l'empire ottoman*, trad. Joncquières, Paris, Le Clerc, 1743.

FERRIOL, M. de, *Recueil de cent estampes*, Paris, Le Hay, 1714, réédité sous le titre *Explication des cent estampes*, Paris, Jacques Collombat, 1715.

GASTELLIER, *Lettres sur les affaires du temps* [1738-1751], nos 38, 39, reproduites dans *Cahiers Prévost d'Exiles*, 1, 1984, 108-109 ; jugement contemporain, voir Appendice 4a.

LA MOTRAYE, A. de, *Voyages du Sr. A. de La Motraye en Europe, Asie et Afrique...*, t. 1, La Haye, Johnson et Van Duren, 1727.

Le Sage Moissonneur ou Le Nouvelliste Historique, Galant, Littéraire et Critique, août 1741 ; jugement contemporain, voir Appendice 4b.

MIRONE, M. de, *Anecdotes vénitiennes et turques ou Nouveaux Mémoires du comte de Bonneval*, Londres, Aux dépens de la Compagnie, 1740.

Nouveaux Mémoires du comte de Bonneval, La Haye, Van Duren, 1737.

PRÉVOST, Antoine-François, *Le Pour et Contre*, Paris, Didot, 1733-1740.

THÉVENOT, Jean, *Voyages de Mr. de Thévenot en Europe, Asie et Afrique*, t. 1, Amsterdam, Michel Charles Le Cène, 1727.

TOURNEFORT, J. Pitton de, *Relation d'un Voyage du Levant...*, t. 2, Lyon, Anisson et Posuel, 1717.

L'ensemble des romans de l'abbé Prévost, ainsi que d'autres textes choisis, ont été mis à la disposition du public grâce à l'édition récente des *Œuvres de Prévost* publiée par les Presses Universitaires de Grenoble, sous la direction de J. Sgard :

Tome I. *Mémoires et aventures d'un homme de qualité, Histoire du Chevalier des Grieux et de Manon Lescaut* (1978).
Tome II. *Le Philosophe anglais, ou Histoire de Monsieur Cleveland* (1977).
Tome III. *Le Doyen de Killerine* (1978).
Tome IV. *Histoire d'une Grecque moderne, Mémoires pour servir à l'histoire de Malte, Campagnes philosophiques, ou Mémoires de M. de Montcal* (1982).
Tome V. *Histoire de Guillaume le Conquérant, Histoire de Marguerite d'Anjou* (1979).
Tome VI. *Voyages du capitaine Robert Lade, Mémoires d'un honnête homme, Le Monde moral* (1984).
Tome VII. *Les Aventures de Pomponius, chevalier romain, Contes singuliers, Préfaces, Opuscules, Critique littéraire, Critique des voyages, Correspondance* (1986).
Tome VIII. *Notes et commentaires* (1986).

CHRONOLOGIE

1697 : Naissance d'Antoine-François Prévost à Hesdin (1er avril).

1711-1715 : Etudes au collège d'Hesdin ; premier engagement militaire ; année de philosophie à Paris ; début de noviciat chez les jésuites.

1717-1718 : Reprise du noviciat chez les jésuites de La Flèche ; nouvel engagement militaire ; fuite en Hollande.

1721 : Profession chez les bénédictins à Jumièges (9 nov.).

1721-1726 : Il poursuit ses études de théologie, rédige les *Aventures de Pomponius, chevalier romain*, commence la traduction de l'*Histoire de M. de Thou* à Sées, reçoit la prêtrise à Rouen.

1726-1728 : Il enseigne les humanités au collège de Saint-Germer, prêche à Evreux, fait un séjour au monastère des Blancs-Manteaux à Paris, travaille à la *Gallia christiana* au couvent de Saint-Germain-des-Prés.

1728 : Les deux premiers tomes des *Mémoires d'un homme de qualité* reçoivent l'approbation (13 mars et 5 avril). Prévost quitte Saint-Germain sans autorisation (18 oct.) ; les bénédictins obtiennent une lettre de cachet (6 nov.) ; les tomes III et IV de l'*Homme de qualité* reçoivent l'approbation (19 nov.) ; Prévost s'enfuit en Hollande, puis passe en Angleterre.

1729-1730 : Précepteur du fils de Sir John Eyles ; liaison avec la fille de celui-ci ; il rédige les deux premiers tomes de l'*Histoire de M. Cleveland*, quitte Londres pour Amsterdam.

1731 : Trois derniers tomes de l'*Homme de qualité* (avril), dont l'*Histoire du chevalier des Grieux et de Manon Lescaut* (tome VII). Les tomes I et II de *Cleveland* sont présentés à l'approbation (2 avril); les tomes III et IV paraissent en octobre. Liaison ruineuse avec Lenki Eckhart.

1732 : Rédaction du premier tome de l'*Histoire de M. de Thou*; situation financière de plus en plus désespérée.

1733 : *Histoire de M. de Thou* (janv.); Prévost fait faillite le même mois, s'enfuit en Angleterre avec Lenki; ses meubles sont vendus aux enchères publiques; le premier numéro du *Pour et Contre* paraît (avril). Au mois de décembre, Prévost est écroué, puis relâché, pour une affaire de faux billet de change émis au nom de son ancien élève, F. Eyles.

1734-1735 : Retour en France; Clément XII lui accorde la rémission de ses fautes. En août 1735, il entame un deuxième noviciat à la Croix-Saint-Leufroy; parution le même mois du premier tome du *Doyen de Killerine*.

1736 : Prévost nommé aumônier (sans gages) du prince de Conti.

1738 : Tome VI de *Cleveland* (avril); sa situation financière devient critique.

1739 : Tomes VII et VIII de *Cleveland* (mars); tomes II (avril) et III (juin) du *Doyen de Killerine*; il abandonne la rédaction du *Pour et Contre* pour huit mois; *Histoire de Marguerite d'Anjou* (juillet).

1740 : Prévost est aux abois. Menacé d'arrestation, il demande, le 15 janvier, 50 louis à Voltaire, qui les lui refuse poliment; parution le même mois du tome IV du *Doyen de Killerine*; il reprend la rédaction du *Pour et Contre* (février).
Parution de l'*Histoire d'une Grecque moderne* (sept.).

1741 : Prévost prend la fuite le 26 janvier, se rend à Bruxelles, puis à Francfort; les *Mémoires pour servir à l'histoire de Malte* paraissent (janvier), puis *Les Campagnes philosophiques* (mars); retour en France au mois de novembre.

1742 : *Histoire de Guillaume le Conquérant* (mai); Prévost rentre à Paris (sept.).

1743 : *Histoire de Cicéron* (déc.).

1744 : *Lettres de Cicéron* (juin) ; *Voyages du capitaine Robert Lade* (nov.).

1745 : *Mémoires d'un honnête homme* (nov.).

1746 : *Histoire générale des voyages*, tome I (juin) et II (déc.) ; ensuite, un tome par an jusqu'en 1759 (tome XV). Prévost s'installe à Chaillot avec sa « gouvernante », C. Robin-Gentry.

1751-1758 : Traduction des romans de Richardson, *Clarisse Harlowe* (1751) et *Grandisson* (1755-1758).

1753 : Edition corrigée de l'*Histoire du chevalier des Grieux* (mai).

1754 : Prévost reçoit le prieuré de Gennes.

1755 : *Journal étranger* (15 janv.-1er sept.).

1760 : *Le Monde moral*, tomes I et II (avril) ; traduction de l'*Histoire de la Maison de Stuart*.

1762 : Traduction des *Mémoires pour servir à l'histoire de la vertu* de F. Sheridan (juillet).

1763 : Traduction d'*Almoran et Hamet* de Hawkesworth (juin).
Mort de Prévost (25 nov.).

1764 : *Lettres de Mentor à un jeune seigneur*, trad. de l'anglais (avril) ; tomes III et IV du *Monde moral* (mai).

TABLE

PUBLICATIONS NOUVELLES

AGEE
La Veillée du matin (508).

ANDERSEN
Les Habits neufs de l'Empereur (537).

BALZAC
Les Chouans (459). La Duchesse de Langeais (457). Ferragus. La Fille aux yeux d'or (458). Sarrasine (540).

BARRÈS
Le Jardin de Bérénice (494).

CHEDID
Nefertiti et le rêve d'Akhnaton (516). *** Le Code civil (523).

CONDORCET
Esquisse d'un tableau historique des progrès de l'esprit humain (484)

CONRAD
Au cœur des ténèbres (530).

CONSTANT
Adolphe (503).
*** Les Déclarations des Droits de l'Homme (532).

DEFOE
Robinson Crusoe (551).

DESCARTES
Correspondance avec Elisabeth et autres lettres (513).

FRANCE
Les Dieux ont soif (544). Crainquebille (533).

GENEVOIX
La Dernière Harde (519).

GOGOL
Le Revizor (497).

KAFKA
La Métamorphose (510). Amerika (501).

LA HALLE
Le Jeu de la Feuillée (520). Le Jeu de Robin et de Marion (538).

LOTI
Le Roman d'un enfant (509) Aziyadé (550).

MALLARMÉ
Poésies (504).

MARIVAUX
Le Prince travesti. L'Ile des esclaves. Le Triomphe de l'amour (524).

MAUPASSANT
La Petite Roque (545).

MELVILLE
Bartleby. Les Iles enchantées Le Campanile (502). Moby Dick (546).

MORAND
New York (498).

MORAVIA
Le Mépris (526).

MUSSET
Lorenzaccio (486).

NODIER
Trilby. La Fée aux miettes (548).

PLATON
Euthydème (492). Phèdre (488). Ion (529).

POUCHKINE
La Fille du Capitaine (539).

RIMBAUD
Poésies (505). Une saison en enfer (506). Illuminations (517).

STEVENSON
Le Maître de Ballantrae (561).

TCHEKHOV
La cerisaie (432)

TOCQUEVILLE
L'Ancien Régime et la Révolution (500).

TOLSTOÏ
Anna Karenine I et II (495 et 496).

VOLTAIRE
Traité sur la tolérance (552).

WELTY
L'Homme pétrifié (507).

WHARTON
Le Temps de l'innocence (474) La Récompense d'une mère (454).

GF GRAND-FORMAT

CHATEAUBRIAND
Mémoires d'Outre-Tombe. Préface de Julien Gracq (4 vol.)

FORT
Ballades françaises

GRIMM
Les Contes (2 vol.)

GUTH
Histoire de la littérature française (2 vol.)

HUGO
Poèmes choisis et présentés par Jean Gaudon

LAS CASES
Le Mémorial de Sainte-Hélène (2 vol.).

MAURIAC
Mémoires intérieurs et Nouveaux Mémoires intérieurs

GF — TEXTE INTÉGRAL — GF

1178-VIII-1990. — Imp. Bussière, St-Amand (Cher).
N° d'édition 12715. — Septembre 1990. — Printed in France.